Heibonsha Library

天工開物

平凡社ライブラリー

Heibonsha Library

天工開物

宋應星著
藪内清訳注

平凡社

本著作は一九六九年一月、東洋文庫として平凡社より刊行されたものです。
底本には初版第二四刷（二〇一〇年九月刊）を使用しました。

目次

訳者序文　9
訳注を読まれる方への注意　13
天工開物序　19
上巻
一　穀類　23
二　衣服　61
三　染色　107
四　調製　117
五　製塩　141
六　製糖　155
中巻
七　製陶　168
八　鋳造　198
九　舟車　220
十　鍛造　245

十一　焙焼……261
十二　製油……279
十三　製紙……292
下巻
十四　製錬……306
十五　兵器……347
十六　朱墨……372
十七　醸造……386
十八　珠玉……395

解説……420
第一六刷への補遺……441
第二三刷への補遺……450
平凡社ライブラリー版解説
『天工開物』の今日的意義——これからのものづくり・生活づくりに向けて　植田　憲……453
索引……477

訳者序文

中国における技術の百科全書ともいうべき『天工開物』の和訳が、こんど平凡社の東洋文庫の一冊として出版される運びとなった。昭和二十八年に刊行された『天工開物の研究』の訳文に手を加え、新たに解説を書き添えた。もとの研究は、訳者にとって特に思い出が深い。明の宋應星が著わした『天工開物』を、京都大学人文科学研究所で読み始めたのは昭和二十三年の春からで、翌年からは中国科学技術史の研究班が正式に発足し、その班研究の題目として引きつづいて『天工開物』をとりあげた。この班研究に参加した人々は、天野元之助、入矢義高、大島利一、岡西為人、太田英蔵、北村四郎、木村康一、篠田統、吉田光邦、米田賢次郎、渡辺幸三などの諸氏であって、研究のとりまとめには班長としての私があたった。昭和二十八年に全部の原稿ができあがり、文部省の出版助成費を得て刊行することになった。全体は前編に十一の研究論文を収録し、後編に『天工開物』訳注・原文を載せた。訳文については、特に入矢義高氏(現名古屋大学教授)が多大の時間を割いて綿密な訂正を加えられた。このように訳文とその注釈とは、上記の諸氏、および臨時的に班研究に参加された若干の人々の協力による賜物であって、こんどの出版にあたって訳者の名を一人だけあげたのは、最終的な責任のありかを明白にしたまでである。

『天工開物の研究』を出版したことは、かなりの反響を引き起こした。いくつかの書評の中、ハーバード大学教授楊聯陞氏のそれは特に詳しい。[*1] また前編に収録した研究論文は、中華人民共和国と中華民国とで、それぞれ別々に漢訳された。[*2] またアメリカで『天工開物』の英訳[*3]が出版されたのも、われわれの研究が一つの契機となったと考えられる。これらの漢訳及び英訳本は、こんどの刊行にあたって参考となった。この新しい訳注は、ほとんど旧版によったが、主として責任者の判断でなるべく読みやすいように、ときには文章の表現を改め、また少しく注の文章を補った。また『天工開物』の大きな魅力となっている図版は、一九五九年に中華人民共和国から復刻された崇禎刊本を新たに使用し、原則として各章末にまとめて掲げた。

戦時中（昭和十八年）に菅生堂本『天工開物』を復刻された三枝博音氏は、さきに不慮の列車事故によって亡くなられた。この復刻は、われわれの研究を促した契機となったものである。また『天工開物の研究』の出版社主土居客郎氏は今年五月に他界された。班研究のメンバーとしては渡辺幸三氏を失っている。十五年の歳月にはいろいろなことがあったが、ともかく新しい形で出版の運びになったことに深い感慨をおぼえる。昭和二十八年の夏はことのほかきびしい暑さであった。仕事をまかした京都の印刷所が破産寸前という話をきいて、毎日のように印刷所へ督促に行ったことをおぼえている。約束の期日が守られないので、きびしい暑さの中で気持を落ちつけるのが精一杯であった。こんどは平凡社の東洋文庫編集部の御尽力によって、そうした苦しみを味わう必要がなくなった。

十五年前を思い、いろいろな方々への感謝をふくめて、この序文をしるした。

昭和四十三年六月末日

藪内 清

注

＊1――*Harvard Journal of Asiatic Studies*, vol.17, pp. 307-316, 1954.

＊2――台湾からは『天工開物之研究』（一九五六）が、また北京からは『天工開物研究論文集』（一九五九）の名で漢訳が出版された。なお訳注が加えられており、参考になるものが少なくない。

＊3――T'ien-kung K'ai-wu, *Chinese Technology in the Seventeenth Century*, translated by E-tu Zen Sun and Shiou-Chuan Sun, The Pennsylvania State University Press, 1966.

訳注を読まれる方への注意

『天工開物』の原著には、著者宋應星が明の崇禎丁丑（一六三七）の年、刊行にあたって書いた序文がある。この崇禎刊本が最初のものと考えられるが、明代にはいま一本、書林楊素卿の手で刊行されたものがあった。崇禎刊本は東京の静嘉堂や北京などにあり、中国からは一九五九年にその復刻本が出た。これは静嘉堂本より挿図が詳明なので、訳書にはこの復刻本を使用した。静嘉堂本は江戸時代の有名な蔵書家木村蒹葭堂の旧蔵であったと推定されるが、江戸時代に蒹葭堂旧蔵本を使って明和八年（一七七一）に大阪の書林菅生堂から返り点や送り仮名をつけた和刻本が刊行され、これがさらに文政十三年に重刻された。日本では写本として幾つかが残っているほか、広くこの書が読まれたことは諸書の引用によって知られる。これに反し中国では清朝の下であまり読まれず、一時この本の所在すら明らかでなかった。民国十五年に日本で地質学を学んだ章鴻釗が菅生堂本を中国に持ちかえり、それ以後『天工開物』はにわかに中国人学者の関心をよんだ。やがて崇禎刊本の所在も知れ、さらに日本から楊素卿本をも入手した。さらに数種の『天工開物』が刊行されたが、詳しいことは解説にゆずる。

読者に対し中国の度量衡、節気などをはじめにまとめておく。まず度量衡であるが、狩谷棭斎の『本朝度量権衡攷』、近人呉承洛の『中国度量衡史』などによって、だいたいの規準を与えておこう。

長さ。中国では古くから十進法による丈尺寸分が使われた。代表的な尺としては鈔尺、営造尺、量地尺があり、いずれも日本の曲尺（三〇センチ）より僅かに長い程度である。現存する明嘉靖牙尺は、長さが三一・七センチで、日本曲尺の一・〇六倍で、営造尺とほぼ同一である。なお別に五尺を一歩、三六〇歩を一里とする単位があり、路程の呼称に使われる。量地尺（日本曲尺の一・〇八倍）を用いると、

一里　五・四町（日本町）〇・五八キロほど。

桝目。これも十進法による石、斗、升、合の名称があり、他に二斛を一石、二龠を一合とする二進法が時に使用された。『本朝度量権衡攷』によると、明代の一升は日本の五合八勺で一リットル（五合五勺）より少し多い。呉承洛の説では一升が日本の五合九勺である。だいたい日本の六割程度とみておけばよい。

目方。古くから二十四銖を一両、十六両を一斤、三十斤を一鈞、四鈞を一石という呼称が行なわれた。石はもともと目方の単位であった。宋代以後には両以下に対し、一両を十銭、一銭を十分とする十進法が併用された。目方は唐以後それほどの変化がなく明代に及んでいるようで、わが国の目方に直すと、

一斤　百六十匁（六〇〇グラム）

一両　十匁、一銭　一匁

一銖　四・一七分

ほどである。

畝法。一般に度量衡は地方差があり、上記の値も一応の標準である。これが地積になると、年貢などの関係からいよいよ乱脈をきわめ、標準的数値もあまり意味がない。唐以後の標準的地積は五尺を一歩、二四〇平方歩を一畝、百畝を一頃とするから、いま明の量地尺をとって一畝の値を求めると、

一畝　六・四七畝（日本畝）、一日本畝はほぼ一アールである。天野元之助氏が現地調査されたところでは、宋應星の郷里江西省では、一畝は五・〇六日本畝から一〇・一二日本畝まで、同じ一畝といってもたいへんな差がある。

度量衡については、訳文中、中国の大きさをそのまま書いておいた。二十四節気のほうは、現行太陽暦（新暦）との比較を訳文に示しておいたが、ここでまとめて表記しておこう。新暦の日付には一日程度の誤差がある。

二十四節気	旧暦	新暦
小寒	十二月節	1月6日
大寒	中	20日
立春	正月節	2月4日
雨水	中	19日
啓蟄	二月節	3月6日
春分	中	21日
清明	三月節	4月5日
穀雨	中	20日
立夏	四月節	5月6日
小満	中	21日
芒種	五月節	6月6日
夏至	中	22日
小暑	六月節	7月7日
大暑	中	23日
立秋	七月節	8月8日
処暑	中	23日
白露	八月節	9月8日
秋分	中	23日
寒露	九月節	10月8日
霜降	中	24日
立冬	十月節	11月8日
小雪	中	22日
大雪	十一月節	12月7日
冬至	中	22日

この表でわかるように、旧暦の正月は新暦の二月ごろで、だいたいのところは、全体的に一月ずつずらして考えればよい。二十四節気の名称が起こったのは華北であるが、この地の気候は日本とはよほどちがう。新暦二月四日にあたる立春のころになると、華北ではほんとに春がやってきた暖かさである。また秋のくるのが早く、新暦八月八日になると立秋となる。華中、華南となると、全般的に華北より暖かいことはいうまでもない。訳文の月名は旧暦によっているが、一日を分かつ時間は、いくらかの個所で現行の時間に改めたところがある。中国では一日を十二時に等分し、従ってこの一時間は現行の二時間にあたった。午後十一時から翌午前一時までを子時、以下二時間ずつを丑、寅、……などの十二支名でよぶことも行なわれた。この十二時制とならんで、一日を百刻に等分する方法も併用された。現行の時間でいえば、一刻は一四・四分にあたる。

なお訳文中、〔 〕でかこんだものは原注であり、（ ）でかこんだものは訳者の注記であることを注意しておく。各節の終りにまとめた注は、もとより訳者によるものである。

さらに付記しておきたいことは、本文中の動植物名、ことに多く記述されている植物名は同じ漢字を使いながら、日本と中国で相違するものが多い。この点は他の事物についても同様であるが、そのいくぶんは注において区別を明らかにした。ただ植物名に和名片仮名で示さなかったものは、この点の注意が望ましい。なお若干の他の名称について中国音を片仮名で示したものがある。

天工開物

天工開物序

天地の間には、事物はいずれも万を数える。それらが一つ一つ完全につくりあげられているのは、全く人力でできることではない。このように事物が万を数えるからには、それについての知識は、教えられたり観察したりして獲得するにしても、はたしてどれほどのことを知り得ようか。これら万を数える事物の中で、人間に有益なものと無益なものとは、それぞれ相半ばしている。ところで世間には聡明で物知りの人々がおり、多くの人々から推称される。しかしこれらの人々はありふれた棗や梨の花を知らないくせに、古い話に出ている楚萍《そひょう》*1をあれこれと想像したり、ふだんに使う鍋釜の製法もよく知らないくせに、昔あったという莒鼎《きょてい》*2をとやかく議論したりする。

また画工は好んで怪物の姿を描くが、ありふれた犬や馬は描きたがらない。だから鄭の子産や晋の張華*3のような博学者でも、べつに偉大視するほどのことはないのである。

幸いにも聖明な天子の下、極盛の世に生まれあわせ、はるか南にある雲南の車馬が南北を縦貫して北の遼陽に往来し、秦嶺に近い役人や商人が東西に横切って河北の地に旅行するという世の中で、万里四方の中で見聞できないものとてはなくなった。もし東晋の初めか南宋の末期に生まれあわせた知識人であれば、河北、陝西《せんせい》、山西、河南などの地方的産物も、もはや異国の品物となっていて、貿易によって毛皮の帽子を手に入れても、粛慎（満州地方の古国名）の矢のように遠い夷狄の物産としか考えられないことであろう。しかしまた深宮にそだっておられる皇族の方々は、調理場で美しい米が炊かれる時、ふと耕作具をみようと思われ、裁縫所で錦衣が仕立てられるのをみて、機織《はた》りのさまを思いやられることがあろう。このような時にそれらの有様を描いた図をひらいてみれば、宝物を手にしたように思われることであろう。

日ごろ天工開物という一冊の書物を書いたが、残念なことには家貧しく、珍奇な器物を買って考証しようにも生活の資に乏しく、同好の士を招いて真偽を検討しあおうにも陳思王[*4]のようなサロンもない。やむをえず自分一人のせまい見聞のままに、これを自分の心におさめて書きとめたのであるから、事実にあわないこともあろう。

友人涂《と》伯聚先生は天を動かすほどに誠実な人であり、物を究めつくす精神の持ち主である。古今を問わず、ちょっとした言葉でも、味があり多少なりともとるべきものがあれば、必ずひたむきに心を傾けて著者の意図に共感するという人である。昨年わたくしの畫音歸正が先生の手で出版されたが、ここに重ねての勧誘により、再びこの書物をとりあげ、引きつづいて出版することになった。これというのも宿世の因縁の導きであろうか。

書物の順序は、五穀を貴び金玉を賤しむという意味に従っている。天文と楽律の二巻は、もともときわめて精緻な学問であって、自分の任でないと考えたから、出版にあたって省いてしまった。学問に専念する方々は、どうか机の上にうちすてられたい。この書は立身出世に少しも関わりがないのである。

時に崇禎《すうてい》丁丑の歳、孟夏の月
奉新の宋應星、閑居の書斎[*5]に書す

注

＊1――『孔子家語』致思篇にある。楚昭王が江中でみたもので、円くて赤く、大きさは斗のごとくで、割って食べると蜜のように甘いという。

＊2――『左伝』昭公七年の条にみゆ。

＊3――原文に鄭僑晋華とあるが、僑は春秋時代のすぐれた鄭の名臣子産の名であるが、これと並んであげられる人物としてはるか時代的におくれた晋の張華がみえる。『晋書』張華伝を参照。張華は『博物志』の撰者。

＊4――陳思王は魏の武帝の第三子曹植のことで、詩文にすぐれていた。

＊5――原文には家食之問堂とある。楊聯陞氏の書評（訳者序文をみよ）には『易経』大畜に「不家食吉」の句があることを引き、この句に基づいて家食を書斎名ではないかと疑っている。一説としてあげる。

上巻

一　穀類

私はこう思う。上古に神農氏[*1]がいたかどうかは、はっきりしないが、神農という二字の称号からみて、農業を神聖なものとすることは現在にも生きている。人間は五穀によって養われなければ、長く生きられない。しかしその五穀も自然に生えるのではなく人間がそだてるのである。土質は時代とともに変わってくるし、品種は土地の状態によって分かれてくる。もしそうでなければ、神農氏から陶唐氏[*2]まで千年も粒食しており、「神農氏が耒耜《すき》の便利さを教えた[*3]」のであるから、すでに早く品種が明白であるはずなのに、后稷《こうしょく》[*4]になっていろいろすぐれた品種がやっと詳しくなったのは、どうしたことであろうか。貴族の子弟は百姓をまるで囚人のように考え、学者の家では農夫をさげすんでいる。朝夕の食事に五穀を味わいながら、その由来を忘れた人々は多い。いったい農業を第一とし、それに神を結びつけるのは、五穀が人力ではできないからである。

注

＊1――神農氏は、農具を発明し農業を人々に教えた上古の伝説上の神人。
＊2――陶唐氏は、上古の伝説上の聖天子堯《ぎょう》のこと。『帝王世紀』によると、神農氏は八世五三〇年つづき、その後、およそ三六三年を経て堯に至るという。
＊3――これは『易』繫辞伝下よりの引用文である。
＊4――后稷は周王朝の始祖と伝えられる人物で、土地に適する作物の栽培を教えたという。

穀物の総称

穀とは、きまった種類を指す名称ではない。百穀とはだいたいの数を指していい、五穀とは麻（アサまたは胡麻）、菽《しゅく》（豆）、麦、稷《しょく》、黍《しょ》である。[*1] 稲が除外されているのは、書物にみえる聖賢がいずれも西北の地方から起こったからである。[*2] いま天下で人々を養っている穀物は、稲がその七割を占め、小麦、大麦、稷、黍はその三割である。麻と豆の二つは、野菜や油の中にはいっているが、やはりこれを穀に数えるのは、昔の伝承に従ったのである。

注

＊1――ここの五穀は古説によったものであるが、中国で古くから常用された粟の字がないのはおかしい。或いは稷は粟を意味する言葉であったのかも知れない。
＊2――中国の米作地帯は揚子江流域及びその南であって、周王朝をはじめ、伝説上の聖天子はいずれも西北地方（陝西のあたり）で活躍した。

稲

稲の種類はもっとも多い。粘らないものは、作物のときには秔《こう》といい、穀実になると粳《こう》（うるち）という。粘るものは、作物のときは稌《と》といい、穀実になると糯《じゅ》（もち）という〔南方には粘《モチ》黍《キビ》がないので、酒はすべて糯米《モチゴメ》でつくる〕*1。もともとの性質は粘りがなく、おそく収穫すると粘りをもつものがある〔俗に婺源光《ぼうげんこう》（婺源は江西省の地名）という種類〕。これでは酒がつくれず、粥にできるだけである。また変わった性質である。

籾《もみ》には長い芒《のぎ》、短い芒〔江南では長芒のものを瀏《りゅう》陽早（瀏陽は湖南省の地名）といい、短芒《たんぼう》のものを吉安早（吉安は江西省の地名）という〕、長い粒、とがった粒、先の円いもの、平たいものなどがあり、一様ではない。籾の中の粒の色にも、まっ白、象牙色、まっ赤、うす紫、黒斑などがあって、一様ではない。

浸種*2の時期について、もっとも早いものは春分前であり、これは社種*3という〔寒さにあうと凍死して芽生えないことがある〕。もっともおそいものは清明《せいめい》（春分後十五日目）よりおくれる。

種子をまくには、まず種子を稲や麦のわらで包み、数日のあいだ水に浸し、芽が出るのを待って田（苗代）にまく。芽が一寸ばかり出たものを秧《さなえ》といい、秧となって三十日すれば、すぐ抜いて田植えする。もし田が乾いたり、水が多すぎたりすると、秧を挿すことができない。時期をすごし秧がたけて節が長くなると、たとえ田に植えても、わずか数粒の実がつくだけで終わることになる。

一畝《ぽ》の苗代にできる秧で、二十五畝の田に植えつけられる。

秧を移し終えた後、早いものは七十日で収穫される〔うるちには救公饑《きゅうこうき》、喉下急《こうかきゅう》、もちには金《きん》包銀《ぼうぎん》など、いろいろな地方名があって、述べつくせない〕。もっともおそいものは、夏も過ぎ冬になり、二百日でやっと収穫される。冬の末に種子をまき、夏の中ごろになって収穫するものがあるが、これは広東の南部の稲である。その地方では霜や雪がないからである。

稲は十日も水がきれると、もうひでりの心配がある。夏に種子をまき冬に収穫する稲は、必ず山間部にある水源の絶えない田でなければならない。品種自体も生長に長い期間が必要であり、土質も冷たくて苗の成長を早めない。湖のほとりの田では、夏の大水がひくのを待ち、六月になってから田植えするが、その秧は立夏に種子をまき、高い所にある田にそだてて時期を待つのである。南方の平地にある田では、一年に二度田植えをし、二度収穫するばあいが多い。その二度目の秧は、俗に晩糯といい、うるちの類ではない。六月にはじめの稲を刈り、藁株の残った田を耕し、二度目の秧を挿すのである。この秧は、清明の時にすでに早植えの秧といっしょに種子をまいておく*4。早植えの秧は一日でも水がなければすぐ枯れるが、二度目の秧は四月、五月のふた月のあいだ、烈しいひでりのままにおいても枯れる心配はない。これは一つの不思議である。

この二度目の稲は、秋晴れがつづくと、絶えず灌漑しなければならぬ。農家はその労苦を惜しまず、春酒をつくるのにあてる。

稲は十日のあいだ水をなくすると、枯れそうになる。旱稲《かんとう》*5の種類で、うるちで粘らないものが不意に出てくることがある。これは高い山地でも植えることができる。これも一つの不思議である。香稲という種類は、よい香りがするので、貴人に提供されるが、収量が少なく栄養が全くないので、珍重するものではない。

注

*1――中国の酒は、日本とちがって、現在でも糯米でつくられる。
*2――下文にみえるように、種子をそのまま苗代にまかないで、まず芽出しをする。これが浸種である。この方法は現在も行なわれる。
*3――春秋にそれぞれ社日がある。春の社日は春分に近い戊《つちのえ》の日である。社種というのは、社日のころに浸種するからであろう。
*4――広東などの南方では、水稲の一年二期作が行なわれる。なお、早稲と晩稲を少しく時期をずらして間作する方法、すなわち双期稲栽培も明代に行なわれていた。
*5――菅生堂本には早稲とあるが、明版によって旱稲に改めた。北宋のころ南方から伝わった占城稲（ベトナムの品種）は旱稲とも書かれ、ひでりに強い品種であった。なお、天野元之助『中国農業史研究』（一九六二年）一〇五ページ参照。
しかし旱稲を占城稲に同定するのは問題で、一般にひでりに強い品種と解しておく。

稲の肥料

稲は、土質がからからに乾いてしまうと、穂の実がばさばさになる。勤勉な農民は、田に肥料をやり、いろいろと手をつくすのである。人畜の排泄物や油をしぼった枯餅《あぶらかす》〔枯とは油をとり去ったという意味。ゴマ、ダイコンの種子のものが最上で、ウンダイアブラナがこれに次ぎ、シナアブラギリがまたこれに次ぐ。クスノキ、ナンキンハゼ、棉花はさらにこれに次ぐ〕、草や木の葉などによって生長の機能を助けることは、天下どこも同じである〔南方では緑豆《ヤエナリ》を粉にひき、そのうわ水をとり、田にそそぐ。肥料としてたいへんよい。豆の安い時は大豆を田にまくと、一粒が三寸四方の土をくさらし、稲の収穫は倍となる〕。冷たい水分をふくむ土質には、骨灰（動物の骨）を秧《さなえ》の根もとに入れる。田植えした苗の根もとに石灰を入れるばあい、日のあたる暖かい土にはよくない。土質が堅くしまっているときには、隴《うね》を耕し、土塊を積み重ね、その下に薪をおいて焼くとよい。このことは粘土、軟土、砂土の田にはしないほうがよい。

稲の手入れ

稲田を刈り入れて再び植えないばあいには、その秋にすぐ田を耕し、古い藁《わら》をくさらせなければならぬ。そうしておくと、糞を入れたときの二倍の効果がある。もし秋にひでりで水がないとか、秋耕を怠って春に耕すと、収穫は減少する。

田に肥料をやるのに、枯餅《あぶらかす》を多くまいたばあい、長雨が降って大水となり、それとともに肥料が流れ去る心配がある。そんな時に、老農夫は慎重に天候を見定めるように心がける。

一度耕した後にも、勤勉な者は再耕、三耕し《図1－1》、その後で耙《まぐわ》を施すと《図1－2》、土質が平均に砕かれ、その中の養分がとける。牛力をもたないものは、横木を耜《からすき》にかけ、二人があと先になって土を起こす。二人が一日かかって、やっと一頭の牛の力に匹敵する。もし耕した後に牛がなければ、磨耙《ならしぐわ》をつくり、二人で肩と手を使っておし動かすと、一日で三頭の牛の力に匹敵する。

中国の牛はただ水牛、黄牛の二種だけである。水牛の力は黄牛の二倍である。ただ水牛を養うには、冬は土小屋に飼って寒さをふせぎ、夏は溜池で水に入れてやるなど、飼育上にやはり黄牛の二倍も手がかかる。春になる前の牛は、力耕して汗が出たとき、雨にぬれさせてはいけない。だから、雨が降りそうになると、急いで小屋に追いこむ。穀雨（新暦四月二十日ごろ）の時期が過ぎると、風雨にさらしたままでも心配がない。蘇州地方の農夫は、くわを耜《からすき》*1の代わりとし、牛力にたよらない。牛の値段や飼料の費用、盗まれたり死んだり病気したりする危険を合算すると、貧農の家では、結局、人力によるのが便利であると思う。もし牛をもつ者が十畝の田を耕すとすると、牛がなくくわを使って努力するものは、その半分を耕す。しかし牛がなければ、秋の収穫の後に田で飼料をつくる心配もない上に、豆、麦、麻、野菜などいろいろ植えることができるから、この二度目の収穫で半ば荒れた田畝の損害を償い、ほぼ損得がない。

田植えしてから数日経つと、稲の古い葉は黄色にしおれ、別に新しい葉が生える。青葉が長くなったら、土かき〔俗に撻禾《たつか》という〕をしなければならぬ《図1－3》。杖を手にし、足で泥をよせて根につちかい、前から田に生えていた雑草を、みなおし曲げて生えないようにする。前から田に生えていた雑草の類は、土かきによって折れ曲がるが、イヌビエやタデの類は足の力ではとりのけられない。これにはつづいて草取りをする《図1－4》。草取りをするには、腰と手をひどく使い、両眼で見分ける。雑草がなくなれば穀物が茂る。それからは水をもらして大水を防ぎ、また灌漑してひでりを防ぐと、しばらくしてすぐに刈りとれる。

図1-1　耕

図1-2　耙（まぐわ）

図1-3　耔（つちかき）

図1-4　耘（くさとり）

注

＊1――原文には鋤とあるが、日本の「くわ」にあたる。

稲の災害

早稲種は、秋の初めにとり入れる。日中にさらすと烈しい太陽の火気がこもるから、倉に入れて閉じるのが早すぎると、その穀はねっとりと暑気を帯びる〔勤勉な農家がかえってこんな失敗をする〕。翌年になって田に肥料があると土質が熱くなり、それに東南風が暖気を加えると、一面に燃えあがってひどく苗穂をいためる。これが第一の災害である。この災害を防ぐのには、種籾を夕方涼しくなってから倉に入れるとか、或いは冬至から九日目にとった雪水か氷水かを甕《かめ》に貯えておき〔春がきざしたころでは役に立たない〕、清明に浸種する時にそれを一石ごとに数碗入れて激しくふると、たちどころに暑気が解け、いくら東南の暖風が吹いても、この苗はとびぬけてできばえがよい〔不作の原因が種子の中にあるのに、人々はかえって鬼神のせいにしている〕。

稲の種子をまくとき、籾が深さ数寸の水に浮かんで沈まない中に、にわかに突風が起こって籾を一隅に吹きよせることがある。これが第二の災害である。風がおさまるのをよく見定めてからまけば、一様に沈んで秧《さなえ》ができる。種籾から秧が生えたあとは、雀がむらがり食うのを防ぐ。これが第三の災害である。棒ぐいを立て鷹の作りものをあげておくと、雀を追い払うことができる。

秧の根が定まらないうちに長雨がつづくと、その半分以上がだめになる。これが第四の災害である。たまたま晴れ間が三日つづけば、種子はみなそだつ。苗を田に移してから、田が肥え、その上にしきりに南風でむれて熱くなると、田の中に虫〔形は繭に似る〕がわく。これが第五の災害である。たまたま西から風雨が一度やってくると、虫がなくなって稲がそだつ。

稲の穂が出てからは、夕方に鬼火が穂を焼く。これが第六の災害である。この火は朽木の腹中から飛び出したものである。いったい木は母で、火はその子であり[*1]、子は母の腹におさまっている。母の身体がこわれないなら、子はいつまでも消え失せない。しかし雨の多い年には、さびしい野原の墓地はたいてい狐狸によって中をうがたれ、棺の板は水に浸されてぼろぼろに朽ちたあげく、いわばその母体がこわれ、子である火は付着するところがなく、母から抜けて飛び立つ。しかもこのような陰火は陽火（ふつうの火）を避けるから、日没のたそがれ時になって初めてこの火がすきまを衝いて出てくる。しかし、上にあがるだけの力がないので、ふわふわと動きまわり、それも高さは数尺までである。稲穂や葉がこれにぶっつかると、立ちどころに焦げる。火を追う人は、どこかの木の根が光っているのを見て鬼火と考え、棒をふってうつ。そうしたことから、鬼火が枯柴に変わったという話が生まれた。これはもともと人がもっている灯火をみて、鬼火が消え失せてしまったことを知らないのである〔この世で灯火とならない火は、すべて陰火に属する。陰火は灯火にあうと消え失せる〕。

苗を田に移してからみのるまで、早稲で三斗の水を吸い、晩稲は五斗の水を吸う。水がなくなると、すぐに枯れる〔刈る時期に水が一升足らないと、籾はあっても米粒は小さく、すり臼に入れてもぼろぼろに砕けることが多い〕。これが第七の災害である。人々はできる限りの工夫をこらし、水を汲んで灌漑する。

稲が成熟した時、突風にあって粒が吹き落とされたり、長雨が十日以上もつづいて籾が湿って自然にくさったりする。これが第八の災害である。しかし、風による災害は三十里四方を越えないし、長雨の災害は三百里四方を越えない。いずれも地方的な災害で広い地方にわたらない。しかし、風で落ちたのは始末の方法がない。貧乏な家では、晴れ間がなくて困った時は、湿った籾を鍋に入れ、下から薪を燃やして籾殻を炒《い》って除き、いり米にしておいて飢饉にあてる。これも造化を助ける一端である。

注

*1——五行相生説によると、木は火を生ずる。そこで木を母、火を子として説いたのである。

水利

ひでりを防いで水の力をかりるのは、特に稲が他の五穀より重要である。田には砂地や泥地があり、また肥えた土地ややせた土地があり、地方によっていろいろである。三日もすればすぐ乾くのもあり、半月たってやっと乾くのもある。天の恵みの雨が降らなければ、人力で水を引き入れ、ひでりを救わねばならぬ。

川の近くでは筒車[*1]を仕掛けるばあいがある《図1-5》。流れを堰《せき》でせきとめ、その水を車の下にまわし、車輪にあてて回転させ、水を筒に引き入れ、一つずつ梘《かけい》の中に傾けて田畝に流しこむ。昼夜つづけて休まないなら、百畝の田は水の心配がない〔水の不用なときは木の栓《せん》でとめ、車輪が回転しないようにする」。

湖や池のように、水の流れがない所では、牛力で絞盤を回転させたり《図1-6》、あるいは数人を集め足で踏んで回転させたりする[*2]《図1-7》。車体は長いもので二丈、短いのはその半分である。内側では龍骨に通した板で水の流れ落ちるのをとめ、水をあげるのである。一人で一日働くと、だいたい五畝の田に灌漑することができ、牛ならばその二倍となる。浅い池や小溝で、長い龍骨車が仕掛けられないばあいは、数尺の小型のものを用い、一人が両手で速く回転させる《図1-8》。しかし、一日中働いてやっと二畝を灌漑できるだけである。

揚州（江蘇省）では、数枚の羽根で風を受け、風が吹いて車が回転するのを待つ。それは風がやめば停まる。この車は大水をはかすためのもので、溜り水をはかして田植えができるようにする。もともと水をはかすものでとり入れるものではない。ひでりを救うのに適しない。桔槹《はねつるべ》《図1-9》、轆轤《ろくろ》となると、能率ははなはだ悪い。

注

＊1――水車を流水でまわし、車輪につけられた筒が水を汲みあげる。この種の筒車は日本では珍しい。中国では、特に黄河の上流地方にすばらしく大きなものがある。

＊2――これ以下は龍骨車の説明で、この汲上装置は日本でも近年まで滋賀県で使用されていた。龍骨車には牛車と踏車があり、さらに簡単な手まわし水車は特に抜車（人車）とよばれる。

筒車
岸

図1-5　筒車

中柱
牛轉盤外

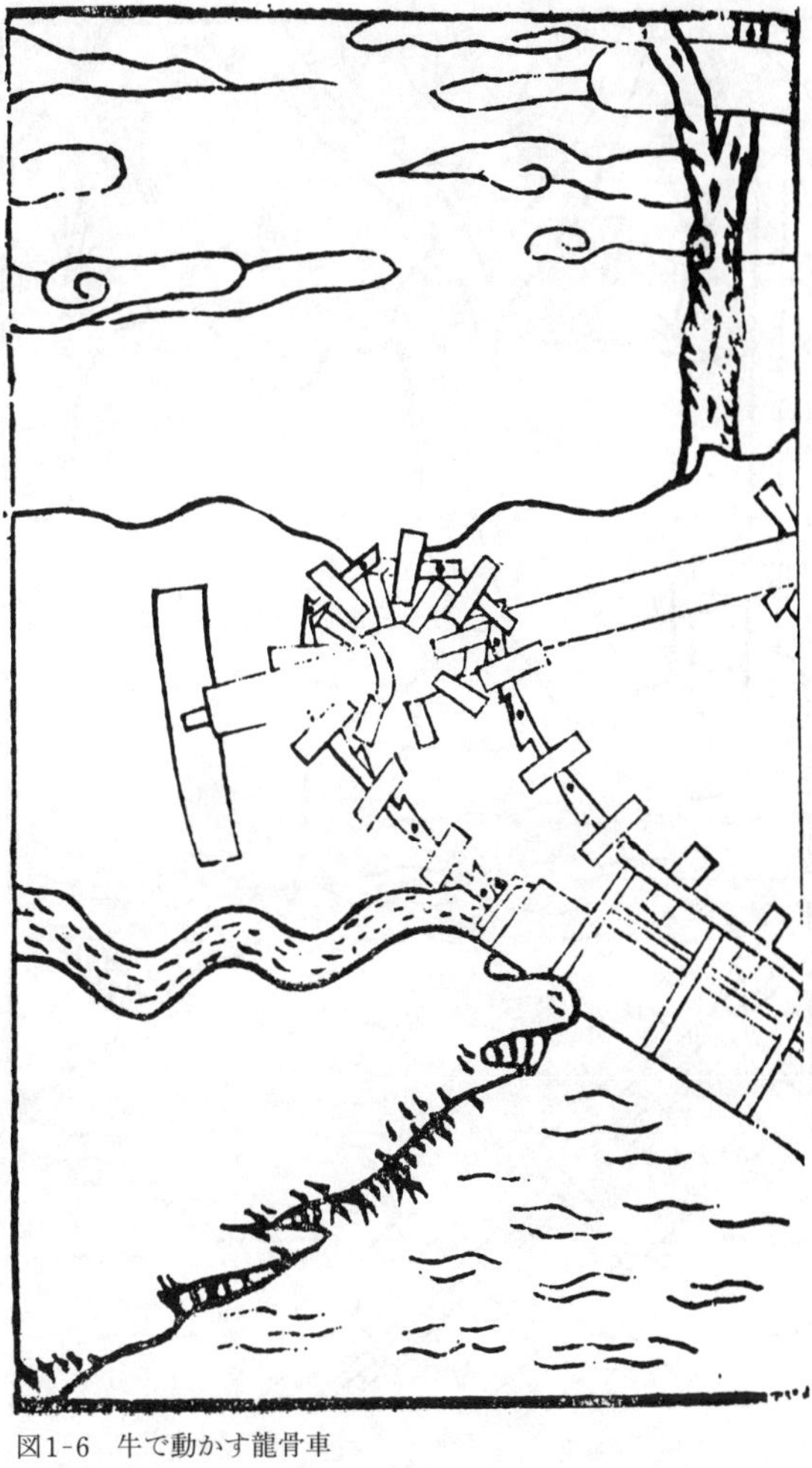

図1-6　牛で動かす龍骨車

図1-7　人力で踏む龍骨車

図1-8　抜車（手まわしの龍骨車）

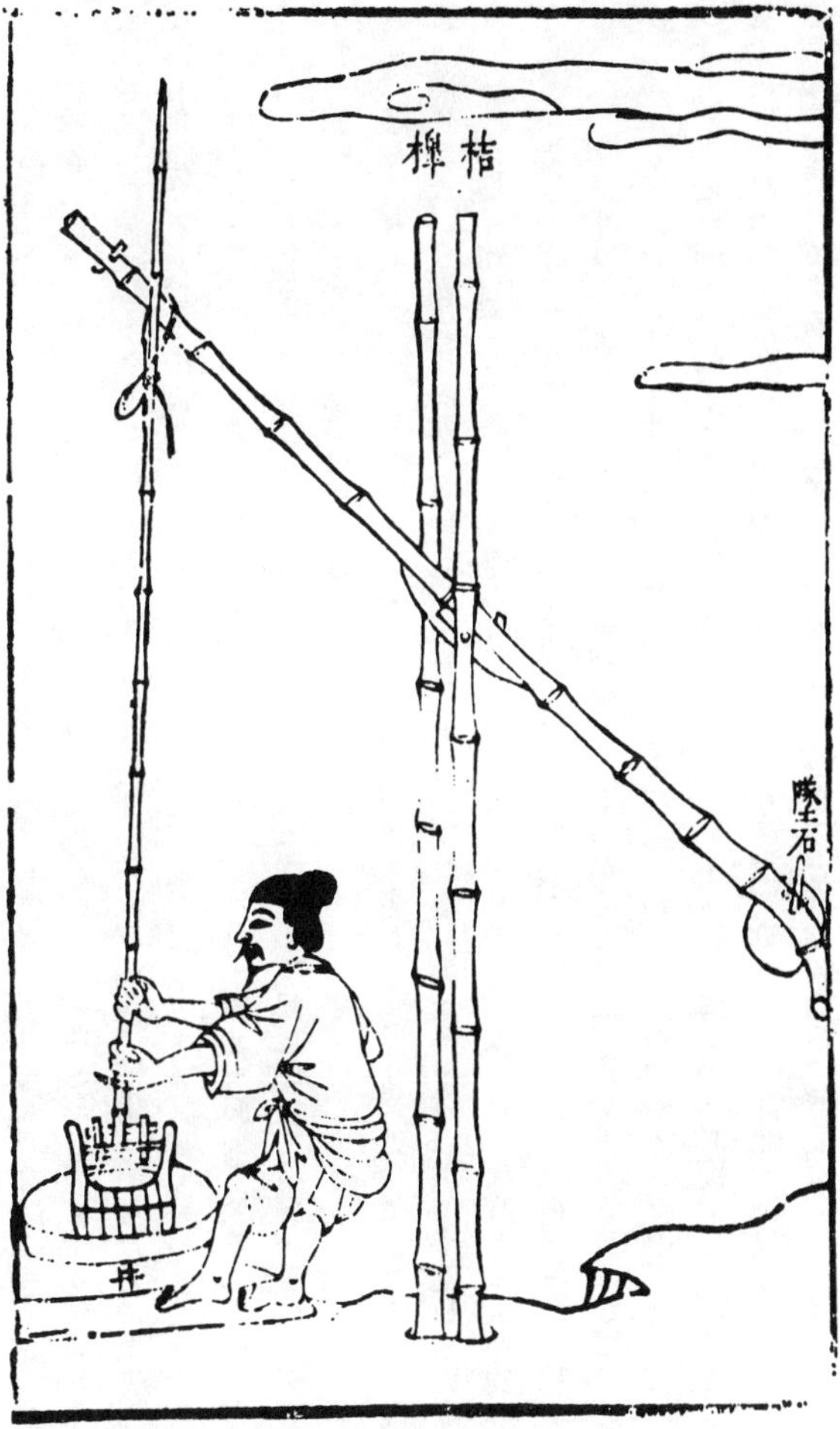

図1-9　はねつるべ

麦

麦には数種類がある。小麦は来《らい》といい、麦の最上なものである。大麦には牟《ぼう》とか穬《こう》とかがあり、雑麦には雀《じゃく》とか蕎《きょう》とかいうものがある。みな播種の時期が同じで、花の形が似ており、同じく粉食とするので麦という名がつけられた。中国では河北、陝西《せんせい》、山西、河南、山東などの地方で庶民が食用とするのは、小麦がその半分を占め、黍《しょ》、稷《しょく》、稲、粱《りょう》などをあわせてやっと半分である。西のはて四川・雲南から、東の福建・浙江《せっこう》にいたるまで、江蘇・湖北を腹部とする六千里四方の中では、小麦を植えるのは僅か二十分の一である。ここでは小麦粉に磨《ひ》いて捻頭《ねんとう》、環餌《かんじ》、饅首《まんしゅ》、湯料《とうりょう》*1の原料とするが、主食には用いない。

他の麦類を植えるものは僅か五十分の一で、田舎では苦労してつくり、朝食にあてるが、貴人には関係がない。穬麦《ユウマイ》は陝西にだけ産し、青稞《せいか》ともよばれる。大麦が土質によって変わり、皮が青黒となっただけのものである。陝西の人々はもっぱらそれで馬を飼うが、飢饉には人が食べる〔大麦にも粘るものがある。黄河や洛水地方では、それで酒をかもす〕。雀麦《カラスムギ》は穂が細く、穂の中はまた十個あまりの小粒に分かれる。まま野生するものがある。蕎麦《ソバ》はもともと麦の類ではないが、粉にして腹をふくらませるので、昔から麦とよびならわし、麦の中に入れたのである。

北方の小麦は四季を経過する。秋に播種して、その翌年の初夏にやっと収穫する。南方では播種期と収穫期のあいだがいくらか短い。江南の麦の花は夜にひらくが、江北では昼にひらく。*2また一つの不思議である。大麦は播種と収穫の時期が小麦と同じである。蕎麦は秋の半ばにまき、二ヵ月足らずで収穫する。霜にあうと、その苗はすぐ枯れる。幸いに霜がおそいと収穫がある。

注

*1――いずれも点心の類で小麦粉を材料とする。捻頭はひねった形、環餌はドーナッツのようなもの、饅首は中に肉、野菜を入れたまんじゅう、湯料は水で煮て食料とするもので、うどんなどもこれにはいる。

*2――同じ話は明の李時珍が書いた『本草綱目』小麦の条にみえるが、事実とは思われない。

麦の手入れ

麦と稲とは、はじめに土を耕すのは同じであるが、播種後に行なう草とりや土かきなどのいろいろな苦労は、みな稲だけのことで、麦はただ除草するだけである。北方の、もりあがってくだけ易い土では、麦を種《う》える耕具がいくらか変わっていて、耕作がそのままに播種を兼ねている[*1]《図1-10》。牛を使い、土を起こす耕作に耒《すき》を使わない。二本の鉄を耒の横木の上に並べる。その装置を方言で鏹《きょう》という。鏹の中間に一個の小さな漏斗《じょうご》をとりつけ、麦の種子をその中に入れておく。その漏斗の底に梅花に似た小穴をあけ、牛の歩みで揺れると、種子がその小穴からまき落とされる。密植しようとするばあいは、牛に鞭うって走らせる。すると種子は必ず多くまかれる。まばらで少なくまこうとすれば、牛をゆっくり歩かせる。すると播種は少ない。種子をまき終わったら、驢馬に二個の小さな円い石[*2]を引っぱらせ、土をおしつけて麦を埋める《図1-11》。麦の種子は、しっかりおさえてはじめて芽生える。南方の方法は、北方と同じではない。よく耕しよくならしたあと、灰を種子にかきまぜ、指でつまんでまく。まいたあと、つぎつぎと足で土を

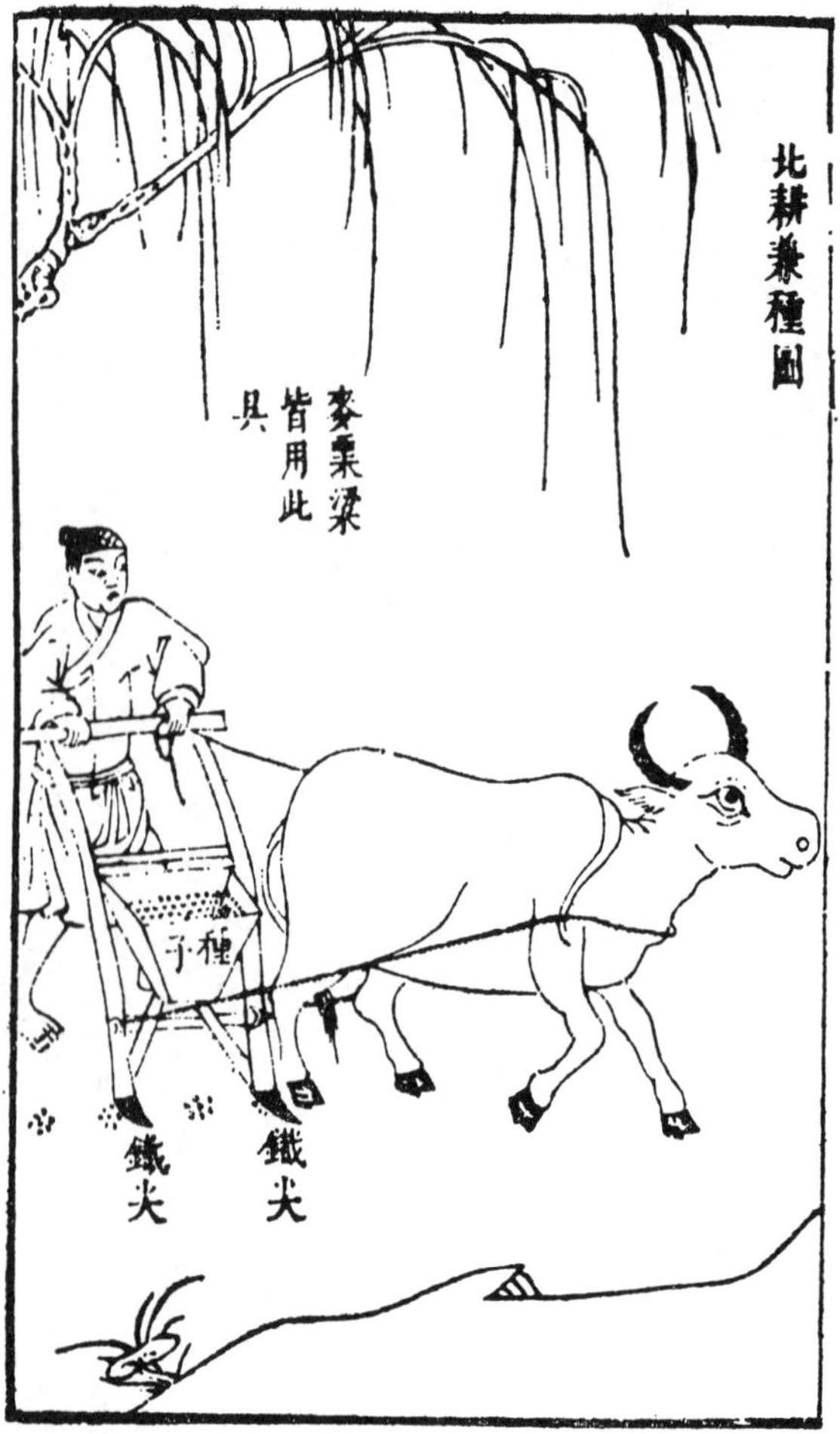

図1-10　北方では耕作が播種を兼ねる

図1-11　北方で種子をおおう

図1-12　南方で大・小麦の種子をまく

図1-13　耨（除草）

しっかりおさえつける《図1－12》。これは、北方で円い石を驢馬に引かせる代わりである。耕し、播種したあとは、よく除草に努力する。

除草には面の広い大きなくわを使う《図1－13》。麦の苗ができると、手間をいとわないで除草する〔三回も四回もやることがある〕。雑草の生きる力がすっかりくわの下にころしつくされてしまうと、田の全部がよくそだち、みなよい実ができる。勤めてやれば、たやすく除草できるのは、南北ともに同じである。

麦田に肥料をやるばあい、播種してしまってからでは施せないので、その前に手だてをしておく。

陝西から河南にかけて、虫のつくのを心配して砒素を種子にまぜるが、[*3] 南方で使うのはただ竈《かまど》の灰〔俗に地灰という〕だけである。南方の稲田には肥料用の麦を種《う》えるものがあるが、これは麦のみのりを目的とするものでなく、春に小麦や大麦が青々となった時に田の中にすきこみ、土質をむらすのである。すると、秋の収穫が必ず倍加する。

麦を収穫したあとの空地には、他の作物を植えることができる。初夏から秋の末までの期間は半年もあるから、土地に適したものをえらんでつくれば、思いのままに収穫できる。南方では、大麦を刈ってから遅まきの粳稲《うるち》をまくことがある。農業に努めて苦労すれば、天の恵みの及ばないことはない。

蕎麦は、南方では必ず稲を刈ったあとにまき、北方では豆や稷を刈ってからまく。これはかなり肥料を吸いとる性質で、土質をやせさせる。しかし、その収穫を勘定に入れると、ふつうの穀物の減少をつぐなって余りがある。まして勤勉な農家なら、再び肥料を施す手間をいとうはずはあるまい。

注

＊1――ふつう耬とよばれる播種器で、現在も使われる。下文の鏇は耬の方言であろう。
＊2――図1‐11にみるような石のローラーである。
＊3――山西省の農家が砒素を種子にまぜて虫害を防ぐことは、焙焼の条にもみえる。

麦の災害

麦の災害を防ぐ手数は、稲の三分の一にすぎない。播種のあとに、雪や霜があったり、晴天つづきや大水があったりしても、みな心配しなくてよい。麦は水をごく少ししか吸わない。北方の土地では、春の半ばに、二度雨が降り、雨水が一升（一リットル余り）あると、よくできた穂によい粒をつける。荊州・揚州以南では、ただ梅雨の心配がある。もし成熟のときに、十日のあいだ晴れて乾くと、倉がみないっぱいになり、食べきれないほどの収穫がある。揚州の諺に「一寸の麦は一尺の水を恐れない」とあるが、これは、麦がのび始める時には、水が頂上までつかっても害がないという意味である。「一尺の麦は一寸の水さえも恐れる」というのは、成熟の時には、一寸の水でも根を軟らかくし、茎をたおして泥まみれにし、麦粒がすべて地面で腐ってしまうのをいったのである。江南に一種の雀がいる。それは肉はあるが骨はなく、飛んで麦田を食い、その数は何千にもなる。しかし、害を受けるのは広い地方には及ばないで、数十里四方でとまる。

江北に蝗《ばった》が出ると、ひどい凶年となる。

黍・稷、粱・粟

食糧のうち、粒のまま食用にし粉にしない種類はたいへん多い。数百里も離れた土地では、色、味、形、質が場所によって変わり、だいたいは同じようでもいくらかの相違があり、何百もちがった名称がある。北方の人は、ただ大米《ダーミー》という名で粳稲《うるちいね》をよび、他の穀物はすべて小米《シャオミー》という。

黍《しょ》と稷《しょく》*1とは同類であり、また粱《りょう》*2と粟とは同類である。黍には粘るものと粘らないものとがある〔粘るものは酒にする〕。稷には粘らないものはあるが、粘るものはない。粘る黍と粟を総称して秫《じゅつ》*3という。この二種の外に、別に秫があるのではない。黍の色には赤・白・黄・黒などがあり、そのうちの黒色のものだけが稷であるという人がある。これは正しくない。稷の実が他の穀物に先んじて熟し、祭祀に供えることができるので、早熟する黍を稷とすべきだという説は、ほぼ正しい。

黍の名は古典にみえ、虋《もん》・芑《き》・秬《きょ》・秠《ひ》などの名称がある。いまの方言では、牛毛・燕頷《えんがん》・馬革・驢皮《ろひ》・稲尾《とうび》*4などの名がある。種子をまくのは三月がもっともよい時期で、五月に熟する。四月が中等の時期で、七月に熟する。五月がもっとも悪い時期で、八月に熟する。花をつけ穂を結ぶのは、すべて小麦や大麦と時期がくいちがっている。

黍の粒の大小があるのは、すべて土地の肥え方や時期の適不適による。しかるに宋代の学者が、とらわれた考えから、特にある地方の黍をもって音律を定めようとしたのは*5、正しくない。

粟と粱とは、総称して黄米《ホワンミー》*6という。粘る粟は酒をつくることができる。蘆粟《ろぞく》の種類で高粱というものがあるが、それは蘆荻《ろてき》に似て高さが七尺もあるからである。粱や粟の種類とその名称は、黍や稷にくらべていっそう多い。その命名は、人の姓名や山水の名をつけたり、形や気節の名をつけたりしていて、これをすっかり数えあげることはできない。山東の人はただ穀子《グーズ》とよび、粱や粟という名は全く知らない。以上の四種の穀物は、みな春にまき秋に収穫し、耕作の法は、小麦や大麦と同じであるが、播種と収穫の時期は、全くかけはなれているものである。

注

*1――ふつう黍は「きび」、稷は「くろきび」と訓ずるが、著者はこの説を却けている。また「きび」を粘、不粘によって黍と稷に分かつ見解（たとえば『本草綱目』の説）にも従わない。

*2――粟と粱とはいずれも「アワ」の種類とされている。ふつう実の大小により、粟を「あわ」、粱を「おおあわ」とするが、著者がこの説に従っているかどうかは分らない。

*3――後漢許慎の『説文』には稷の粘るものを秫としているが、著者はこの説をとらない。

*4――これらの品種名はすでに晋の郭義恭の『広志』にみえている。また、下文の播種成熟に関する文も『広志』のままである。

*5――一粒の黍によって長さの単位をとり、これより音律を定め度量衡を起こすという説は『漢書』律暦志以来行なわれ、この方法の是非について後世いろいろと議論があった。『宋史』律暦志には上党羊頭山の秬黍で音律を定めることがみえる。

*6――中国では脱穀した穀実をすべて「米」とよんでおり、わが国の「こめ」にはあたらない。「アワ」の脱穀した実が黄色であることから、黄米という。

麻

麻《ま》の中で粒食したり油をとったりすることのできるものは、火麻[*1]と胡麻の二種だけである。胡麻は脂麻のことである。伝説によると、西漢のとき初めて大宛国から伝わったという。[*2]昔は麻を五穀の一つとしたが、もし火麻だけをこれにあてるとすると、その解釈は適当ではない。これは私の考えだが、古書にいう五穀の麻というものは、或いはその品種がすでになくなったものか、或いはまた豆や粟の中の別種で次第にその名称が変化したものかと考えられるが、はっきりしない。

胡麻はおいしくて、たいへん役に立つ。百穀中で最上なものとしてもいいすぎではない。ところが火麻の種子は、油をしぼっても多くはないし、その表皮で粗悪な布をつくるが、その値段は大したことはない。ところが僅か少量の胡麻が腹にはいると、長い間ひもじくない。蜜菓子や飴にその粒をまぶすと、味がよくなり、品質が上等になる。それから油をとり、毛髪につければつやつやとなり、腹にはいると滋養になる。これによって生ぐさいものは香ばしくなり、解毒にもなる。農家が広く種《う》えることができると、その利益はとてもいえないほどである。

胡麻をまく方法はまず畑地に手入れし、田畝にうねをもりあげ、土をくだき草をとりつくす。そのあとで竈の灰を少し湿らしたものに胡麻の種子を一様にまぜ、ばらまきする。早いものは三月にまき、おそいものでも大暑（新暦七月二十三日ごろ）近くということはない。早くまいたものは、中秋になると花が咲き実ができる。草とりの仕事には、ただくわだけを使う。種子の色に黒・白・赤の三種があり、莢《さや》は長さ一寸ばかりである。四角の莢は小さく区切られて種子が少なく、八角のものは大きく区切られて種子が多い。それはみな土地の肥え方による結果であって、種子の性質によるのではない。種子を収穫し、油をしぼると、一石ごとに四十斤あまりの油が得られる。そのしぼり滓《かす》を残しておいて、田の肥料にする。飢饉の年には、人の食用として保存する。

注

＊1――火麻は大麻ともいい、いわゆるアサのことである。

＊2――大宛国は現在のソビエト領中央アジアの地にあった。漢の武帝の時、張騫がこの国に使者となって行き、いろいろな物をもち帰ったが、その中の一つに胡麻があったという。

豆

豆の種類は稲や黍と同じように多い。播種と収穫は、四季を通じて行なわれる。腹をふくらすのに役立ち、日々に用いられ、いつも飲食にともなうものといえよう。

大豆という種類に、黒と黄との二色があり、播種の時期は清明の前後である。黄色には五月《ごがつ》黄《おう》・六月爆《ろくがつばく》・冬黄《とうおう》の三種があり、五月黄は収量が少なく、冬黄は必ずその二倍の収量がある。黒色のものは、八月になってから収穫される。淮水以北では、長旅をする驢馬に必ず黒豆を与えるが、そうすると筋力が強くなる。

大豆は土地の肥え方や草とりの具合、また雨露の足不足などによって、収量に増減がある。納豆・味噌・豆腐は大豆の中味でつくられる。江南にはまた高脚黄という種類があって、六月に早稲を刈ってしまってからそのあとに播種し、九月十月のころに収穫する。江西の吉安では播種の方法がはなはだすぐれている。稲田を刈りとったあとをそのまま耕さずにおき、稲の一株ごとに、株の中に三、四粒の豆を指でさしこむ。この藁が露水をためて豆をそだて、豆が芽を出してくると、また藁の根が水分で腐って豆をそだてる。苗になってしまってから、雨がなく乾ききるようなばあいには、水一升を汲んでこれに注ぐ。一度水を注いだあと二度の草とりをすれば、たいへん収穫が多い。大豆をまいてまだ芽が出ないあいだは、鳩や雀の害を防がねばならぬが、人力でこれを追い払うよりほかはない。

緑豆《ヤエナリ》という種類は、円くて小さく真珠のようである。緑豆は必ず小暑（新暦七月七日ごろ）になってからまく。小暑にならないうちに播種すると、その苗は数尺にも蔓延するが、莢のできがたいへん少ない。もし時期をすごして処暑（新暦八月二十三日ごろ）になると、かってに花がひらき莢ができ、粒の数も少ない。緑豆の種類にも二種あって、その一つは摘緑《てきろく》といい、莢の熟したものから先に摘《つ》みとり、毎日次々にとる。もう一つは抜緑《ばつろく》といい、時期がきて充分に熟すると、田畝中を一時に抜きとる。

緑豆は磨《す》って水にすまし、さらし乾かすと、粉になる。それでつくった盪片《とうへん》・搓索《ささく》[*1]は、食通たちが珍重する。粉にして水に漬けた汁は、田に注ぐとたいへんよい肥料となる。緑豆の種子を貯えるばあい、竈の灰や石灰、或いは馬蓼《ハルタデ》、或いは黄土を用いてまぜあわせてしまっておけば、四、五月のあいだは虫のつく心配がない。勤勉なものは、晴れた時に度々日にさらすが、それでも虫のつかないようにできる。

すでに稲田を刈ってしまって、夏と秋に緑豆を種《う》えるには、長い斧の柄を手にして土塊をうち砕いておくと、芽の出かたが多い。緑豆をうえるのに、播種の日にたまたま大雨が降って土をほりかえすようなことがあれば、芽が生えない。また芽が生えてからは、雨水に漬かるのを防ぐために、溝をつくって水はけをする。

緑豆と大豆の田を耕すには、浅くすくのがよく、深くすいてはならない。豆というものは根が短く、苗が真直ぐだからである。土地を深く耕してしまうと、土塊におし曲げられて、その半分が芽生えない。深耕ということは豆の類には適用できない。これまでの農夫がまだいっていない点である。

豌豆《エンドウ》という種類は、豆に黒い斑点があり、形が円くて緑豆のようであるが、これより大きい。その種子は十月にまき、翌年五月に収穫する。葉の生長のおそい樹木なら、その下にまいてもよい。

蚕豆《ソラマメ》というものは、その莢が蚕の形に似ており、豆粒は大豆より大きい。八月に播種し、翌年四月に収穫する。浙江の西部では、桑の木の下いっぱいにまきつける。いったい作物は木の葉が露をさえぎると生じないものである。しかしこの豆と豌豆とは、木の葉の茂る時にはすでに莢を結んで実ができている。襄水や漢水の上流では、この豆はたいへん多くて安価である。腹をみたすに役立つのは、黍・稷だけではない。

小豆という種類の中では、赤小豆は薬としてすぐれた効能があり、白小豆〔一つに飯豆という」は主食として、よい穀物の補助となる。夏至に播種し、九月に収穫する。揚子江と淮水とのあいだで、盛んにうえられる。

穭豆《ろとう》〔音は呂〕という種類は、むかしは田の間に野生したが、いまは北方の土地で盛んにうえる。粉にして盪皮《とうひ》をつくると、緑豆製のものに匹敵する。北京では流し売りしているものが一日じゅう「穭豆皮」とよんでいるから、その産額は多いにちがいない。

白藊豆《インゲンマメ》という種類は、垣根に沿うて蔓生するもので、蛾眉豆《がびとう》ともいう。そのほか豇豆《こうとう》（ササゲの類）・虎斑豆・刀豆《ナタマメ》と、大豆の種類で分青皮、褐色のものなどは、地方的に多くあるものだが、とても述べつくすことはできない。みな野菜として使用したり、穀物の代わりとして庶民の粒食となるものである。博物者はこういうものをゆるがせにしてはならない。[*2]

注

＊1――薄い皮状のものと豆そうめんの類。盪、搓はそのつくり方を示す言葉。盪片は下文の盪皮と同じ。粉皮、粉条ともいう。

＊2――トウモロコシ、甘藷、馬鈴薯、ピーナッツなど新大陸の重要植物は、すでに中国へはいっていたが、まだ一般に普及されなかったとみえ、本書にその記述がない。

二　衣服

私はこう思う。人は万物の霊長であり、体にはいろいろな器官がすべてそなわっている。帝王は長い衣裳を垂れ、まばゆいばかりの山龍の模様をつけ、天下を治めている。[*1]賤しいものは粗服を着て、冬は寒さを防ぎ、夏は体を覆っている。しかし、こうして自然に禽獣と区別されている。そのために造物者は衣服の材料をととのえてくれたのである。草木から得られる材料としては、棉・麻・苘《イチビ》・葛であり、禽獣と昆虫から得られるものは毛皮・毛織物・絹糸・真綿である。動物と草木からの材料がそれぞれ半分ずつを占め、人々の衣服は十分に足りている。

天の織女[*2]が機《はた》織りを創め、その技術が人々のあいだに伝わった。素材に応じて模様が織り出され、繡《ぬい》をしたり洗ったりすることによって錦に仕上げられる。こうして機織りは天下に普及しているが、実地に花機《たかはた》の巧妙さをみられるのは、いったい何人あるであろうか。学問をするものは、治乱経綸[*3]という字の意味を子供の時から習うが、ついに一生を終えてもその実際をみないのは、まことに残念なことではないか。そこでまず蚕を飼う方法を述べ、糸ができる次第を知っておこう。人と物とが結びつき、貴賤によって服色の区別があるのは、外ならぬ天がそうしたのである。

注

＊1――『易』繫辞伝下に「黄帝堯舜、垂衣裳而天下治」とあり、また『尚書』益稷篇に山龍の模様を貴人の衣服に描くことがみえている。

＊2――『史記』天官書に「織女、天女孫也」とあり、またその索隠には「織女、天孫也」とある。原文の天孫は織女星を指すのである。

＊3――元来の意味に従って、もつれた糸をほぐし、織りにかけるために糸を整える意味にとる。

蚕の卵

蛹は蚕の蛾に変わるが、蛹になって十日ほど経つと、蛾は繭を破って出てくる。雌雄は同数であって、雌は伏せたままで動かないが、雄は両翅をばたばたさせ、雌に出あうとすぐに交合する。一日か半日交合するとやっと離れるが、離れると雄の体は中がからからになって死んでしまう。雌はすぐに卵を生む。この卵を紙か布で受けるが、どちらを使うかは、地方によってちがう〔嘉興及び湖州（いずれも浙江省）では、桑の樹皮でつくった厚紙を使う。その翌年にも再び使える〕。一匹の蛾は、だいたい二百余粒の卵を生むが、この卵は自然に紙の上にくっつき、粒は平均に散布され、放っておいても決して堆積しない。養蚕家はこれを貯蔵し、翌年を待つのである。

蚕浴

蚕の卵には浴法を行なう。ただ嘉興と湖州の二州についていえば、湖州では多く天露と石灰の浴法を使用し、嘉興は多く苦汁《にがり》を使う。蚕紙一枚ごとに、塩倉から流れ出る苦汁二升に水を加えて鉢の中に入れ、その表面に蚕紙を浮かべる〔石灰のばあいもこれと同じである〕。十二月十二日になると蚕紙を浸し、二十四日までやって、十二日の期限がくるとすぐに引きあげ、とろ火であぶって乾かすのである。これからは箱の中に大切にしまい、少しでも風や湿気を受けないようにし、清明節《せいめいせつ》になるのを待って、かえすのである。天露浴というのも、それを行なう時日は同じである。割竹でつくった笊に紙を入れ、屋上に並べ、四隅は小石でおさえ、霜雪・風雨・雷電の中に放っておいて、十二日たつと初めてとりおさめる。これを大切にしまって、かえす時期を待つことは、前法と同じである。以上の方法を行なうわけは、悪い卵に浴法を行なうと、自然に卵が死んで蚕とならないで、桑の葉を浪費することがないからであり、また生き残ったものから多くの糸が得られるからであろう。晩種には、浴法を行なわない。

卵に忌むもの

四本の竹か木で四角な枠をつくって蚕紙をのせ、それを高くかかげて風の通るようにし、上の棚板で日光を避ける。その下では桐油の煙や石炭の火気を避ける。冬には雪の照りかえしを避ける。もし一度照りかえしを受けると、すっかりだめになる。大雪が降ると、すぐ手早くとりおさめ、翌日雪がやむともと通りにかかげ、こうして十二月になるのを待ち、浴法を行なった上で貯蔵する。

種類

蚕には早晩の二種[*1]がある。晩種はいつも早種より五、六日先だって卵から出る〔四川のものはこれと同じではない〕。また繭をつくるのも先である。その繭をくらべると、晩種は三分の一ほど軽い。早蚕が繭をつくる時には、晩蚕はとっくに蛾となり卵を生むから、二度飼育するのに便利である〔晩蚕の蛹は、決して食ってはならない〕。

三通りの浴種の方法は、みな「蚕浴」の条の通りにやらねばならない。もし少しでも誤り、天露浴にすべきものを苦汁に浸したりすると、すっかりだめになって蚕とならない。

繭の色には黄・白の二種があるだけである。四川・陝西・山西・河南には黄繭があるが、白繭はない。嘉興と湖州には白繭があって黄繭はない。もし白繭の雄を黄繭の雌にかけると、できたものは褐色の繭に変わる。黄糸を猪胰《ちょい》[*2]で洗うと、やはり白色となるが、この糸ではどうしても漂白[*3]と桃紅の二色には染められない。

繭の形にも数種がある。晩種のつくる繭は腰ぼそや瓢箪のような形となり、天露浴の繭は先端がとがって長く、かやの実のような形であり、或いはまた円く扁平でくるみの形のもある。また泥のついた葉を嫌わない蚕の種類があり、これは賤蚕といわれるが、糸はかえってたくさんとれる。

蚕の体色には純白・虎斑・純黒・花紋などの数種があるが、糸を吐くことは同じである。いま貧乏な農家では早種の雄を晩種の雌にかけることがある。そのばあい、たまたまよい品種が出ることがあるのは、一つの不思議である。野蚕[*4]は自然に繭をつくる。青州（山東省）の沂水《きすい》などの土地に出る。樹木が老いると自然にわいて出るもので、その糸で衣服をつくると、雨や汚れを防ぐことができる。その蛾は、繭から出るとすぐ飛ぶことができ、卵を紙の上に生みつけない。他の土地にもあるが、ただ稀である。

注

＊1――早種は一化性、晩種は二化性にあたる。
＊2――豚の脂肪でつくった一種の石鹸。
＊3――漂白の漂は縹字の誤りか。薄色を指すのであろう。
＊4――柞蚕など、いわゆる山蚕をいう。主として山東地方で広く山野に放し飼いされる。

飼育

清明を過ぎて三日すると、蒲団で暖かくしなくても蚕蛻《けご＊1》が自然に生まれ出る。蚕室は東南に面するのがよい。周囲は紙で隙間を目張りし、上に棚板のないばあいは、天井を張るのがよい。寒さにあうと、室内に炭火をたいて暖かくする。

はじめ蚕をそだてるには桑葉を細切りにする。葉をきざむには、稲や麦の藁を束ねないで敷いておくと、刀の刃をいためない。摘んだ葉は甕に入れ、風にあたって枯れしぼまないようにする。筐《きょう＊2》に移しかえるには、二眠以前には、みな先の円い小さな竹箸でつまみ、二眠以後は箸を用いずに指でつまんでよい。

筐に移しかえる仕事は、みな人手による。移しかえを怠ると、厚い葉と糞の湿りにむれて、多くむれ死にする。

眠る時期は同じで、みな糸を吐いてから眠る。移しかえてしまうと、少しの古い葉もとり去っておく。もし糸が粘りついている葉が中にあって、蚕が眠りから起きた時に、ひょっとして一口食うようなことがあれば、そのために身体がふくれて死ぬ恐れがある。三眠がすんでしまってから、もし天候が暑ければ、急いで涼しい所に運び出さなければならぬが、そのばあいにも風の吹く所はいけない。

大眠[*3]のあと、すべて十二回の葉をやってしまうと、初めて箔[*4]に移しかえる。あまり葉をやりすぎると、糸は粗悪になる。

注

*1——卵から出た蚕は毛が生えて黒い。蚍、蟻、或いは毛蚕と書き、けごと訓ずる。
*2——長方形に編んだ、縁のある浅い笊で、蚕を飼育するのに使う。
*3——中国の蚕は主として四眠蚕である。四回目の眠りが大眠である。
*4——箔は竹やアシの類で編んだムシロで、その上で蚕を飼う。

飼育に忌むもの

蚕は香や悪臭を恐れる。もし骨灰を焼いたり、便所をさらったりして、その匂いが風に吹かれてくると、多くの蚕がそれに犯されて死ぬ。壁を隔てて塩乾魚や古い脂肪をいためても、犯されて死ぬことがある。竈で石炭をたいたり、火鉢で沈香や檀香をたいても、犯されて死ぬ。ものぐさな女が便器をゆり動かし、その悪臭が犯しても、またそこなわれる。風が吹くような時には、もっぱら西南風を避ける。西南の風が非常に強い時には、箔全体の蚕がみな死ぬことがある。臭気がやってくると、急いで残っている桑の葉を焼き、その煙で防ぐのである。

桑の葉

桑の葉はどんな土地にもできる。桑を栽培するのに、嘉興や湖州では枝を垂らしておさえる方法がある。その年に桑にわき枝が生えると、竹鈎で引っかけてねさせて徐々に地面に近づけ、冬になると土をかけておさえる。すると、その翌春に枝の節ごとに根が生えるから、切りはなして他所に移植する。樹の養分はみな葉に集まり、もはや実ができたり花をひらくことがない。葉を摘みやすくするには、樹が七、八尺になると、すぐその頂上の所を切りはらう。葉は横にひろがって茂り、容易に引っぱって切りとることができ、梯子をかけたり木に登ったりする必要はない。そのほか種子からそだてるには、立夏に桑の実が紫に熟する時にとってきて黄泥水でもみ洗い、水とともに地面にまくと、その年の秋には長さは一尺余りとなる。翌春、それを移植する。もし肥料を施し世話をすれば、やはり成長しやすい。しかし、時として実を生じ花をひらくことがあり、そのばあいには葉は非常に薄くて少ししかできない。また花桑といって葉が薄くて使用できないものがあるが、その樹も接木をすれば、やはり厚い葉が生える。また三種の柘葉《しゃよう》（ハリグワ）があって、桑の葉の不足が補われる。浙江では柘葉をみたことがないが、四川にははなはだ多い。四川の貧乏な農家では浙江の蚕をそだて、桑の葉が足らなくなれば柘葉を与えるが、物の道理は一つでやはりそだつ。琴の糸や弓の弦には柘葉でそだてた蚕の糸を用いる。これは棘繭《きょくけん》といい、最も丈夫であるという。

葉を摘むには必ず鋏を用いる。鉄鋏の中では、嘉興の桐郷県でつくられるものが最も鋭利である。他の産地のはそれほど鋭利ではない。枝から葉を摘みとるのに、移植したばかりの桑の枝は、その翌月に葉がいよいよ茂り、葉のとれ方も多い上に、人がとるにも便利である。

移植した桑の枝にできた葉は、仲夏に晩蚕の飼料とするが、それには葉を摘むだけで枝を切りとることはしない。二度葉を摘んだあと、秋には三度目の葉がまた茂る。浙江の人はそれが霜で落ちるにまかせ、はき集めて綿羊を飼い、毛織物やフェルトをつくって大いに利益を得るのである。

食に忌むもの

大眠のあとでは、蚕は湿った葉をそのまま食う。雨天に摘んできたものは、そのまま蚕座に敷いて食わせる。晴れた日に摘んできたものは、水で湿らして与えると、糸に光沢ができる。大眠の前では、雨天に葉を摘むと、縄で軒下にかけ風を通してやる。時々その縄をふり動かし、風で吹き乾かされるのを待つ。もし手のひらでもみ乾かすと、葉がやけて潤いがなく、後日できた糸もばさばさとなる。

葉を与えるのに、眠る前は必ず飽き足らしめて眠らせるようにする。眠りから起きると、たとえ半日たって葉を与えてもさしつかえがない。霧のために湿った葉は、ひどく蚕をそこねる。朝に霧があれば、決して葉を摘んではならない。霧のおさまるのを待ち、晴れるか或いは雨になって初めて鋏で切る。露のたまり水も、乾くのを待ってから切りとる。

病気

蚕は卵のあいだに病気にかかることがあるが、それはすでに前に詳しく述べた。卵から出たあと湿気でむされることがあるが、それを防ぐのは人の役目である。初眠の時の移しかえに漆の蓋物を用いるばあい、その蓋でおおうてはならない。そうすると、苦しさのあまり気水が出る。

蚕が病気になる時には、脳の上に光を放ち全身が黄色となり、頭がだんだん大きくなり、反対に末尾の部分が次第に小さくなる。それに眠る時になっても動いて眠らないし、葉を食うのも多くない。これはみな病気のためである。[*1]すぐに病蚕をより出して棄てさり、他のものに伝染しないようにする。

蚕の丈夫なものは必ず葉の表面に眠る。葉の下におさえられているのは、力が弱かったり、なまけ性であったりして、繭をつくっても薄い。繭をつくって繭形にまとめることができないで、ただむやみに糸を吐いて平らな凹みとするのは、[*2]蠢蚕《しゅんさん》というもので、なまけ性の蚕ではない。

注

＊1――この記載は、蚕が空頭病にかかった症状である。
＊2――このような皿繭をつくるのは、蚕が膿病にかかったばあいに多い。

老足[*1]

蚕が葉を食い足りた時には、ひたすら上簇《じょうぞく》の時刻を争う。卵から蚸《けご》が出るのは、多く辰と巳[*2]の二時《ふたとき》であるから、熟蚕となって繭を結ぶのもやはり辰と巳の二時に多い。熟蚕となったものは、喉の下の両方の顎がすきとおる。上簇させるためにより分ける時、その熟しかたが少し足らないと糸が少なく、少し熟しすぎて糸を吐き出していると、きまって繭殻が薄い。より分ける人の目《め》利《きき》がすぐれて、一匹もまちがえないほどでなくてはならない。特に黒色の蚕は身体中がすきとおらないから、最も鑑別しにくい。

注

＊1――大眠の後に葉を十分食い足りると自然に繭をつくるようになる。これが老足であり、ヒキルとかスガクとかいい、この状態の蚕を熟蚕という。中国では俗に老嬢ということがある。

＊2――一日を子丑寅などの十二支によって十二等分した時間で、辰と巳はそれぞれ現在の七―九時及び九―十一時にあたる。

繭をつくる

繭をつくらせるには、必ず嘉興、湖州のようにして初めて最も完全な方法といえよう。他の地方では火で暖めることを知らないで、蚕が繭をつくるにまかせ、はなはだしいのは藁や箱の中でやらせ、火で暖めないし風も通さない。それだから、このようにしてつくられた屯《とん》や漳州《しょう》(福建省）などの土地の絹や、河南や四川などの紬《つむぎ》はどれもいたみやすい。しかし嘉興や湖州でできた糸で衣服をつくると、たとえ水に入れ百度あまり洗濯しても、その質はやはりもとのままである。

その方法は竹を割って箔を編み、その下に棚を横にわたし、約六尺の高さにし、地面に炭火を並べる《図２‐１》〔炭のはぜるのはいけない〕。間隔を四、五尺ずつはなして火鉢を並べる。はじめ山《まぶし》*1につく時は、火の分量はやや少なくし、蚕に糸を吐き出させる。蚕が火をほしがるようであると、すぐに繭をつくり、山をつたい歩くことはない。ざっとした繭の形ができると、火鉢一個ごとに炭火半斤を加える。すると、糸を吐き出すにつれすぐに乾燥するから、糸はながくたってもいたまない。繭をつくる室は、天井板で蓋をしてはならない。下には火があり、上には風通しがあって涼しいことが必要である。

火の真上にあるものは種《たね》としない。種をとるには、むしろ火がまんべんなくあたったものを用いたほうがよい。その箔上の山は、麦や稲の藁を切りそろえ、次々にねじって山をつくり、箔の上におしたてるのである。山をつくる人は非常に手先が器用でなければならぬ。箔の竹はまばらにして、その上に短く切った藁をざっと敷き、蚕が地面や火中に落ちないようにする。

注

*1――簇に同じ。繭を結ばしめるために藁、竹などを山形に折りまげて箔の上においたもの。蚕が簇につくことを上簇という。

図2-1　山（まぶし）と箔

繭をとる

繭をつくってから三日すると、箔より下ろして繭をとる。繭殻の外の浮糸《けば》は糸匡《しきょう》ともよばれ、湖州の老婦はそれを安価〔一斤ごとに百文〕で買いとり、銅銭の錘を使って太糸を紡ぎ、湖紬を織る。浮糸をとってから、大きな笊を使って繭を棚の上にひろげ、糸にしたり、真綿とすることができる。もし繭を厨箱でおおうと、むれて糸のいとぐちがとぎれてしまう。

ものの害

蚕を害するものに、雀・鼠・蚊の三種がある。雀の害は繭には及ばないし、蚊の害は早蚕には及ばないが、鼠害は絶えずつきまとう。これを防ぐにはいろいろな方法があるが、いずれも人手で行なうほかはない〔雀の糞が葉にくっついたのは、蚕が食えばたちどころに死んで腐る〕。

繭をえらぶ

糸をとるには、必ず円くて形の正しい独蚕繭を用いると、糸口が乱れない。双繭や四、五匹の蚕がいっしょに繭をつくっているもの[*1]は、えらびとって真綿をとるのに使う。もしこれで糸をつくると非常に粗末である。

注

＊1——玉繭或いは同功繭と称するもので、二匹又はそれ以上の蚕が一個の繭をつくる。

真綿のつくり方

双繭や、糸をくって鍋の底に残ったあまりの繭、蛾が飛び出した繭殻などは、いずれもみな繭糸がたち切れて糸をつくることができないので、真綿をつくるのに使う。稲藁の灰汁で繭を煮てから〔石灰はいけない〕、清水を入れた鉢の中に入れ、親指の爪をきれいに切った指先で四個の繭を引きのばす。四個ずつ四回で十六の数になると、拳で引きのばす。また拳で引きのばした数が四四十六になると、それから小さい竹弓にのせてのばす。これが『荘子』にいう「洴澼絖《へいへきこう》[*1]」である。湖州の真綿が特に白くてきれいなのは、全く手法がすぐれているからである。弓にのせる時には手早くやるのがよく、水を含んだままでひろげる。少しゆっくりしていて水が垂れてしまうと、塊が解けきれず、色も純白でなくなる。糸をとった残りの繭からつくった真綿は、鍋底綿《かていめん》という。衣服や蒲団の中に真綿を入れ、きびしい寒さを防ぐ。これを挾纊《いれわた》という。

真綿をとる仕事は、糸をとるのに比べると八倍もむつかしく、一日かかって四両余りをつくるにすぎない。この綿から太糸をつむぎ、それで織った湖紬の値段はすこぶる高い。この太糸を花機《たかはた》にかけたものを花綿といい、価は最も高い。

注

＊1——『荘子』逍遥遊にみえる。絖は真綿のことで、真綿を水にさらすことをいうが、ここでは真綿をつくることに解している。

糸くり

糸をくるにはまず糸車をつくる。その機構は図に示す《図2－2》。鍋を火にかけて繭を煮立てる。糸の太い細いは、この鍋に入れた繭の多少による。一日かかって一人で三十両の糸をとることができる。もし包頭糸*1であれば、ただ二十両にすぎない。これはその繊維が長いからである。綾や羅の糸は一度に繭二十個を入れるが、包頭糸はただ十余個を入れる。

繭が煮え立った時に、竹簽《ちくせん》*2で水面をかきまぜると、糸口が自然に現われる。この糸口をとりあげて竹針眼*3に引き入れ、まず星丁頭〔竹棒でつくり、香筒のようである〕にまわし、それから送糸干にかけ、大関車に巻きつける。糸が切れた時には、その糸口を探して他の糸の上に投げかけるだけで、わざわざまといつけるには及ばない。大関車の上で糸が平均に並んで糸が一方にたまらないのは、全く送糸干と磨不《てぶり》*4のためである。四川の蜀で使う糸車の形式は少しちがっている。その方法は横木を鍋の上にわたし、四、五本の糸口を引きあげ、二人が向かいあって鍋の中の糸口を探すのである。しかし非常によい湖州の方法に比べて劣っている。

糸くり時の薪は、よく乾いていて、湿らず煙らぬものを使うと、糸の美しい色つやがそこなわれない。糸を美しくする方法は、次の六字でいいあらわせる。その一つは出口乾といい、蚕が繭をつくる時に炭火を用いてあぶり乾かすことである。また、一つは出水乾といい、糸をくって大関車に巻きつける時に、四、五両の炭を鉢に入れ、巻きつける装置から五、六寸ばかりの所におく。車が風のように回転するにつれて、火気で照り乾くのである。これを出水乾という。

図2-2　糸くり

注

＊1――重修『湖州府志』巻三十三によると、包頭絹は女の首飾りとし、また北地では目をおおうて砂塵を防ぐとある。きわめて薄手の絹である。
＊2――小形の竹箒状の器具。
＊3――多くの繭の緒を集約する装置。
＊4――送糸干を左右に動かす装置。

経糸

糸から織りにかかろうとする時には、まっさきに糸をくる。明るい軒先で、木のわくを地にすえ四本の竹を立てる。これを絡篤《たたり》という《図2－3》。糸を絡篤に正しくかけ、その傍に立てた柱の高さ八尺の所に釘をうちつけ、斜めに細い竹と三日月形の掛鉤をぶらさげ、糸を鉤にかけ、籰《わく》（糸巻き）を手にしてまわし、経糸《たていと》をそろえたり、また緯糸《よこいと》を織りにつける準備をする。細い竹には石を下げて重りとし、糸が切れた時に、石をあげれば鉤が下がる。

緯糸

糸を籰《わく》（糸巻き）にくってから、経糸と緯糸にしたてる。経糸の材料は少なくてよいが、緯糸の材料は多く使われる。十両の糸について、経四緯六がだいたいの割合である。緯糸に使用する糸巻きは、水でぬらした糸を、車で鋌《つむ》をまわし、竹管《くだ》＊1に巻くのである《図2－4》〔竹には細い

図2-3　経糸をくる

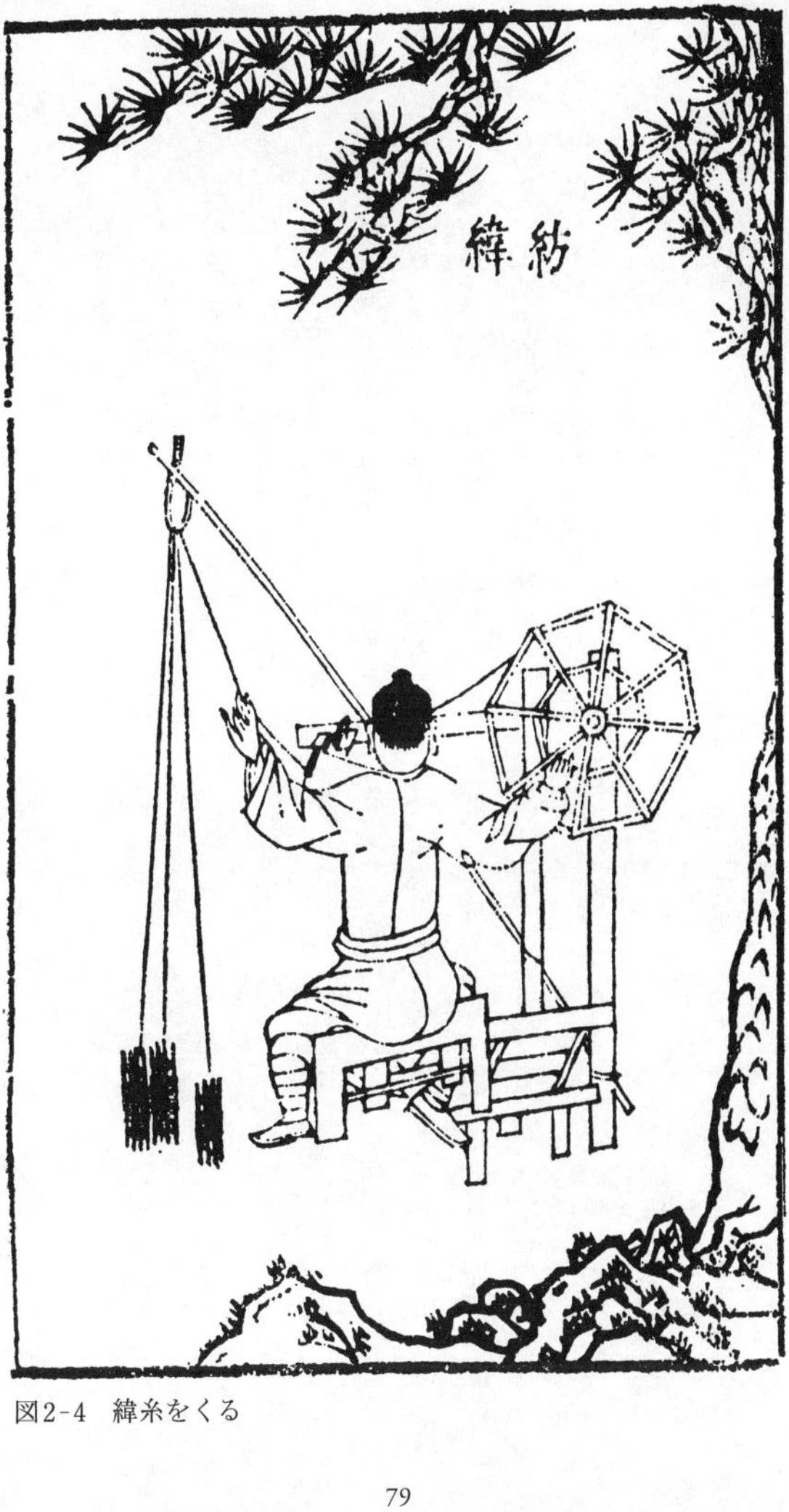

図2-4　緯糸をくる

矢竹を使う」。

注

*1――筟とも書く。これを杼《ひ》に入れこんで織る。

経糸を整える道具

糸を糸巻きにとってしまうと、経糸をそろえ織る用意をする《図2-5》。まっすぐな竹竿に三十余の孔をあけて、竹の輪を入れこむ。これを溜眼《めはじき》という。竿は柱の上に横にわたし、糸は竹の輪から掌扇《あぜおさ》に通し、ついで経耙《へだな》の上にまとわす。必要な糸数がそろうと、印架《いんか》*1に巻きつけるだて、その後で筬《あらおさ》に通す［この筬は機織りの筬《おさ》ではない］。筬に通したあとに的杠《ちぎり》を印架と向かいあわせ、五、七丈の間隔をあける。糊つけするばあいには、このままで糊つけする。糊つけしない時は、的杠に巻いて綜《へ》に糸を通して織りにかかる。《図2-6》。巻きつけてしまうと、中に二本の交竹《あぜだけ》で、一方の糸を上に、一方の糸を下にわけへ

注

*1――印架は下文の的杠と相対し、経糸の一端をまといつける横木である。的杠は花機図をみよ。

糊つけ

糊には麵筋[*1]から得られる細かい粉を材料とする。紗や羅を織るには必ずこれを使用する。綾や紬には糊をつけることもあり、つけないこともある。紗を染めると質が変わるから、牛膠水を使って糊つけする。これを清膠紗《せいこうしょう》という。糊汁を筬《あらおさ》の所で受け、それが経糸の動くにつれてしみ通り、巻くにつれて乾く。天気がよく晴れていると、しばらくで乾くが、曇りには必ず風の力をかりる。

注

*1——麵筋は小麦粉をもみ洗ってできる蛋白質で、ふの原料となるものであるが、ここではやはり澱粉で糊として使用されている。

織耳

絹織物は綾・羅をとわず、いずれも別に織耳《おりみみ》をつける。織物の両側にはそれぞれ二十余本の辺《みみ》糸《いと》があり、この辺糸には必ず糊をつけ、筬《あらおさ》を動かして梳《す》いて乾かすのである。綾・羅のばあいには、必ず三十丈、もしくは五、六十丈を一度に綜《へ》に通し、たびたび綜に通す手間を省く。一疋ごとにたち切らねばならぬので、辺糸の上に墨つけして区切れば、必要な丈尺に達した時が知れる。辺糸は的杠に巻かないで、別に織機の横木にまといつける。

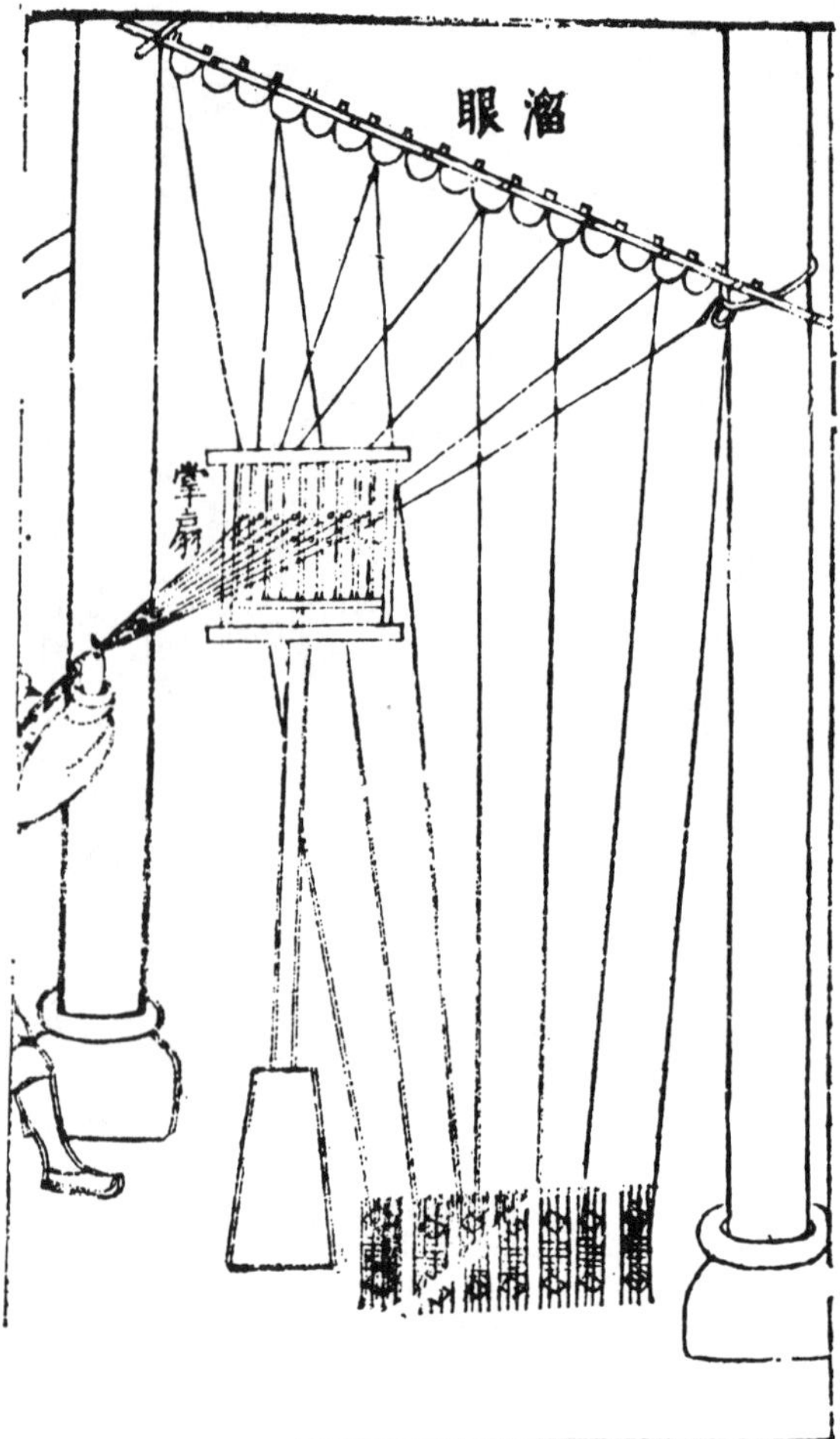
溜眼
掌扇

図2-5　整経

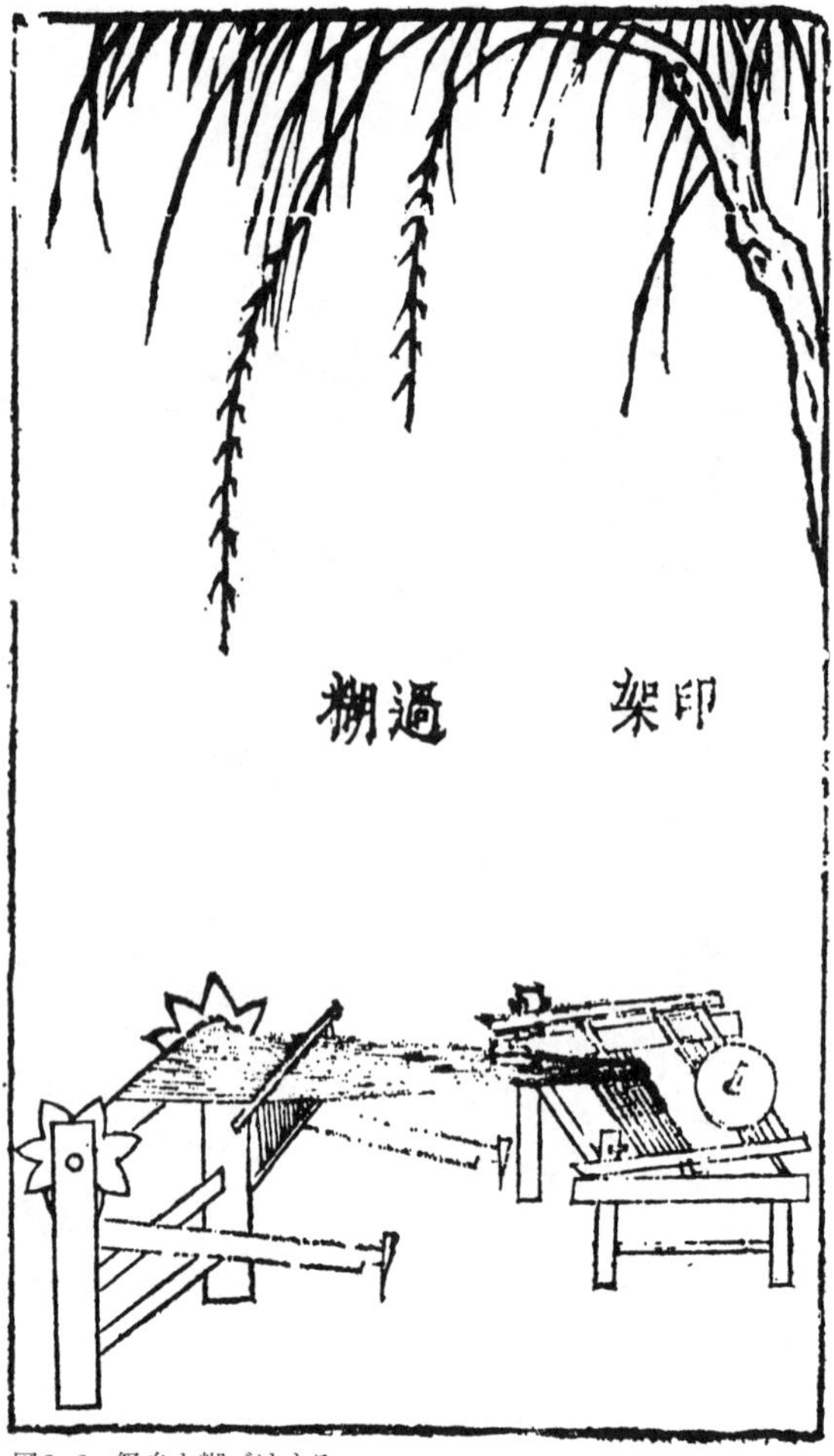

図2-6　経糸を糊づけする

経糸の数

絹織物を織るには、羅・紗の筬《おさ》は八百歯を標準とし、綾絹の筬は千二百歯を標準とする。筬の歯ごとに経糸を通すが、四本の糸をあわせて二本の糸とする。羅・紗の経糸の数は三千二百本、綾・紬の経糸の数はすべて五千から六千本ほどである。古書には八十本を一升とするとあるが、*1現在綾絹の厚いものは六十升布である。

模様を織り出すには、必ず嘉興や湖州の出口乾・出水乾の糸を使って経糸とすれば、経糸のあげさげが意のままで、糸の切れる心配がない。他の糸では、つとめて模様を織ろうとしても、模様がぼやける。

注

*1――『儀礼』喪服にみえる鄭玄の注に「布八十縷為升」とある。下文の綾絹では、経糸の数が四千八百本である。

花機の構造

花機《かき》*1（たかはた）は全体の長さが一丈六尺で、花楼は一段高い《図2-7》。花楼の中に衢盤《いずつ》*2があって、下には衢脚《いわだけ》*3を垂らしている〔水で磨いた竹でつくり一千八百本ある〕。花楼の下に坑を二尺ばかり掘り、そこに衢脚を入れる〔地に湿気があるばあいは、二尺ほどの棚をして、これに代える〕。模様を織るために経糸を引きあげる職人は、花楼の上に跪いている。機の末端

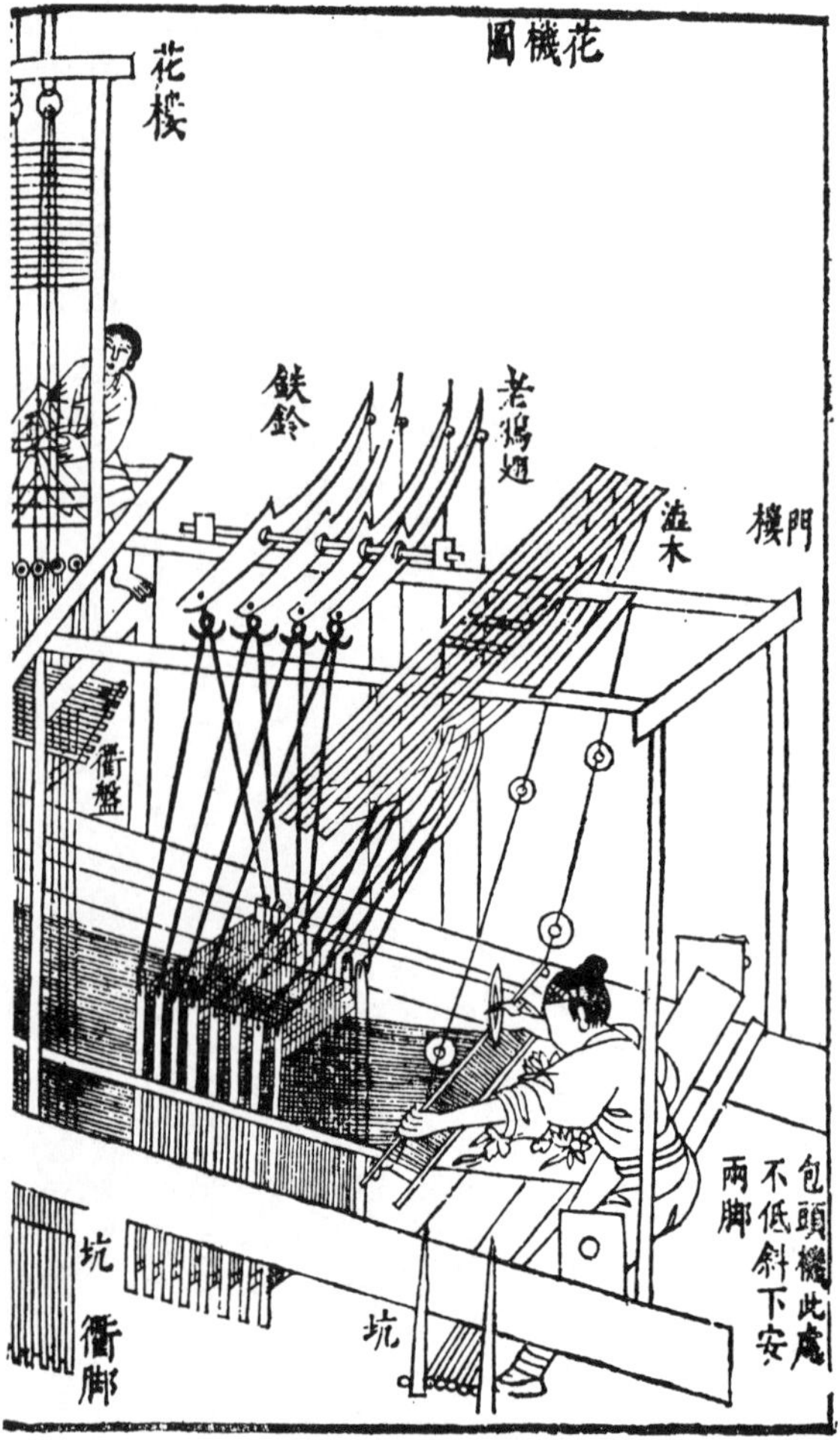
花機圖
花樓
鉄鈴
老鴉翅
澁木
門樓
衢盤
包頭機此處不低斜下安兩脚
坑
衢脚
坑

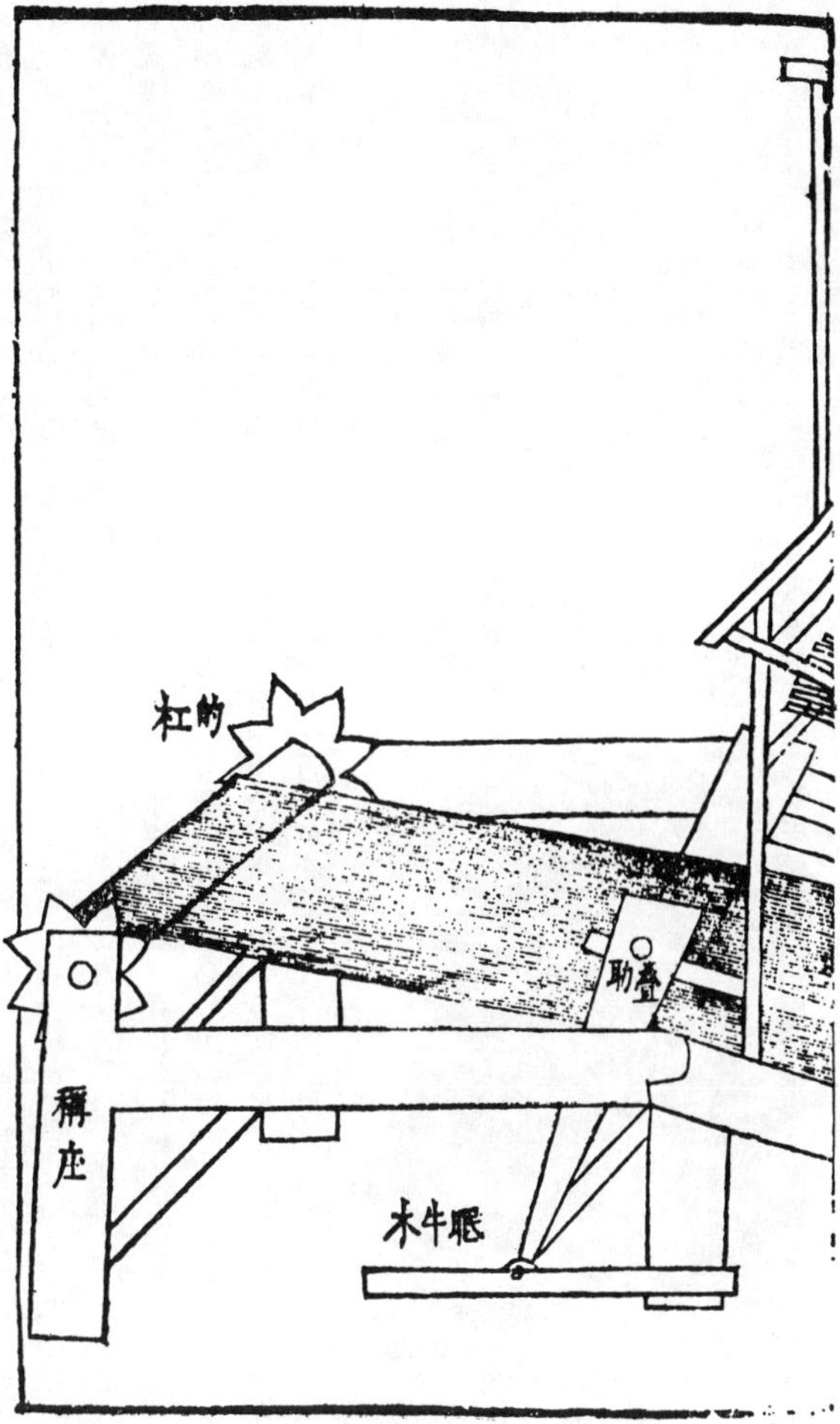

図2-7　花機、模様を織り出す織機

にある的杠《ちぎり》に糸を巻き、中ほどの畳助《くらい》の部に両枝があり、それに二本の木*4を連結するが、この長さは約四尺で、そのさきは筬の両端のところに挿しこんである。畳助は紗・羅を織る時は、綾絹を織るのにくらべ、目方を十余斤へらすとまことにつごうがよい。素羅は模様がない。軟紗・綾絹など、浪梅の小模様をおこすものは、*5素羅にくらべてただ二枚の桄《こう》*6を加え、一人が踏めば自然に模様ができ、花楼の上にあって花本を引きあげる人の必要がなく、衢盤と衢脚をも設置しない。

織機の構造は二つの部分から成り、前方の部分は水平である。花楼から織工に向かう他の部分は傾斜する。それが一尺ばかり低下していると、畳助の力が強い。包頭絹や細かく軟らかいものを織るには、別に水平で斜めになっていない機を用い、坐っている所で織工は二本の足を交互に踏み換える。その糸がごく細いために畳助の力を弱くする。

注

*1――花機は模様（花紋）を織り出す織機の意。高機とも書く。古くから京都の西陣で使われ、最近その実物を復原した。西陣では空引機（そらひきばた）という名が多く使われる（写真参照）。

*2――現在の目板にあたり、長方形の木枠にカマドダケとよぶ細い竹を経糸と平行に並べ、花本の下のウマイト、及びウマイトの下に垂れたイワイトと衢脚な

花機（空引機）の復原とその実演（1967年9月、京都国立博物館において。なお復原実物は西陣織物館に所蔵）

どを区別整理する。

*3――現在のシズにあたり、提花工が花本に従って引きあげる通糸に接続するウマイト及びウマイトに通されている経糸などを、もとの位置にもどす重りの役目をする。

*4――畳助から織工の方に向かって、筬につながっている二本の細長い板で、ひきえという。

*5――花本によらず、織工が綜絖を結んだ数本の踏木をふみおさえて顕文することをいう。

*6――経糸を引きあげるのが綜で、一度引きあげた経糸を前方で再び引き下げるのが桄と思われる。

腰機の構造

杭西で羅などの絹、軽素などの紬、銀条、手巾、帽子などの紗を織るには、必ずしも花機を用いないで、小機だけを使用する。織工は一枚のなめし皮を腰のあたりにつけ、織工の力はすべて腰と尻とに入れる。それだから腰機という《図2－8》。全国どこでも葛・苧麻・棉などの布を織るには、この機を用いる。これで織った布は正しくそろい、丈夫で光沢があるけれども、惜しいことに現在ではあまり広く行なわれない。

花本を結ぶ

花本[*1]を結ぶ織工は、非常にこまかい所まで心をくばる。画師がまず何がしかの模様を紙の上に描く。花本を結ぶものは糸線[*2]で画にしたがって糸数を割り出し、微細な部分まで計算して花本を結成し、これを花楼の上に張りかける。たとえ織工がどんな模様になるかを知らないでも、綜に通した経糸には、花本の寸法にしたがって衢脚をあげ、梭《ひ》が通りすぎるとちゃんと模様が現われ

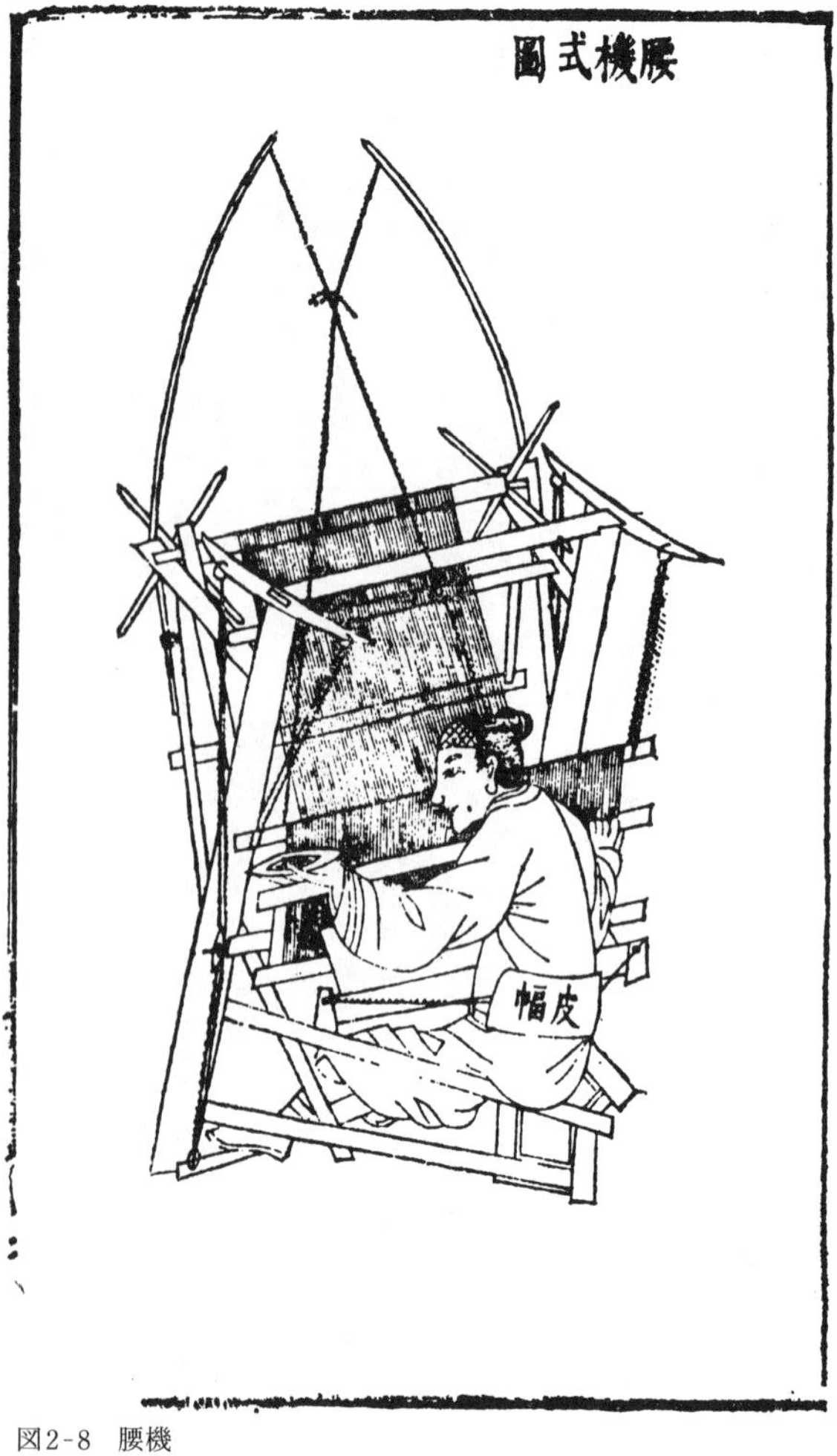

図2-8　腰機

る。綾絹は経糸を浮かして模様を現わし、紗・羅は緯糸をもじって模様を出すのである。[*3] 綾絹は梭を通すごとに花本にしたがって経糸を引きあげる。紗・羅は来る梭の時に花本をあげ、往く梭の時には経糸をあげない。織女が伝えたという機織りの法は、いまや最高の技術に発達している。

注

*1――模様を織り出すには、梭を通すごとに、模様にしたがって引きあげる経糸がちがう。どの経糸を引きあげるかを指定したものが花本である。この花本をつくること、すなわち「花本を結ぶ」を西陣では紋上げといっている。
*2――花本を結ぶには、太い絹の双糸を用いた。
*3――緯糸をもじるのはなく、じっさいには経糸をもじる。

経糸を通す

綜《へ》に経糸を通すばあい、必ず四人が並んで坐る。筬に糸を通す人が手に筬耙《おさかまち》をとり、まず糸をさしこみ、糸が手前にくるのを待つ。糸が筬を通ると両指でつまみ、五十から七十の筬を通すと、これを紐で結ぶ。糸が乱れないのは、全く交竹《あぜたけ》の機能によるのである。たとえ糸が切れても、ちょっと引っぱると数寸の長さになるから、それをつなぎあわせると、もと通りになる。これは糸に自然と備わるよい性質である。

織物の名称

羅の隙間は、風を通して涼しいが、それをつくる手段は全く軟綜《ふるへ》[*1]による。袞頭《こんとう》[*2]の二枚を綜にするが、一枚は軟綜で、他の一つは硬綜である。五枚か三枚の梭[*3]〔最も広いものは七梭〕を通してから、軟綜を踏みあげると、自然に多くの経糸がもじれ、あきができる。もしもじらないままだとあきはできないが、そのばあい、薄手のものを紗という。その手加減もまた袞頭の二綜[*4]の働きによる。花綾紬を織るばあいとなると、この二綜をとり去って桄綜八枚[*5]を使用する。左右の手にそれぞれ一挺の梭を持ち、交互に織るものをちりめんという。単経のものを羅地といい、双経のものを絹地といい、五経のものを綾地という。

織模様は実地と綾地とに分かれる。綾地のものは光沢があり、実地のものは光沢が少ない。まず糸を染めてから織るものを緞という〔北方の屯絹も先に糸を染める〕。糸を紬機につけて織る時には、二本の緯糸を軽く、次の一本の緯糸を重くしてあきをつくるものがあるが、これは秋羅といい、この方法も近ごろ始まった。

江蘇、浙江の秋羅、福建、広東の懐素はみな紳士の夏服に役立ち、屯絹は地方官や身分の低い役人に錦繡の代用品として使用される。

注

＊1――太い絹糸を強く撚りあわせたあと、練ったものを使う。

＊2――袞頭は花機図の鉄鈴、老鴉翅などにあたる。

＊3――五枚、三枚は緯糸の数で、これがみな奇数であるから、できた織物は現在の絽にあたるのであろう。
＊4――硬軟二綜を交互に踏みかえて織る。現在の紗とちがわない。
＊5――四枚の鉄鈴と老鴉翅で経糸を引きあげて地質をつくる。これが綜である。提花によって引きあげられた経糸をおさえ、紋緯の浮きをとめるいわゆる伏せ機が栿であるらしい。花綾紬は四枚綾の組織りのもの。

練りあげ

織物は織りあがっても、生地はやはり生糸のままである。煮出して練ると初めてしなやかになる。精練には稲藁の灰汁で煮る。[*1]猪胰《ちよい》脂《し》[*2]に一晩漬けておき、湯に入れてゆすぐと、糸の光沢がまばゆいばかりになる。或いは烏梅[*3]を用いたりするが、それでは光沢がいくらか減る。

早蚕からとった糸を経《たて》とし、晩蚕の糸を緯《よこ》としたものは、精練した時に十両で三両だけ目べりするが、経緯ともにすぐれてよい。早蚕の糸は僅か二両だけ軽くなる。練ってから日に乾かして強く引っぱり、はまぐりの貝殻の背を磨いて滑らかにし、全身の力をこめてこすると美しい光沢となる。

注

＊1――灰汁で数時間煮沸すると、生糸のセリシンが除かれて光沢が出る。
＊2――「種類」の条の＊2をみよ。
＊3――「染色」諸色の材料の＊2をみよ。

龍袍

宮中に奉る龍袍は蘇州と杭州にその織場がある。その花楼は高さ一丈五尺で、熟練工二人で花本を引きあげる。数寸を織ってしまうと、すぐ龍の模様にかえる。それぞれの工場がきそいあい、織るのは一ヵ所だけではない。生地の黄色[*1]も、まず糸を染めておく。器具は特別にちがっていないが、ただ操作の慎重さと費用とはみな数十倍であり、それによって天子に対する忠誠の真心をささげる。ただその途中の工程の微細な点は、詳しく知ることができない。

注

*1――原文には赫黄とあるが、鉱物の黄色染料を使う。

倭緞

倭緞《わだん》のつくり方は日本に始まり、漳州や泉州（共に福建省）の海浜ではその方法にならって織っている。材料の糸は四川から運ばれ、商人は万里をこえて売りにきて、その代金を胡椒にかえて郷里に帰る。その織法も日本から伝わった。大略を述べると、あらかじめ材料を染め、綿を切って挟みこみ[*1]、経糸を数寸織ってしまうと、すぐにこすって黒光りにする。貿易する北方の蛮人が、これを喜ぶのである。ただこの絹物は最もいたみ汚れやすい。それでつくった冠の上には、たちまちほこりがたまり、襟のところは、日がたつにつれていたむ。いまでは国の内外ともに賤しんでおり、将来は棄てて省みられなくなろう。だから織法は伝えずともよかろう。

注

＊1――ここの織法はビロードのそれであろう。ただビロードは金属線を織りこみ、その部分を線に沿って切る。原文の綿は線の誤りであろう。

棉布

貴賤ともに同じように棉布（綿布）で寒さを防ぐ。棉花は古書に枲麻《しま》＊1というが、その栽培は天下に行きわたっている。木棉、草棉の二種類があり、花には白、紫の二色がある。栽培されたものには白が九割、紫が一割である。

棉は春にうえ秋に花が咲く。先にひらいた花から、日ごとに摘みとり、一時にはとらない。その花の中に種子がくっついているから、棉繰車にかけて分ける《図2-9》。種子をとり去って、棉花をとり、弓を張ってうちほごす《図2-10》〔棉入れとして夜具を暖めるものは、ここで加工をやめる〕。うってから板でこすって長い紐状とし《図2-11》、それを紡車にかける《図2-12》。糸口を引っぱり、撚りをかけて糸とする。そのあとで糸巻きにまいて経糸をそろえ、織りにかける。

熟練した紡工は一手で三本の竹管を扱い、錠《つむ》の上で紡ぐ〔早くやると糸は丈夫でない〕。

棉布はどこでもつくっているが、織りは松江（江蘇省）がよく、染めは蕪湖（安徽省）のものがよい。布の糸がしまっていると強く、ゆるいと脆い。艶出しに使う碾石《ローラー》は揚子江以北に産する

図2-9　棉くり

図2-10　棉打ち

図2-11　こすって紐にする

図2-12　糸をつむぐ

冷たくてきめのこまかいものを用いる〔よいものは一塊で十余金の値段がする〕。石が焼けないと、糸がしまってぼやけない。蕪湖の大きな店では、ことによい石を貴ぶ。広南は棉布の多い所であるが、広く遠方に産する石をとりよせ、必ず試してみる。衣服の汚れを洗うのに今でも寒い時に砧でうつようにするのは、やはり石を使うことに理由がある。外国や朝鮮のつくり方も同じである。ただ西洋のものについては、その材料の調査が行き届いていないし、またその機織りの機構もわからない。

織布には雲花、斜文、象眼などがある。みな花機で織られる絹織物にならって名称が生まれたのである。しかし棉布という以上、その材料はきまっている。十軒の家には、一つの織機があるから、図を載せる必要はなかろう。

注

＊1——中国での木棉の栽培は宋代に始まり、古代にはなかった。古書の枲麻は麻で、著者の見解はまちがっている。

綿入れ

衣服や夜具には綿を入れて寒さを防ぐが、百人の中でただ一人が真綿を用い、他はみな木棉綿である。昔の縕袍《おんぽう》は、今では俗に胖襖《ばんおう》(綿入れ)という。棉花をうちほごしてから、衣服や夜具の大きさをみて入れこむ。新たに入れこんだものは、体にまとって軽く暖かい。しかし、年がたつと板のようになってしまって、暖気は次第になくなるから、とり出してうちほごし、再び入れこむともと通り暖かくなる。

夏服

苧麻《カラムシ》はどこにも生える。その栽培の方法には、播種と株分けの二法がある〔池州（安徽省）では毎年根の頭を緑肥でおさえる。その根は土と共に高くなる。広南の青麻は、種子を田にまくとよく茂る〕。色には青、黄の二種がある。毎年二度刈るものや、三度刈るものがある。紡いで暑いころの衣服や帷帳《とばり》とする。

苧麻の皮をはぎとってからは、日に乾燥させるのがよく、濡れるとすぐに腐る。もっとも一本ずつの繊維に分ける時には水に漬けるが、それもただ二十刻（五時間ほど）の間がせいぜいで、ながくおいて剝がないでおくと、やはり腐る。苧麻の繊維はもともと淡黄であるが、さらし職人はこれを真白にする〔まず稲灰や石灰水で煮て、川の流れに入れて再びさらし、日にあてると遂に真白になる〕。苧麻の糸を紡ぐのに、熟練者は足で踏む車を使う。すると、一人の女工が三人の女工に匹敵する。ただ一本一本の繊維に分けてつなぐには、一日の働きでやっと三銖《しゅ》か五銖の重さの糸を得るにすぎない。苧麻を織る器具は、木綿を織るものと同じである。

麻の衣服の縫糸や革靴の縫紐の材料は、必ず苧麻の糸をよりあわせる。

葛は蔓生し、その繊維は苧麻より数尺も長い。さいてごくこまかくしたものは、布につくって貴ばれる。また檾麻《イチビ》という種類があるが、それでつくった布ははなはだ粗末である。最も粗末なものは喪服にあてる。たとえ苧布でも、非常に粗末なものは、漆屋が灰を入れる袋に使い、宮中では炬火用にあてる。また蕉紗がある。これは福建で芭蕉の皮をとり、さいたものをつないでつくる。ごく軽くて薄いものであるが、値段は安く、材料はもろく、衣服とすることはできない。

裘

獣皮をとって衣服としたものを、すべて裘《きゅう》（毛皮服）という。貴重なものは貂《ちょう》や狐、安価なものは羊や麂《き》で、値段は百種類にも分かれる。貂は遼東の塞外にあたる建州の地や朝鮮に産する。その鼠[*1]は好んで松の種子を食べる。蛮人は夜になると樹の下に待ちもうけ、息をこらし声をひそめてこれを射殺する。一匹の貂の皮は、一平方尺にもみたない。六十余枚の貂を集めて、やっと一枚の裘ができる。貂裘を着ていると、風雪中に立っていても、家の中よりかえって暖かい。目にものがはいった時に、これで拭うとすぐ出る。だから貴ばれるのは当然である。色には三種あって、一種の白いのを銀貂といい、一種は純黒、一種は暗黄である〔黒くて毛の長いものは、近ごろは一個の帽子ですら五十金もする〕。

狐、貉《かく》も河北・山東・遼東・汴《べん》の地方に産し、純白の狐の腋でつくった裘の値段は貂に匹敵する。黄褐色の狐裘は、その値が貂の五分の一である。寒さを防ぎ体を暖める効用は、貂に次ぐものである。

山海関の外にいる狐は、毛をとると地が青黒であり、中国のは毛を吹き分けると白色の地がみえ、これによって優劣が区別されるのである。

羊皮裘は、牝羊のものは値段が安く、子羊のは高い。腹にある羊を胞羔《ほうこう》といい〔毛はほぼはえそろっている〕、生まれたてのものを乳羔という〔皮の上の毛は耳環脚に似ている〕。生まれて三月のものを跑羔といい、七月のものを走羔という〔毛なみはまっすぐになっている〕。跑羔、乳羔の裘はなまぐさくない。昔は羔裘は上級役人の服であったが、現在でも西北の紳士はこれを貴んでいる。年老いた大きな羊の皮は、なめして裘とする。裘の地がどっしりとして重いものは、賤しい人々の服となるだけである。しかし、これらはいずれも綿羊からつくったものである。南方の短毛の羊は、なめし皮にすると紙のように薄く、ただ画燈《えあんど》の用にあてるだけである。羊裘を着るものは、なまぐさい匂いに時とともになれてしまっているが、南方のなれないものには堪えられない。しかし寒さがだんだんうすらぐと、使うこともない。

麂《き》の毛皮をとり、なめして上衣やズボンとすると、寒さを防いで着心地がよい。靴下、靴にすると、いっそうよい。この動物は広南に多く産するが、そのほか国内では湖北に皮が集まり、望華山はその皮を売買する場所である。それに麂皮は蝎《さそり》の害を防ぐので、北方の人々は衣服をつくるほか、紐に切って蒲団のへりにつけると、蝎は自然と近よらなくなる。虎と豹にはすぐれた模様があるので、将軍が陣羽織としてふさわしく、犬と豚の皮は非常に安価なものであり、労働者には手ごろな衣料となる。西方の蛮人は獺の皮を貴び、それを毛織物の襟飾りとするので、襄陽や黄州（共に湖北省）の人は山に踏み入り、国を越え、射ちとってははるばる売りに行き、多額の金をもうける。異国の珍品としては、たとえば金糸猿は朝廷に用いられて帽套となり、扯里猻《じりそん》は天子の袍となるが、いずれも中華のものではない。

獣皮で衣服となるのは、以上がその大略であって、地方それぞれの産物は述べつくせない。鳥からとるものとしては、鷹の腹、雁の脇の細毛は、一万匹を殺してやっと一枚の裘ができ、天鵝《てんが》絨《じゅう》とよばれるが、いったい何の役に立つのであろうか。

注

＊1――突如として「鼠」とある。ここは「貂」を指すものと思われるが、貂（てん）は肉食獣で、「鼠」を栗鼠《りす》と解すると、松の実を食べるので、下の記事と一致する。『国訳本草綱目』では貂をりすの類とするが、正しい見解であろう。

褐・氈[*1]

綿羊には二種ある。一種は蓑衣羊《すいいよう》といい、その細毛を切り、絨氈や毛織物とする。帽子や靴下は天下に行きわたっているが、みなこれからつくられる。昔は西域の羊がまだ中国にはいっていなかったので、褐（毛織物）をつくって賤しい人々の服としたが、これも蓑衣羊の毛でつくったのである。褐には粗末なものだけで、精巧なものはない。いま粗褐といっているものも、ままこの羊の毛からつくられている。この種類は、徐州や淮水より以北の土地では、どこにも多く産出する。南方ではただ湖州だけが綿羊を飼育しており、一年に三度毛を切る〔夏季には毛が薄くなって生えない〕。羊一匹で一年に毛の靴下三足の材料が得られる。子羊を生むばあい、牝牡のひとつがいで二匹の子が生まれる。だから北方の家で綿羊百匹を飼うと、歳入は百金になるという。他の一種は䍽芀羊《いっちょうよう》〔外国語〕で、唐末に初めて西域から伝わった。外毛はそれほどふさふさしていないが、内側の毛は細くて軟らかい。それをとって毛織物を織る。陝西の人はこれを山羊とよんで綿羊と区別する。この種類はまず西域から臨洮《りんとう》に伝わり、現在では蘭州（共に甘粛省）だけが盛んである。だから褐の上等なものは蘭州産である。これは蘭絨ともいうが、外国語では孤古《ここ》絨《じゅう》という。もともとの言葉である。山羊の細毛の毛織物も二種に分かれ、一種を搊絨《すうじゅう》といい、梳《すき》櫛《ぐし》でかき落とし、それを太糸にして織ったもので、褐子、把子などの種類がある。他の一種を抜絨といい、それは細毛の上等なものを二本の指の爪で一本ずつむしりとり、太糸として毛織物に織ったものである。この褐の織上りで顔をこすってみると、絹のようななめらかな肌ざわりがある。一人一日働いて太糸にするのに、やっと一銭の重さにすぎない。半年の手間をかけて、やっと織物一匹の分量ができる。搊絨の太糸をつくる一日の分量は、抜絨より数倍も多くできる。毛織物の太糸をつくるには、鉛で錘をつくり、糸口の端につるし、両手でまわして撚りをかける。

毛織物を織る機は布機《ばた》より大きい。八枚の綜を用い、経糸を綜に通し糸をわたす。下部に四本の踏木を設け、経糸二本ずつ順次踏み、緯糸を通すから、織り出した模様には斜紋が現われる。その梭《ひ》の長さは一尺二寸である。羊毛を織る機は、みなそのころ帰属した外国人が伝えたものである〔姓名は明らかでない〕。だから現在でも織工はみなその一族であり、中国人は関係しない。

綿羊の細毛を切って、太いものは毛氈《フエルト》につくり、細いものは毛織物につくる。毛氈はいずれも火を焚いて湯を沸かし、その中に漬けてもみ洗い、毛が粘りつくのを待って、木型の上に絨*2を敷き、ローラーをまわしてつくる。

毛氈や毛織物は白と黒とがその本来の色であり、その他の色はみな染めたのである。氍毹《くゆ》、氆《ふ》魯《ろ》[*3]などの名称は、いずれも中国や外国の方言でよんだものである。最も粗末で敷物にするものは、駑馬《どば》の毛などいろいろな材料をまぜてできるもので、材料を羊だけからとったのではない。

注

＊1——褐は毛織物、氈はフェルトの類。毛織物には太糸で織った絨がある。
＊2——ここはフェルトの製法を説く。絨はもみ洗った毛を指すのであろう。
＊3——これはいずれも毛織物の種類。

三　染色[*1]

私はこう思う。天上には雲や霞がいろいろな色をしており、地上では花や葉が変わった形をしている。天がモデルを示し、聖人がこれに従い、五種の色によって着地を染めわけた。[*2] 実に有虞《ゆうぐ》氏《し》[*3]がこの点に意を用いたのである。

飛ぶ鳥は多いが、鳥の王である鳳の色は丹《あか》であり、走る獣は地にみちているが、獣の王である麟の色は碧《あお》である。かの多くの青衣を着た書生が宮城を望んで、その黄と朱の色を礼拝するのも、これと同じ意味である。老子が「甘は和を受け、白は彩を受く」[*4]といったが、世の中の絹、麻、皮衣、毛織物はそれぞれの素材があって、その色をちがえることによって貴重なものとなる。造物者が染色のことに心を労しないというのは信じられない。

注

*1――原文には『尚書』益稷篇に「以五彩彰施于五色」とあるのによって、彰施を表題とする。

*2――ここは『易』繫辞伝に「天垂象見吉凶、聖人象之、河出図洛出書、聖人則之」とあるのによって、「天垂象而聖人則之」を引用し、前注にみえる『尚書』益稷篇の句を結びつけて文をつくる。益稷篇には服装などの色によって尊卑を分かつことをいう。五色とは青、赤、黄、白、黒。

＊3――有虞氏は古代の聖天子舜である。上文の五種の色……は、舜がその後継者禹にいった言葉である。
＊4――この文は『老子』道徳経になく、『礼記』礼器篇に君子曰として「甘受和、白受采」とある。采は彩と同じで、白は一色に偏しないから五種の色どりに染められることをいう。

諸色の材料

深紅色。

その原料はもっぱら紅花餅[*1]である。これを烏梅《うばい》水[*2]で煮出して、さらに鹸水[*3]で数回澄ませる。或いは稲藁の灰を鹸に代えても、作用は同じである。たびたび澄ますと、色はたいへん鮮やかとなる。要領を心得た染物屋は、まず櫨木[*4]を下地にかける。紅花は沈香や麝香をたいへんきらうので、紅花で染めた礼服と香料をいっしょにしまっておくと、十日か一月の間ですぐ変色する。また、白絹を紅花で染めたものを、もし色ぬきをしようとすれば、まず染めた白絹をしめらせ、鹸水か稲藁の灰汁を数十点たらすと、僅かな紅色までとれて、もとの白地にかえる。色ぬきをした水は緑豆粉にしませ、またそれを滲出して紅色に染めれば、染料は半滴もむだにならない。染物屋は秘訣として教えない。

蓮紅、桃紅色、銀紅、水紅色。

以上の染料はやはり紅花餅だけで、その濃さは分量の加減次第である。この四色はいずれも黄繭糸には染め出せない。必ず白色の絹に用いて、はじめて染め出せる。

木紅色。

蘇木《スホウ》*5を水に煮出し、明礬《みょうばん》と棓子《ふし》*6を入れる。

紫色。

　蘇木を下地とし、これに青礬*7をかける。

赭黄色。

　染色法ははっきりしない。

鵝黄色。

　黄蘗《キハダ》*8を水で煮出して染め、靛水《でんすい》*9を上にかける。

金黄色。

　櫨木を水で煮出して染め、また麻がらの灰汁からとった鹼水でさらす。

茶褐色。

　蓮の実の殻を水で煮出して染め、さらに青礬水を上にかける。

大紅官緑色。

　槐樹《エンジュ》の花を水に煮出して染め、藍澱《らんでん》をかける。濃淡ともに、いずれも明礬を使う。

豆緑色。

　黄蘗水で染め、靛水をかける。現在は小葉の莧藍《けんらん》を水で煮出してかけるものを草頭緑と名づける。色ははなはだ鮮やかである。

油緑色。

　槐樹の花で薄く染め、青礬をかける。

天青色。

藍がめに入れて薄く染め、蘇木水をかける。

葡萄青色。

藍がめに入れ深藍色に染め、蘇木水を濃くかける。

蛋青色。

黄蘗水で染め、そのあとで藍がめに入れる。

翠藍、天藍。

二色はともに靛水の濃さによって分かれる。

玄色。

靛水で深青に染め、蘆木、楊梅《ヤマモモ》*10の皮を等分にして煮出した液をかける。別の方法は、藍の芽葉を水に浸し、後で青礬、棓子を入れていっしょに浸す。この方法では、布や絹はいたみやすい。

月白、草白の二色。

いずれも靛水で薄く染める。現在の方法では、莧藍を煮出した水を用い、ほどほどに染める。

象牙色。

櫨木を煮出した水でさっと染める。黄土を用いることもある。

藕褐色。

蘇木水でさっと染める。蓮の実の殻を入れ、青礬水を薄くかける。

付記、包頭青色を染める方法。

この黒は藍澱では染め出せない。栗の殻か蓮の実の殻を一日のあいだ煮出して漉《こ》し、鉄屑や皂礬《そうばん》*11を入れ、鍋の中でもう一晩煮ると深黒色となる。

付記、毛青布色を染める方法。

初め蕪《ぶ》湖《こ》でできた布青が何百年も尊ばれてきた。染めてローラーにかけて青色の光沢を出すもので、辺境や外国ではみなこれを珍重した。しかし、人情として長くつづくとあきがくる。そこで毛青が近頃できた。その方法は、松江のよい布を用いて深青に染めあげる。染めてローラーをかけることはしないで、風で乾かし膠水に豆漿水《とうしようすい》*12をまぜて一度通し、あらかじめ標《ひよう》缸《こう》というよい藍を蓄えておき、その中に入れてさっと染めてすぐとり出すと、もえたつような色がはっきりと出てくる。この布はにわかに貴ばれるようになった。

注

*1――紅花餅はベニバナから精製したもので、「紅花」の条に詳しい。
*2――烏梅は未熟な梅の実をくすべてつくったもので、駆虫、止瀉薬として使用される。烏梅を浸出したものが烏梅水で、紅花による染色の発色に使用される。
*3――鹼水は天然の炭酸ソーダを水に溶かしたもの。一般にアルカリ性を鹼性という。
*4――原文には蘆木とある。黄色の染料となる。
*5――蘇方木のこと。紫紅色の染料がとれる。
*6――五倍子（ゴフシ）のこと。ヌルデノミミフレ類の幼虫の刺激によって、ヌルデの葉にできたこぶ状

のもので、タンニンに富む。
*7――緑礬ともいう。硫酸鉄のこと。
*8――キハダの幹皮は胃腸薬となり、また黄色染料としてのベルベリンをふくむ。
*9――藍澱のアイからつくった染料。後に詳しい。
*10――ヤマモモの樹皮。黄色または褐色の染料。
*11――「焙焼」の項にみえる。
*12――大豆の煎汁。

藍澱

五種類の藍[*1]はみな澱《でん》[*2]にすることができる。茶藍、すなわち菘藍《しょうらん》は挿根でそだち、蓼藍《りょうらん》、馬藍、呉藍などはみな種子をまいて生える。近ごろはまた葉の小さい蓼藍があって、俗に莧藍《けん》とよんでいるが、この種類はさらによい。

茶藍を植える方法は、冬に切りとって葉を一枚ずつむしりとり、穴倉に入れて澱をつくる。その茎は上下を切り落とし、根に近い数寸を残しておき、いぶし乾かして土中に埋めておく。春に山地を焼きはらい、土をよく肥やし軟らかくしてから、錐鋤《すいじょ》〔このくわは端を柄の方に曲げてある。長さ八寸ばかり〕を使用し、土につき刺して斜めに穴をあけ、その中に茎を挿すと、自然に根がつき葉が出る。その他の藍はみな種子をとり畦にまくと、晩春に苗が出る。六月に実をとり、七月に茎を刈って澱をつくる。

澱をつくるのに、葉と茎が多いばあいは穴倉に入れ、少ないばあいは桶や甕に入れる。七日のあいだ水に浸すと、液汁が自然に出てくる。その液一石について石灰五升を入れ、数十回かきまぜると、澱のもとが固まる。液が安定した時、澱は底に沈む。近ごろの産物であるが、福建人が山に植えるのはみな茶藍であり、その数量は他に数倍する。山中で竹籠を編み、これに入れて舟に運びこまれる。浮いた泡をこしとって、晒し乾かしたものを靛花《でんか》という。

澱を甕に入れるには必ず稲藁の灰汁をまぜておき、毎日竹の棒を手にして何回となくかきまぜる。そのいちばんよいものを標缸《ひょうこう》という。

注

*1——五種類の藍のうち、蓼藍はタデアイ、ふつうにいうアイのこと。他の和名は未詳。

*2——澱は靛と混用される。アイの葉を水に浸し、石灰をまぜて沈澱させた泥状の染料である。日本では葉を乾燥発酵させ、それをつき固めて藍玉とする。中国とは精製法がちがう。

紅花

紅花《ベニバナ》は場圃に種子をまく。二月初めにまきつける。早くまきすぎると、苗の高さが一尺ばかりになった時、すぐ黒蟻のような虫がついて根が食われ、たちどころに枯れる。

肥えた土地に植えたばあい、苗の高さが二、三尺になると、うねごとに杭をうち、縄を横に張りわたし、突風で折れないようにする。やせ地で苗の高さが一尺五寸以下のばあいは、そうするには及ばない。

紅花は、夏になると花がほころび、花の下には刺の多い梂彙《きゅうい》*1ができ、花は株の上に出ている。

花をとるには、必ず明け方に露を含んだままのを摘みとる。もし太陽が高くなって露が乾くと、花はすっかり閉じて実になってしまい、摘むことができない。朝方しとしと雨があって露がなければ、開く花はやや少ないが、乾いてから摘んでも差支えはない。それは日に照らされることがないからである。紅花は日毎にほころび、一月たつと花は終わる。薬用にするばあいは餅状にする必要はない。染物屋では、必ず型通り餅状[*2]としてから使用する。すると黄汁が全くなくなり、深紅色が現われる。その種子は炒《い》って圧搾し、油をとる。銀箔を扇面に貼るような時に、この油を一度はきつけて乾かすと、たちどころに金色となる。[*3]

注

＊1――現在の植物用語では総苞であり、花の下部にあってこれを包む鱗片状のもの。
＊2――これが紅花餅である。
＊3――このことは「製錬」黄金の条にみえる。

紅花餅のつくり方

露を含んだままで摘みとった紅花をよく搗《つ》き、水で洗い、布袋に入れて黄汁をしぼりとる。また搗いて酸粟[*1]や米のとぎ汁で洗い、それを袋に入れてしぼって汁をとる。青蒿《せいこう》(カワラニンジン)で一晩おおい、こねて薄い餅状とし、かげぼしにして貯える。この方法は染物屋が伝えている。「我が朱《あけ》ははなはだあきらかなり」[*2]というのは、いわゆる猩紅《しょうこう》である〔紅花で染めた紙はおめでたに用いる。それも必ず餅にしたもので染める。そうでないと全く色が出ない〕。

注

*1——酸粟とは粟を水につけてすっぱくしたものか。
*2——原文の「我朱孔揚」は『毛詩』豳風篇の句。

付記　燕脂

燕脂は、昔の染め方では、紫鉚《しこう》*1で真綿を染めたものが上等で、紅花の汁や山榴花《さんりゅうか》の汁は、これに次ぐものであった。近ごろ山東省の済寧路では、染めたあとの紅花の滓だけで染めており、値段はたいへん安い。その滓の乾いたものを紫粉といい、これを保存して使っている画家もある。しかし染物屋は滓として棄てる。

注

*1——ラックカイガラムシが種々の木に寄生して分泌した固形物。

槐花

槐樹《エンジュ》は十数年たって初めて花と実をつける。花がほころびかけてまだ開かないものを槐蕊《かいし》*1という。これを緑衣に使うのは、*2あたかも紅花によって紅色に染まるのと同じである。これをとるには、木の下に籠をひろげ、くっつけて並べ、摘んだ花を受ける。水で一度煮立て、こして乾かし、こねて餅状とする。染物屋ではそれを用いる。開ききった花は色が次第に黄色くなる。保存するには、石灰を少し入れ、日にさらしながらかきまぜてから貯える。

注

＊1——槐花はつぼみの中にとって染料とする。槐蘁とはこのつぼみのこと。

＊2——槐花はふつう黄色の染料となるが、これに藍澱をかけて緑色とすることは「大紅官緑色」の条にみえる。佐藤信淵の『経済要録』巻十に「槐花の緑色を染むることは、官緑と称して、漢土人の甚だ貴べる所なり」とある。

四　調製[*1]

私はこう思う。天は五穀を生じて民を育てている。その五穀のすぐれた部分は内側にあって、外には黄色い衣裳ともいうべきものがある。[*2] 稲は糠をよろいとし、麦は麩《ふすま》を衣服としている。粟・粱・黍・稷には、外を包む毛羽がはっきりしている。これらを精白したり製粉したりする方法はいつまでもわからないままにあるはずはない。飲食して味を知る人々は、飯にはできるだけ精白したものを好む。[*3] 杵と臼の功用によって、万民が利益を得ているが、このことは『易』にいう小過の卦の意を示しているのであろう。[*4] 杵や臼をつくった人は、必ずや天が仮に人間の姿をして現われたものにちがいない。

注

＊1――原文には粹精を表題とする。精は精白、粹は砕に通じ製粉の意にとれる。
＊2――原文の「美在其中、有黄裳之意焉」は『易』坤卦の文。
＊3――原文の「食不厭精」は『論語』郷党篇の句。
＊4――原文の「杵臼之利、万民以済、蓋取諸小過」は、『易』繫辞伝下の文。杵臼は小物であるが、その分に過ぎた効用があり、その意味で小過の卦に符合するという。

稲のこなし

稲を刈りとったあとに、藁から粒をとるには、藁を手に束ねてうちつけてとるのが半分、藁をこなし場に集め、牛に曳かせて石をころがしてとるのが半分である。

手に束ねてうちつけるばあいに、うちつける道具として、木桶[*1]を用いたり、石板を用いたりする。収穫した時に、雨が多くて晴れ間が少ないと、田も稲も湿る。このような時にこなし場にとり入れられなければ、木桶を用い、田のそばでうちつけてとる《図4－1》。晴れあがって稲が乾いた時には、石板を用いるとはなはだ便利である《図4－2》。

牛に石を曳かせこなし場にころがし、稲をおしつけて籾をとるばあいは《図4－3》、人がうちつけてとるのに比べ、三倍も労力が省ける。ただ種子にする籾は、この方法でやると尖端をすり切り、芽生えの力を減らす恐れがある。だから南方で稲を多くつくる農家では、こなし場にとり入れた稲は牛力によることが多いが、ただ翌年に播種する籾だけは、石板を用いてうちとることにしている。

稲の最も良いものは、九本のみのった茎に対し、秕《しいな》が一本の割合である。もし時候が不順で、草取りや土かきの時節がはずれると、六本のみのった茎に対し、四本の秕ができることもある。

秕をとり去るには、南方ではすべて風車《とうみ》を用い、あおいでとり去る《図4－4》。北方は稲が少なく、颺法《ようほう》[*2]を用いる。それは麦や黍を吹き分けるやり方で、稲を吹き分けるのである。しかし風車の便利なのには及ばない。

図4-1　湿田に稲をうつ

図4-2　稲の脱穀場

図4-3　稲や豆をローラーにかける

図4-4　風（扇）車（とうみ）

稲の籾殻をとるには礱《すりうす》を用い、糠をとり去るには舂《つきうす》を用いたり、碾《てん》*3を用いたりする。しかし水力による碓《からうす》で搗くだけで、礱の役割を兼ねることにもなる。乾いた籾は、碾に入れるだけで、やはり礱にかけないですむ。

礱には二種あって、一つは木でつくる《図4-5》。木を一尺ばかりに切り〔材料は多く松を使う〕、手を加えて大きな磨《うす》の形を二つつくり、接合する両面にはみな縦と斜めの歯をきざみこみ、下の部分に筍《ほぞ》を立て、それを上の部分まで通す。中央のすきまに、籾を入れる。木礱《もくろう》（木製の礱）は二千余石を脱穀すると、礱自体が磨滅してしまう。

木礱を用いるのに、籾が乾きすぎていなければ、礱に入れても砕けない。だから軍隊に上納する輸送米は、みなこれによって脱穀される。いま一つの土礱は、竹を割り、曲げて円くし、きれいな黄土をその中につめ、上下の両面にそれぞれ竹歯をはめ、上の部分の穴に籾を入れる《図4-6》。その量は木礱の二倍もある。少しでも湿った籾をその中に入れると、すぐ砕ける。土礱は二百石を脱穀すると、役に立たなくなる。

木礱を使うのは必ず丈夫な男であるが、土礱はかよわい婦女子でも使える。庶民の糧食は、みなこれによって脱穀される。

礱にかけた後には、風を送って糠や粃《しいな》をとり去る。さらに篩《ふるい》の中に入れてまわすと、脱穀されていないものが篩の表面に浮かび出すから、それをまた礱に入れる。

篩の大きなものは周囲が五尺で、小さいものはその半分である。大きなものは、中心がまるく隆起し、丈夫な男が使用する。小さいものは、縁の高さが二寸で、その中はくぼんで平たく、婦

図4-5　木製のすりうす

図4-6　土製のすりうす

女子が使う。

米を篩にかけてから、臼に入れて搗く《図4－7》。臼にも二種あって、八人以上の家では地を掘って石臼をその中に入れる。大きな臼は五斗を入れ、小さいものはその半分である。横木を碓《うす》の頭に挿しこみ〔碓の先は鉄でつくり醋《す》の滓でくっつける〕、足でその末端を踏んで搗く。十分に搗かないと白くならないし、搗きすぎると粉末となる。これから、白米が精製されて出る。食事に米を多く用いないばあいは、木を切って手杵をつくる。臼は木や石でつくり、それで搗く。搗いてしまったあと、皮膜が細糠《こぬか》とよばれる粉末となるが、それは犬や豚の食物にあてる。凶作の年には、人も食うことができる。細糠をあおいで吹き分けると、塵のような膜がすっかりとれて、精白された米が現われる。

水碓《すいつい》は、山国や川のほとりにいるものが使うものである《図4－8》。それで稲を精製すると、人力を十倍も省くので、人々は好んで用いる。水を利用して効果をあげる点では、筒車で田に注ぐのと同じ仕掛けである。とりつける臼の数は一様でなく、水が少なく土地が狭いと二つか三つ、水が多くて場所がゆったりとれれば、たとえ十個の臼を並べても差支えない。江南の広信郡〔江西省〕では、水碓の使用が非常に巧みである。だいたい水碓を使うばあいに苦労するのは、臼を埋めた場所が低いと大水の害を受けるし、高ければ水力を受けることができないことである。広信郡での方法は、一隻の舟を土台とするもので、杭を打ってこれをつなぎとめ、船の中に土を搗きかため、臼をその上に入れこむ。流れに少し石を並べてせきとめる。こうして碓ができあがってしまうと、杭を打って堤を築く労力がいらない。

図4-7　からうすと手杵

水碓圖
板閘

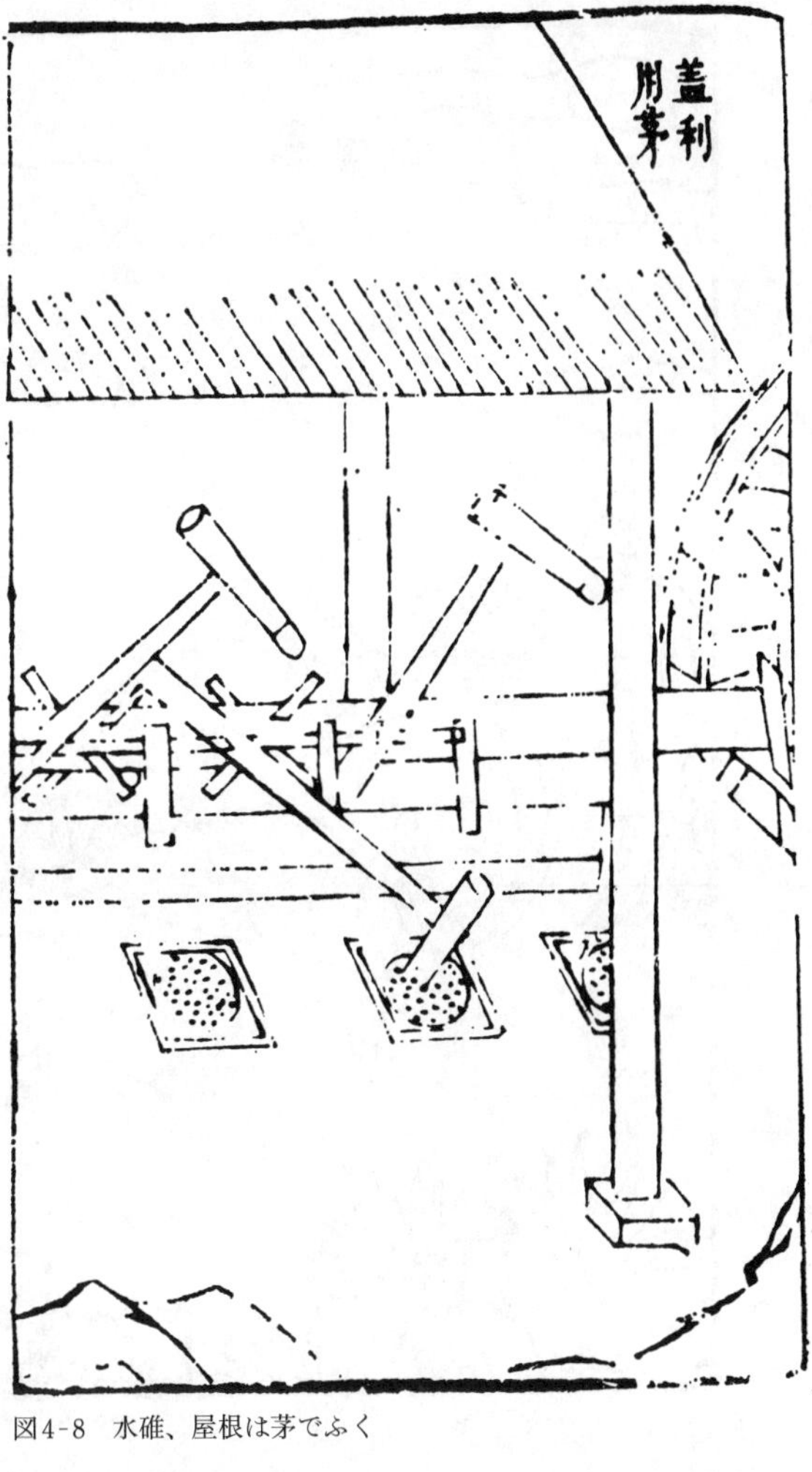

図4-8 水碓、屋根は茅でふく

図4-9　牛力を使う碾

また、一挙にして三種の作用をするものがある。水をうけて車をまわし、第一の区画では磨《ひきうす》を回転させて製粉し、第二の区画では碓《うす》を動かして精白し、第三の区画では水を引いて稲田に注ぐのである。これこそよく考える者がつくったのである。

川のほとりで水碓を使う地方では、一生を終わるまで礱《すりうす》を見ないものがある。糠や膜をとるのに、みな臼だけでしまいまで処理する。ただ風の力で篩にかける方法は、どこも同じである。

磑《がい》*3（碾に同じ）は石をかさねてつくる。台石や転輪にはみな石を用い、牛・小牛・馬・小馬のどれを使うかは、人々の自由である《図4－9》。ほぼ一匹の牛の力は五人分に匹敵する。ただその中に入れるのは、ごく乾いた籾でなければならぬ。少しでも湿っていると砕ける。

注

*1――木桶は稲桶とよばれ、中国では常用されるが、わが国にはない。中国の稲は、叩けば実が落ちるほど脱落性の強い品種である。

*2――これはスコップのようなもので籾を高く抛りあげ、自然に風選する方法。

*3――碾は、現在薬研《やげん》にみられるように、石製のランナーを利用して脱穀ないし精白を行なう。碾と磑は別物であったが、著者は両者を同一とみている。磑の説明に転輪とあるのはランナーのこと。なお図4－12に小碾とあるが、これはローラーを使う。

麦のこなし

小麦の成分は、小麦粉である。精白の最上品は、稲を二度搗きした米であり、穀粉の最上品は、小麦をうす絹で二度篩いした粉であろう。小麦は収穫の時に、稲をうちつけると同じように、藁をたばね叩いてとる。秕《しいな》をとり去るには、北方では、颺法《ようほう》を用いる。それは風車《とうみ》で吹き分けることが全土に普及していないからであろう。

颺法は軒下でやらない。必ず風の来るのを待って行なう。風がなかったり雨がやまなかったりすると、すべて行なえない。

小麦を吹き分けてしまったあと、水で塵をすっかり洗い去り、またさらし乾かし、そのあとで磨にかける。

小麦には紫色・黄色の二種がある。紫色のは、黄色のものよりすぐれている。優良品は、一石ごとに小麦粉一百二十斤を得るが、劣等品は三分の一だけ少なくなる。

磨には大小があり、一定の形はない。大きいものは、肥えて去勢した丈夫な牛に曳かせて回転させる。牛が磨を曳く時には、桐の実の殻で目かくしをする。そうしないと、牛が目まいをする。その腹には桶を結びつけて排泄物を受ける。そうしないと不潔になる。これに次ぐのが驢馬を用いる磨で、その磨の目方はいくぶん軽い。またその次の小磨は、人力だけで曳くものである。

力のある牛は一日で二石の麦をこなし、驢馬はその半分である。人ならば、強い者は三斗をこなし、弱い者はその半分である。水磨の方法は、既に「稲のこなし」の水碓の中に詳しく述べた通りで、その仕掛けは同じである《図4-10》。その便利さは、また牛や小牛に三倍する。

牛馬を使う磨と水磨とは、みな袋を磨の上にぶらさげる。その袋は上が広く下がせばまっていて、数斗の麦を中に貯え、それが磨の穴に流れこむ。人力で曳くばあいには、袋の必要はない。

磨石には二種類があり、小麦粉の品質は石によってちがってくる。江南に真白な上等の小麦粉が少ないのは、石が砂屑を含んでいて、たがいに摩擦して焼け、その麩《ふすま》もいっしょに破れる。だから黒い麩の類が小麦粉の中にまざり、篩い分けることができない。江北では石のきめが細かくてしっとりしており、池郡の九華山に産するものはことによい。この石で磨をつくると石が焼けず、麩はおされて極端に平たい粃《しいな》のようになっても破れないから、黒い麩は少しもはいらないで、小麦粉はきわめて白くなる。

江南の磨は二十日すると歯が磨滅し、江北のものは半年でやっと磨滅する。南方の磨では麩を破るので百斤の小麦粉を得るが、北方の磨では八十斤を得るにすぎない。だから上質の小麦粉の価は二割高となる。しかし麩《ふ》となる細粉も、その磨から出てきて、合計すると目方には不足がなく、収入はいっそう多くなる。

麦をひいたあと、何度も篩にかける《図4－11》。勤勉なものは、くりかえし行なうのを厭わない。篩の底は、絹糸で織った薄手の絹でつくる。湖糸[*1]で織ったものは千石の小麦粉をこしてもそこなわれない。しかし、その他の地方の黄糸[*2]でつくると、百石で役に立たなくなる。

小麦粉ができてしまったあと、冬は三ヵ月たってもよいが、春夏には二十日にもならぬのにむれて悪くなる。食物として口にあうためには、時期が大切である。

大麦は搗いて糠をとり去り、飯に炊いて食べる。粉とするのは、一割にもみたない。蕎麦は少し搗いてその皮をとり去り、そのあとで搗いたり磨にかけたりして、粉末としてから食べる。しかし何といってもこれらの種類は、小麦に較べ、質の精粗、値段の高下に大きなへだたりがある。

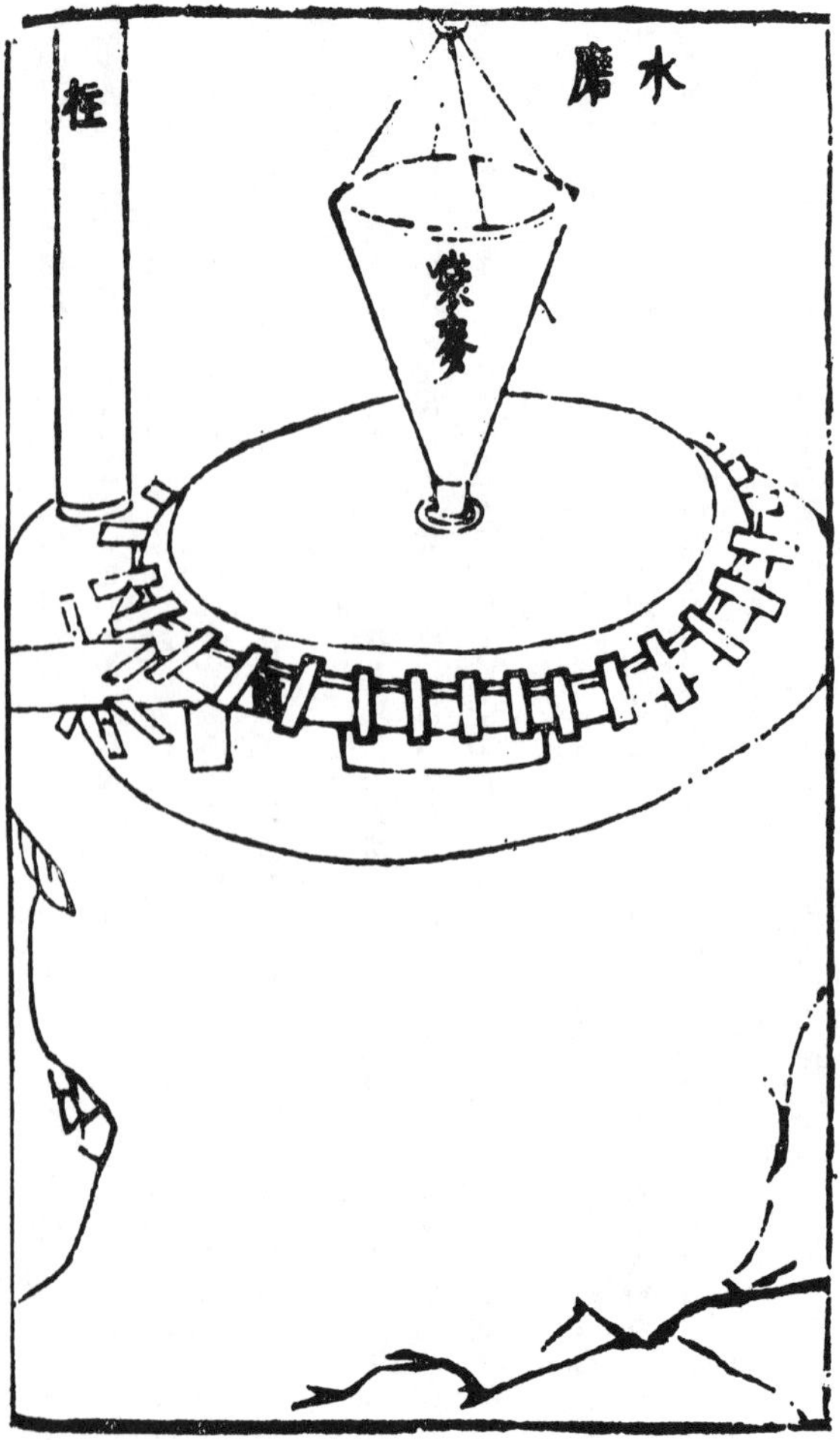
水磨
柱

図4-10　水力による磨

図4-11　小麦粉を篩いわける

注
＊1――湖糸は浙江省の太湖南岸の湖州地方にできる上質の生糸、七里糸ともよばれる。
＊2――黄糸は黄繭からとった黄色の糸。

黍・稷・粟・粱・胡麻・豆のこなし

これらの小米《シャオミー》＊1をこなすには、颺法によってその実を選別し、それを搗いて精白し、磨《ひ》いて粉をとる。颺法と風車《とうみ》で吹き分ける以外に、箕《み》を用いる方法がある。そのやり方は、竹で円い笊をあみ、小米をその中に入れてならし、高くもちあげて散らすのである。すると、実のはいっていない軽いものは前方に揺り出され、これは地面にはらい落とされる。実のはいった重いものは後に残って、よい実がとれることになる。

小米を搗いたり、磨いたり、箕で分けたりする器具は、すでに稲と麦のところで詳しく述べておいた。ただ小碾《しょうてん》という器具を用いることだけは、稲や麦にないところである《図4-12》。北方で小米をこなすには、家に台石をおく。それは中央が高く周辺が低くなっていて、その縁には溝をつけない。小米を台の上にひろげ、二人の婦女子が向かいあって、ローラー石を手でころがすのである。その石は円くて長く、牛赶石《ぎゅうかんせき》＊2のようで、両端に木の柄が挿してある。米が縁に落ちると、すぐに小さな箒で掃きあげる。家にこの道具があれば、杵や臼は使わないでよい。

かりとった胡麻は、強い日中にさらし乾かして、小さい束とし、両手で束をとってうちあうと、

図4-12　小碾

胡麻の粒がこぼれ落ち、それを竹むしろに受ける。

胡麻の篩は、米の篩の小さいものと同形であるが、目は五倍もこまかい。胡麻が目から落ちると、残った葉や莢の屑は、みな篩の上に浮くから、これを棄てる。

豆の刈りとりには、量の少ないばあいは枷《からさお》を用いる。量が多くて労力を省こうとするには、やはりこなし場に並べ、強い日でさらし乾かし、牛にローラーを曳かせてつぶして落とすのである。豆を打つ枷は、竹や木の竿を柄とし、柄の端に円い穴をあけ、三尺ばかりの木を一本はめこむ。豆をこなし場にひろげ、柄をとって叩くのである《図4-13》。豆を落としてからは、風で莢や葉を吹き分け、次に篩にかけると、実がりっぱに倉に入れられることになる。それで胡麻には搗いたり磨いたりする必要がなく、豆には磑碾《がいてん》の必要がない。

注

*1――「穀類」黍稷の条にあるように、稲米を大米といい、黍稷などの脱穀した粒を小米という。

*2――牛赶石は図4-3にみえるように、牛に曳かせたローラー石である。ローラー石は石頭滾子《せきとうこんし》とよばれる。

図4-13　からさお

五　製塩

私はこう思う。天に五気があって、これから五味ができる。五気の水が土地を潤して塩気ができる。周の武王が箕子《きし》を訪ねて、初めてその理を知ったのである。[*1] 口と味との関係をみると、辛・酸・甘・苦の四味は、何年もその一つを絶ってもさしつかえないが、ただ塩だけは十日のあいだ禁断しただけで、身体が衰弱してだるくなってしまう。天一から水ができ、[*2] その水からできたこの味が、人間の生気の源となるのではないか。中国の領域[*3]にあって、蔬菜や五穀をつくろうにも全くできない場所にも、塩分がうまく産出して、人の需要に応じている。その機構は人知の及ぶ所ではない。

注

*1――『尚書』洪範篇による。洪範は周の武王が殷の賢者箕子より受けた教訓を書いたものと伝えられる。洪範の注には、五気を雨・暘・燠・寒・風といい、これらが自然現象の基礎となる。五味は辛・酸・甘・苦・鹹で、ここでは五味をふくむ食品を指す。また五味は水・火・木・金・土の五行に結びつけられ、洪範において「水には潤下といい……」とあるのによって文をつくる。水が大地を流れて行くあいだに、自然と塩が化生すると考えている。

＊2――『易』繋辞伝に一から十までを交互に天と地とに配当して天一、地二といっており、一方、洪範では一曰水、二曰火……とあり、これらの文をつないで、『漢書』律暦志には、「天以一生水、地以二生水……」という。

＊3――ここは原文に「四海之中、五服之外」とある。『尚書』禹貢篇によると、帝都を中心とする地域を甸服、その外の地域を順次、侯服、綏服、要服及び荒服という。

塩の産出

塩のでき方ほどまちまちなものはない。ほぼ海塩・池塩・井塩・土塩・崖《がい》塩及び砂石塩の六種に分けられるが、これには東方の蕃族の樹葉塩[＊1]や西方の蕃族の光明塩[＊2]はいっていない。中国では八割までが海塩で、二割が井塩、池塩及び土塩である。これらは人力でつくったり天然に産出したりするが、すべて運搬の苦労をいとわなければ、造物者がちゃんと用意している。

注

＊1――樹葉塩のことは『本草綱目』巻十一にもみえる。台湾の原住民はタイワンヤマクロモジ（樟科）、ゴムカツラモドキ（夾竹桃科）などの葉から食塩代用品をとった。主成分は酒石酸やりんご酸のカリまたはカルシウム塩。台湾総督府殖産局編『台湾タイヤル蕃族利用食物』（大正十年刊）参照。

＊2――光明塩は大形の結晶岩塩。『本草綱目』巻十一にもみえる。

海塩

海水は自然に塩分をふくんでいる。海浜で土地の高くなっている所を潮墩《ちょうとん》といい、低い所を草《そう》に蕩《とう》と名づけるが、どちらも塩ができる。しかし同じように海の塩分が現われたものであっても、採塩の方法はちがっている。

一法。堤防のある高みで潮に没しない土地には塩を種《ま》くことができる。種戸《しゆこ》（製塩業者）にはそれぞれ受持ち区域があって、たがいに侵しあわない。夜明け方に雨がないのを見さだめ、その日の中に稲や麦の藁灰や蘆や茅の灰を地上に広く厚さ一寸ばかりまき、平らかにならしておく。翌朝、露気がつきのぼってくると、灰の下に塩芽《しおのめ》がにわかにのびる。そこで日中晴れた時に、灰と塩とをいっしょに掃き起こして濾過して煮つめる《図5－1》。

一法。潮を少しかぶる所では、灰を地面におさえることはせずに、潮のひくのを待つ。翌日晴れると、半日で塩の粉が析出するから、急いで掃き起こして煮つめる。

一法。海に近く潮を深くかぶる土地では、はじめに深い坑を掘り、横に竹とか木をかけわたし、その上に蓆《むしろ》を敷き、さらにその上に砂を敷く。潮がその上を乗り越えて通りすぎ、塩分が砂から坑の中にしたみ落ちるのを待ち、砂と蓆をとり去る。燈火で照らしてみて、塩気が立ちのぼって燈火がすぐに消えるようであると、その塩水をとって煮つめる。要するに晴天の働きによるのであって、もし長雨が降りつづく時は、これを塩荒《えんこう》という。

淮場《わいじょう》（淮河下流の製塩場）の地帯では、天日に照らされて自然に馬の歯のような結晶ができる。これを大晒塩《だいしゃえん》という。煮つめずに掃き起こしただけで、すぐに食用となる。海上を風のままに吹き流れてくるちぎれ藻を集めて煮つめたものは、蓬塩《ほうえん》という。

濾過して煮つめる法。二個の坑を掘る。一つは浅く一つは深い。浅いものは深さ一尺ばかりで、

図5-1　灰をまいて塩をつくる

竹か木をわたしその上に蓆をかける。掃き集めたばかりの塩〔灰の有無にかかわらず、濾過して煮つめる方法はみな同じである〕を蓆の上に敷き、周囲を盛りあげて用水池のような形につくり、真中に海水を注いで浅坑中にしみ落とさせる。深い坑は深さ七、八尺あって、浅坑にしたみ落ちた汁を溜める。それを鍋に入れて煮つめる《図5－2》。

塩を煮つめる鍋を、昔は牢盆《ろうぼん》といった。これにも二つの形式がある。盆の周囲は数丈で、直径も一丈ばかりである。鉄製のものは、鉄を薄片に打ち延ばし、鉄釘でとめあわせる。その底は盆のように平らかである。その縁の高さは一尺二寸である。一度塩水で継ぎ目がつまると、ながくもれることがない。その下に竈を並べて薪を燃やす。多いものでは十二、三、小さいものでは七、八ヵ所の火口があって、一度にこの鍋を煮つめる。南方では編んだ竹を用いることがある。周囲一丈、深さ一尺ばかりの籠に編んで、それに蛤貝を焼いた灰を塗りつけ、釜の上にのせる。釜の下で火をもやすと、湯がわき立って塩となる。この籠をも塩盆という。しかし、鉄の薄片を接合した鍋の便利さには及ばない。

塩水を煮つめてまだ結晶せぬ先に、皂角《サイカチ》を搗き砕き、粟糠との二種類をまぜ、塩水がわき立った時にその中に投入してかきまわすと、塩がすぐに結晶してくる。皂角が塩を結晶させるのは、ちょうど石膏が豆腐を固まらせるようなものである。

淮場などの製塩場でできる塩は、重くて黒い。その他のものは軽くて白い。量で比較すると、淮場のものは一升で重さ十両であるが、広東・浙江・長蘆（河北省）のものは重さ六、七両である。蓬草塩（海草からとる）はいつも手にはいるとは限らない。海藻が数年に一回きたり、一月に

淋水先入浅坑
浅坑
深坑

図5-2　粗塩を浸出し、煮つめて塩を精製する

数回流れてきたりするからである。

塩は水にあうと溶け、風にあえばかさかさになり、火にあえばいっそう堅くなる。これを貯蔵するには、倉庫を必要としない。塩というものは、風をおそれるが、湿気をおそれないものである。地面に藁を三寸も積んでおけば、その土地が低くて湿ったままでもそこなわれない。まわりを土煉瓦で囲い、隙間を泥で塗り、上に茅を一尺ばかりかぶせると、百年たってももと通りである。

池塩

池塩は天下の二ヵ所に産する。一つは寧夏に産し、その塩は辺境の町に供せられ、他は山西の解池《かいち》*1に産し、山西・河南の諸郡県に供給せられる。解池は安邑・猗氏《いし》・臨晋の間にあり、池の外側に城壁があり、まわりが囲われている。水の深い所では、その色が濃緑色である。塩をつくる土地の人々は、池畔に土地を耕して畦をつくり、耕した畦の中へ清水を引き入れる《図5－3》。濁水は塩脈を塞ぐので、その混入をきらう。水を引き入れて塩をつくるためには、春の間にやっておく。長くおくと水は赤色となる。*2夏秋の交まで待って、南風が大いに起こると、一夜で塩は結晶してくる。それを顆塩《かえん》と名づける。それが昔の文献に大塩と称しているものである。海水を煮つめたものは粒が細かいが、これは粗い粒となっているので、大と名づけられたのである。塩が結晶したならば、掃き起こして食用にする。塩をつくる人が、一石を掃き集めて官に納めても、数十文の銭を得るにすぎない。

海豊（広東省）、深州（河北省）で、海水を池に引きこみ天日にさらして塩をつくる。結晶する

図5-3　池塩

と掃き集めて食用にあてる。その外に人力を加えないのは、解塩と同じである。ただ塩のできる時期、南風を必要としない点だけが大いにちがっている。

注

＊1――山西省の解池は安邑・運城・解の三県城と中条山脈とにはさまれ、幅六キロ、長さ四十キロに及ぶが、臨晋や猗氏とはやや離れる。

＊2――篠田統氏によると、赤くなるのは、耐塩性の甲殻類が繁殖するためであるという。

井塩[＊1]

雲南、四川の両省は、遠く海浜を離れ、船や車も通いにくく、地勢も高まっているが、その塩脈は地中に貯えられている。

四川の岩山で川からあまり離れていない所では、多く井戸を掘って塩をとることができる《図5－4》。塩井の周囲は僅か数寸で、その上に小さな盆で蓋《ふた》をしても余りがある。深さはいずれも十丈以上で、やっと塩のきざしがみえる。だから井戸をつくる手間はたいへんである。井戸掘りの道具は碓《うす》のさきのような鉄錐を鍛えてつくる。その尖端はきわめて堅く鋭くし、これで岩山をつき穿って穴を掘る。その柄は割竹を縄でかがり、それにこの錐をはさむ。つき掘って数尺はいるごとに、さらに竹を柄につないで長くする。初め一丈ばかりまでは、米を搗くように足で錐の柄を踏む。非常に深くなれば、手で持って急につき下ろす。搗き砕かれた石が細かな粉末となるにつれて、長い竹をつなぎ、それに鉄碗をつるしてすくいあげる。だいたい深いものは半年、浅いものは一月余りで、やっと一つの井戸ができ上がる。井戸の中がひろいと、塩気が発散して塩が結晶しないのであろう。

　井戸を掘って地下の塩水までとどいたならば、長さ一丈のよい竹をえらび、中の節をきれいに打ち抜き、ただ底の節だけを残しておく。そのきわに弁をつけて水を筒の中に吸い入れる。*2 この竹に長い縄をつないで、その中に沈下させると、塩水がいっぱいになる。井戸の上に桔槹《はねつるべ》や轆轤《ろくろ》などの道具を仕掛け、絞盤をつくって牛につなぎ、牛が絞盤を曳いて轆轤をまわすと、縄が巻きあげられて塩水をくみあげる。それを釜の中に入れて煮つめる〔ただ中くらいの大きさの釜を用い、牢盆を用いない〕。しばらくして塩が結晶するが、その色はいたって白い。

四川の西部には火井《かせい》*3がある。実に奇妙なものである。その井戸は、どうみても冷水で少しも火気がない。長い竹を割り節を打ち抜き、漆布でつぎあわせて、その一端を井戸の底に挿し入れる。その上端は湾曲した管につないであって、その口を釜の臍にくっつける。釜の中に塩水を注ぐと、みごとに火が起こって、水がすぐに沸騰する。ところが竹を開いてみると、全く少しの焦げたあともない。火の姿がみえないのに火の力を使うのである。これは世間の一大不思議である。

四川、雲南の塩井では、税金逃れや隠匿がいたって容易で、徹底的に追求することはできない。

注

*1——四川の井塩は漢代の画像石にみえ、古くから採塩が行なわれた。

*2——『四川塩法志』巻四によると、塩井では上部が淡水、その下に塩水がある。従って塩水をくみあげ

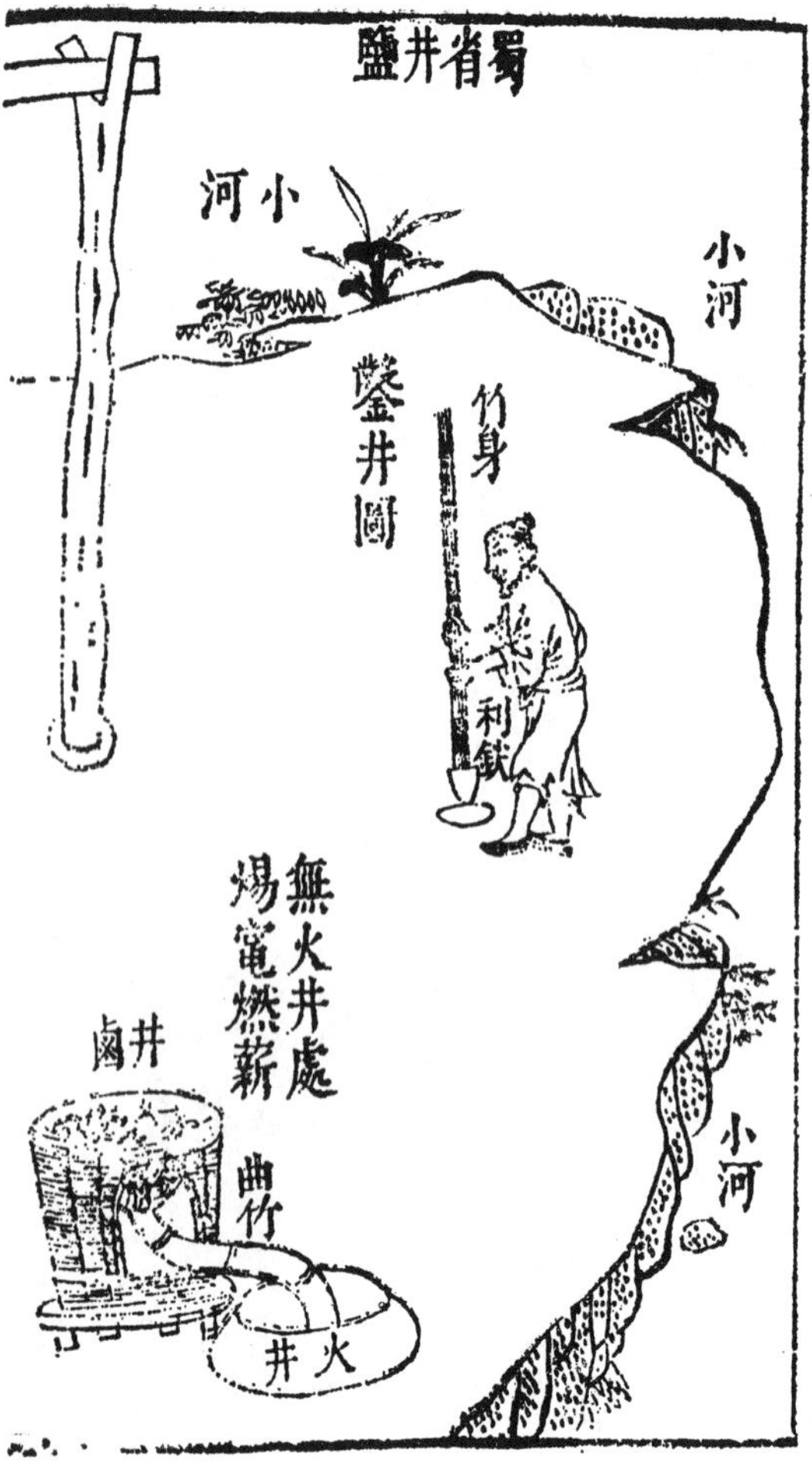

蜀省井鹽
小河
小河
鑿井圖
竹身
利鈇
小河
無火井處
煬竈燃薪
鹵井
曲竹
火井

図5-4　四川省の井塩

る「推水筒」は、開いた上端を水中に入れないようにし、筒の横側に小孔をあけ、牛皮でつくった弁をつける。この弁のある場所を喉下という。喉下を「そのきわ」と訳した。

＊3——これは天然ガスを発生する井戸で、これを煮塩に利用するのは、古くから行なわれた。下文の変な話からみて、著者はじっさいにみてもいないし、正しい知識も持たなかった。

末塩[*1]

土地に凝結した塩を煮るのは、山西省の末塩のほかにもある。長蘆の分司の管轄地[*2]でも、その土地の人は土をけずりとって煮つめるものがある。色は黒っぽく、味もあまりよくない。

注

＊1——土塩に同じ。古く『周礼』には散塩という。本書では軽く扱うが、中国奥地では重要な資源である。

＊2——中国では塩が重要な専売品であり、各地に塩運使の役人がいて取締った。長蘆は河北省の海岸沿いの一地名であるが、明代、河北におかれた塩運使を長蘆の名でよんだ。この下に滄州と青州の二分司がおかれ、かなり広い地域の塩専売を管轄した。

崖塩

西方の階州、鳳州などでは、海も塩井もない、岩穴に自然に塩を産する。色は赤土のようで、誰でも勝手にとってよい。煮つめる必要はない。

六　製糖

私はこう思う。香には芳、色には艶《せい》、味には甘が最もすぐれたもので、人間が大いに欲しがるものである。芳であって烈、艶であって艶、甘であって甜《てん》というのは、[*1]造物者の特別なはからいによるものである。世間の甘味料は八割までが草木からつくられる。また蜜蜂は力をつくして競いあい、百花を採取して甘味をつくりあげている。もし草木に十分な働きがなければ、誰が蜜蜂を飼うことを始め、それを養うことが天下に広まるであろうか。

注

＊1――烈は酷烈の意で、ここでは香気のすぐれていること。また『説文』徐灝箋に「甘之至為甜」とあり、甜は甘味のすぐれたもの。同様に艶、艶は色としてすぐれたもの。

甘蔗の栽培

甘蔗には二種類がある。福建・広東などに最も多く産出し、他の地方のものは全部あわせてもその一割にすぎない。竹に似て大きいものを果蔗という。切って生のまま噛み、汁を吸うと味はよいが、製糖には使えない。[*1] 荻に似て小さいものを糖蔗《さとうきび》という。噛むと唇や舌を刺激するもので、生で食べる人はないが、白砂糖や赤砂糖はみなこれからつくられる。

甘蔗から砂糖をつくることは、古来中国では知られていなかったが、唐の大暦年間に西域の僧鄒《すう》和尚[*2]が四川の遂寧にきて初めてその方法を伝えた。現在甘蔗栽培が四川で盛んなのも、ここに初めて西域からやってきたからである。

糖蔗を植えるには、冬の初め、霜がおり始める直前に糖蔗を刈り、端と末とをとり去って土の中に埋めこむ〔窪地で湿気のある土地はよくない〕。雨水《うすい》（新暦二月十九日ごろ）の前五、六日、よい天気の時にとり出し、外皮を剥いで、ほぼ五、六寸の長さに切る。それぞれ節が二個ずつつくようにする。それをぎっしりと地上に並べ、土で僅かにおおう。頭と尾がかさなりあって、ちょうど魚の鱗のようになる。その時、二つの芽は水平に出るようにする。一つが上向きに、他の一つが下向きになってはいけない。そうでないと、芽が土中に向いて、発芽しにくくなる。芽の長さが一、二寸になると、度々うす肥をかけ、六、七寸の長さになるのを待って、すき起こして分け植えする。

糖蔗は必ず砂まじりの土に栽培する。川沿いの堆積土が一番よい。土質を試すには、一尺五寸ばかりの坑を掘り、その堆積土を口に入れて味をみる。苦いばあいは、甘蔗を植えてはいけない。堆積土といっても、深い山に近い上流の川沿いのものは、たとえ土味が甘くても植えてはいけない。山気がひどく寒いために、後日砂糖の味が苦くなるからである。山を去ること四、五十里の平坦で日当りのよい堆積土で、よい土地を選んでこれをつくる〔黄土が下地となっている所では絶対につくってはならぬ〕。

糖蔗を植えるには、畦をつくってその行の幅を四尺、すき溝の深さ四寸とし、その溝の中に糖蔗を栽培する。七尺ぐらいに三株を並べ、一寸ばかりの土をかける。土が厚すぎると発芽が少ない。芽が三、四個から六、七個出ると、次第に土をよせる。くわで耕した時に、土をよせる。よせた土が深くなるにつれ、丈は高く根も深くなり、倒れる心配がなくなる。くわで耕す回数は、多いほどよい。施肥の多少は土地の肥え方による。たけが一、二尺になると、胡麻とかウンダイアブラナの油粕の浸出水をそそぐ。肥料は行間にかけてやるのがよい。高さ二、三尺になると、牛を使って畦内を耕し、半月に一耕する。犂を用い、まず土を耕して側根を切り、ついで土をよせて根をつちかう。九月初めには、土をかけ根を保護し、収穫後の霜雪の害を防ぐのである。

注

＊1――『本草綱目』には荻蔗（下文の糖蔗に同じ、サトウキビ）を生食するとみえる。一般に甘蔗の類はかなり古くから南方で生食された。五世紀に、顧愷之が甘蔗を食べた話が『世説』にみえる。

＊2――鄒和尚のことは宋の王灼の『糖霜譜』にみえる。砂糖に結晶させる方法は、唐に始まった。唐の太宗はインドに使者を派遣し、製糖法を学ばせたという。

砂糖の種類

糖蔗からつくった砂糖には、氷砂糖、白砂糖、赤砂糖の三種がある。砂糖の種類が分れるのは、蔗汁の古いか新しいかによる。

糖蔗というものは、秋になるとだんだん紅黒色に変わり、冬至以後は紅色から褐色に変わり、最後は真白になる。五嶺[*1]以南の霜のおりない土地では、糖蔗は早く刈らないで、長くおいて砂糖をつくる。韶州《しょうしゅう》、南雄（共に広東省）の以北では、十月になると霜がおりる。糖蔗は霜にあうとすぐ枯れ、その茎は白色になるまでもたないので、早く刈って赤砂糖をとるのである[*2]。赤砂糖をつくるには、十日のあいだ全力をつくして刈る。この十日間の前では、糖分はまだ熟していないし、十日間の後では、霜がやってきて今までの労力が全く無駄になる心配がある。だから十畝の糖蔗を植えた農家では、必ず一揃いの造糖車と釜をつくり、急ぎの仕事にあてる。広南の霜のない所では、人々は随意に製糖時期をおくらせたり早めたりする。

注

＊1――五嶺は揚子江と珠江との分水嶺、すなわち湖南・江西の二省と広東省とを分かつ山脈を越える五つの嶺（峠）を指す。この南はいわゆる嶺南（広東・広西）で、気候学的には完全な亜熱帯である。

＊2――赤熟の糖蔗では、その汁液中に蛋白質その他の夾雑物が多く、結晶が析出しないで、糖蜜（後節の頑糖）のままに残る。甘蔗成熟中の糖分変化については、小沢信策「甘蔗の所謂成熟現象に就て」（日本化学会誌、五十六巻、昭和十年）参照。

製糖[*1]

蔗汁をしぼる車の構造は次のようである《図6-1》。長さ五尺、厚さ五寸、幅二尺の二枚の横板を使用する。横板の両端に穴をあけ、柱を立てる。上方の筍《ほぞ》は少しだけ出ているが、下方の筍は下板から二、三尺出て土中に埋めこまれ、全体がぐらつかないようにされている。上板の中程に二つの穴をあけ、大きな二本の軸木を並べる〔軸木はできるだけ堅いものを使う〕。軸木の大きさは周囲七尺がよく、二本の軸木のうち、一方の長さは三尺、他の長さは四尺五寸である。その長い方には筍が出ていて、それに横木をさしこむ。横木には曲がった木を用い、その長さは一丈五尺で、牛をつないでぐるぐる回転するようになっている。軸木の横には歯をきざむ。歯は雌雄に分れ、その噛みあう部分は真直ぐで円く、円くて噛みあっていなければならない。糖蔗をその中にさしこみ、それがおされて出てくるのは、棉花の棉くり車と同じ仕掛けである。糖蔗がしぼられ汁が流れると、再びその滓を拾い、軸木上の投入口にさしこんで二度三度しぼると、汁はすっかり出てしまう。その滓は燃料にする。

下板には軸を受けるために穴を掘る。穴の深さは僅か一寸五分であり、軸の根元が下に貫通しないようにする。板上で汁を受けるのに都合がよいためである。軸木の根もとには鉄錠[*2]をはめこみ、まわりやすくする。汁が板に流れると、溝をつたって汁は甕に流れこむ。汁一石ごとに石灰五合をまぜる。汁をとって砂糖を煮つめるには、三個の鍋を品字形に並べ、まず濃汁を一つの鍋に集め[*3]、ついで薄い汁[*4]を二つの鍋の中に次第に加えてゆく。もし火力が弱いというので薪を入れすぎると、蔗汁は頑糖になり、泡立って役に立たない。

注

＊1——中国の古い製糖法については、『糖霜譜』に詳しいが、わが国の古い文献としては、木村喜之『砂糖

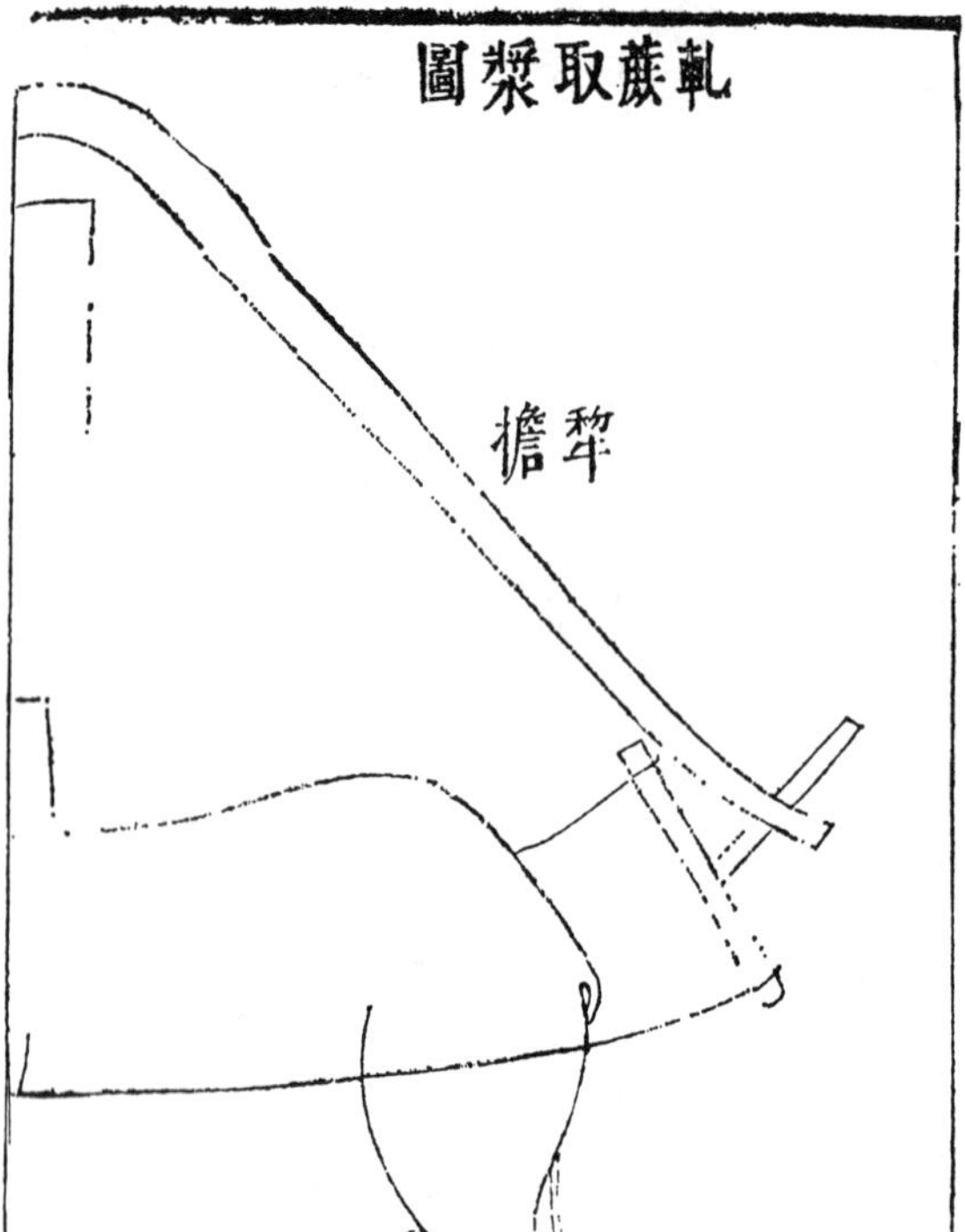
軋蔗取漿圖
犂擔

図6-1　サトウキビをしぼって糖汁をとる

製作記』（寛政九年）がある。
＊2――すべりをよくするため軸木の下にとりつけた鉄具。
＊3――濃汁は他の二つの鍋で煮つめたもので、まず濃汁を一つの鍋に集めるというのはおかしい。しかし、原文のままにしておく。
＊4――頑糖については前節の＊2をみよ。

白砂糖をつくる

福建や広東などの南方では、冬を越した古い糖蔗を、前法と同様に車を使って汁をしぼって甕に入れる。これを煮るのに、泡の様子をみながら火加減をし、その泡が煮立って非常に細かく、ちょうど吸物を煮た時のようになると、手でつまんで試し、手に粘りつけば頃あいとなる。この時はまだ黄黒色であるが、桶に盛っておくと、かたまって黒砂糖となる。その後で瓦溜《とうろ》＊1〔陶器屋にやかせる〕を甕の上におく。この瓦溜は上が広く下が尖り、底に一個の小穴があり、それを藁で塞いでおく。桶の中の黒砂糖をその中に流し、黒砂糖がかたまるのを待って、その後で穴を塞いでいる藁を抜き去り、黄泥水をしたみ落とすと、その中の黒い滓が甕の中にはいり、瓦溜の中はすっかり白砂糖となる。最上の一層は厚さ五寸ばかりで、特別に白くて洋糖と名づけられる〔西洋の砂糖はきわめて白く美しいので、こう名づける〕。下の方は少し黄褐色である。

氷砂糖をつくるには、洋糖を煮つめ、浮いた滓を卵白でとり去る。火加減をみて、新しい青竹を割って割竹にし、さらに寸断してその中にまき入れる。一夜おけばすぐに天然の氷塊のようになる。獅子・象・人物などをつくるのに、＊2それをつくる人によって材料に精粗のちがいがある。

白砂糖には五種類[3]がある。石山が上等で、団枝《だんし》、甕鑑《おうかん》、小顆《しょうか》の順で、沙脚《さきゃく》が下等である。

注

*1――瓦溜は素焼きの壺形であり、わが国でも戦後の砂糖不足時代に用いられたことがある。

*2――獅子などは氷砂糖でつくるのではない。獣糖の項をみよ。

*3――この分類は結晶塊の形によると思われる。『糖霜譜』にすでにこの分類がみえる。

獣糖[1]

獣糖をつくるには、大きな釜一つごとに砂糖五十斤を入れる《図6－2》。下に火をたいてゆっくり煮る。火は釜の一方からたくと、[2]糖液の表面が煮え立ってくる。もし釜底の真中で火をたくと、一時に沸騰して、地面にこぼれる。釜ごとに三個の鶏卵を使う。黄味を去って白味をとり、それを冷水五升にとかし、一匙ずつ滴下する。糖液の表面に火をやると、浮いている黒い滓がすっかり表面に出るから、笊ですくいとる。その砂糖は非常に精白となる。その後で銅の鍋に入れ、下には石炭末を燃やしたとろ火で暖める。火加減をみきわめてから型に流しこむ。

獅子や象の砂糖の型は、二枚重ねにして素焼のままでつくる。これに糖液をすくい入れ、すぐにくるくるまわして流し出す。型は冷えており、糖液は熱しているから、自然に一枚の砂糖の膜ができて型にこびりつく。これを享糖といい、宴会に使う。

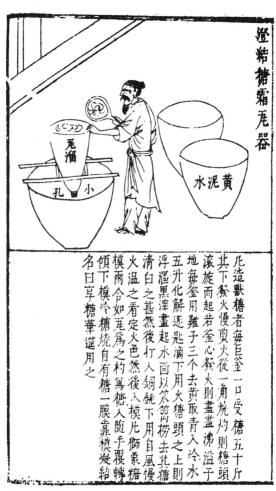

凡造獣糖者每巨釜一口受糖五十斤其下發火慢煎火從一角燒灼則糖頭滚旋而起若釜心發火則盡盡沸溢于地每釜用雞子三个去黄取青入冷水五升化解逐匙滴下用火糖頭之上則浮漚黒滓盡起水面以笊籬撈去其糖清白之甚然後打入銅銚下用自風慢火温之看定火色然後入模凡獅象糖模兩合如瓦爲之杓寫糖入隨手覆轉傾下模冷糖燒自有糖一膜靠模凝結名曰享糖華筵用之

図6-2　獣糖

注

＊1――原本では図6―2の説明となっており、別に表題はない。
＊2――このばあい、釜の底を熱しないで、釜の一方を熱するのは、きわめて合理的である。糖汁のような比重の重い液体を容器の底部で熱しても、なかなか沸騰しない。また沸騰点を少し越すと突然激しく沸騰し、そのために器物がこわれたり、液がこぼれたりする。この現象を化学者は bumping という。

蜜蜂

蜜をつくる蜂は、天下のどこにもあるが、ただ甘蔗の盛んな地方では、蜜蜂の数は自然に減少する。蜂がつくる蜜は、山ぎわの崖や土穴に産するものが八割で、人家で蜂を飼って採取するものが二割である。

蜜にはきまった色がなく、青・白・黄・褐など、いずれも地方の花の性質によって変わる。菜《さい》花蜜《かみつ》、禾花蜜《かかみつ》などのように、その名も何百ではきかないほどたくさんある。

蜂は、飼育のものでも野性のものでもみな蜂の王がいる。王のいる所には、桃の大きさほどの一個の台がつくられている。王の子は代々王となる。王は生まれても花蜜をとらない。毎日多くの蜂が交替で、組を分けて花蜜をとって、王にそなえる。王は毎日二回飛びまわる〔春夏、蜜をつくる時のことである〕。飛びまわる時には八匹の蜂が交替してお供をする。蜂王が自分で出口に行くと、四匹の蜂が頭で腹を支え、四匹の蜂が両側を守りながら飛んでゆく。数刻のあいだ飛びまわって帰るが、支えたり守ったりすることはもとの通りである。家蜂を飼うには、桶を軒先にかけたり、箱を窓の下におく。いずれも数十個の円い穴をあけて、蜂の出入口とする。

家人が一匹二匹の蜂を殺しても、別に差支えはないが、三匹を殺すことになると、群がってきて人を刺す。これを蜂反という。蝙蝠《こうもり》は非常に蜂を食うのが好きで、隙間からはいりこんでいくらでも食べてしまう。一匹の蝙蝠を殺して蜂の巣の前に吊しておくと、もはや食べにこない。俗にこれを梟令《きょうれい》という。家で蜂を飼い、東から西の巣箱に分れてゆくばあい、必ず王の子を残して君とする。分れる時には、蜂は扇を広げたようにして王を護衛する。酒糟の香をまいて招きよせる村人もある。

蜂が蜜をつくるばあい、まず蜂の巣をつくる。その形は髪の毛が立ったようである。花の中心にある汁を吸いとったのを吐きためてつくる。人の小便で潤すと、甘くて芳しくなる。いわば臭腐の神奇[*1]である。

蜂の巣を割って蜜をとると、蜂の子がそこでたくさん死んでいる。その底は黄蠟である。深山の崖の上には数年もとらない蜂の巣がある。その蜜はもはや時がたって自然に熟している。土地の人は長い竿でさしとるが、蜜はすぐに流れ落ちる。年がたっていなくて、よじ登って採取しなければならないばあい、蜜のとり方は家蜜と同じである。土穴につくられるものは北方の地域に多くできる。南方は低湿なので、崖蜜《がいみつ》はあるが穴蜜《けつみつ》はない。[*2]

一斤の蜜蜂の巣から十二両の蜂蜜を精製する。蜂蜜の産出は、西北の地方が天下の大半を占め、そこでは糖蜜よりも盛んだという。

注

＊1――『本草綱目』巻三十九にも「臭腐生神奇」という句がある。糞尿などによって霊妙な効果が生まれることをいう。同書に陶弘景の説を引き、「人の小便……」とあるが、これは事実と思われない。じっさいには、蜂の唾液のために貯蔵中に粘稠な液体となる。

＊2――崖蜜、穴蜜はそれぞれ石蜜、土蜜ともいう。

飴

飴は稲・麦・黍・粟のいずれからもつくることができる。『尚書』洪範篇に「稼穡して甘をつくる」[＊1]といっているが、飴について初めてその理を窮めたのである。

その方法は稲・麦などを水に浸して芽を出させ、日にさらして乾かす。そのあとで煮つめて精製する。色は白いのが上等であり、赤いのは膠飴《こうい》という。近ごろは、にわかに宮中で流行してきた。口に含むとすぐにとける。形は琥珀《こはく》のようである。南方の餅、餌[＊2]をつくるものは、飴を小糖とよんでいる。蔗汁に対比して名づけられたものであろう。飴にいろいろと手を加え、甘味として用いるが、そのいちいちを述べたてることはできない。そのうち、宮廷で用いるもので、一窩《いちか》糸《し》と名づけられるものがある。前代からその製法が伝わってきたのかも知れない。

注

＊1――五行の土は五味の甘に配当される。土は五穀をそだて、できた五穀の味は甘いからだという。

＊2――餅、餌は小麦粉からつくった菓子類。詳しくは青木正児『華国風味』（弘文堂、昭和二十五年）をみよ。

中巻

七　製陶

私はこう思う。水と火とがたがいに作用しあって[*1]、土を固めて陶器ができる。戸数が万を数える土地では、日々に千人の陶工が働いても足らない[*2]。民間の使用も盛んなものといえよう。家々には上に棟があり、下に室があって風雨を避け[*3]、さらに屋根瓦をおいている。王公は堅固な要塞を設けて国を守るが、煉瓦で築かれたその城壁は敵がきても登ることができない。泥でつくった甕は固く、それによって醴酒《れいしゅ》は澄むようになり、素焼きの高杯は清らかなので、それにしおからを盛って神前に供える。もっとも殷や周のころには、祭器は木でつくられたが、それは質実を尊ぶという考えであったろう。後世には各地にすぐれた焼物が生まれ、技術はいろいろと変わってきて芸術品がつくり出されるようになり、美人の麗質にも似た瓷器（磁器に同じ）が生まれた。これらは机や座敷におかれて、まことにゆたかな上品さがある。これは永久に滅びることはないであろう。

注

＊1――原文には「水火既済」とある。既済《きさい》は易の卦名であり、水と火を象徴する坎《かん》と離（それぞれ八卦の一つ）とを結合してつくられる。

＊2――『孟子』告子篇下に「万室之国、一人陶」を意識して書かれている。

＊3――『易』繋辞伝に「上棟下宇、以待風雨」の句によっている。

瓦

土をこねて瓦をつくるには、地を二尺余り掘り、砂のない粘土を選びとる。百里四方の内にはきっと手ごろな土が出るものであって、これは家を建てるのに役立つ。民家の瓦は、もとはみな四枚分が一度にでき、それを一片ずつに分ける。まず円桶で模骨《しん》をつくり、その外側に四本の区画をしておく《図7-1》。土をふみならして、それを高い長方形に積みあげる。それから鉄線を弓に張って、鉄線の上は三分あけておき、その長さは一尺を限度とする。これを土に向け斜めにして一片をそぎとるが、それは紙を一枚一枚はがすのに似ている。それを円桶の外側に巻きつけ、少し乾いてから模骨からはずすと、自然に分れて四枚になる[＊1]《図7-2》。

瓦の大きさには大してきまりはなく、大きなものは縦横八、九寸、小さなものは三割ほど小形である。屋根の溝が落ちあっている所は最も大きなものが必要で、それを溝瓦という。それは長雨に耐え、しかも水があふれ出ることがない。

素地《きじ》ができあがると、乾燥してから窯《かま》の中に積み重ね、薪を燃やして火を入れる。一昼夜か二

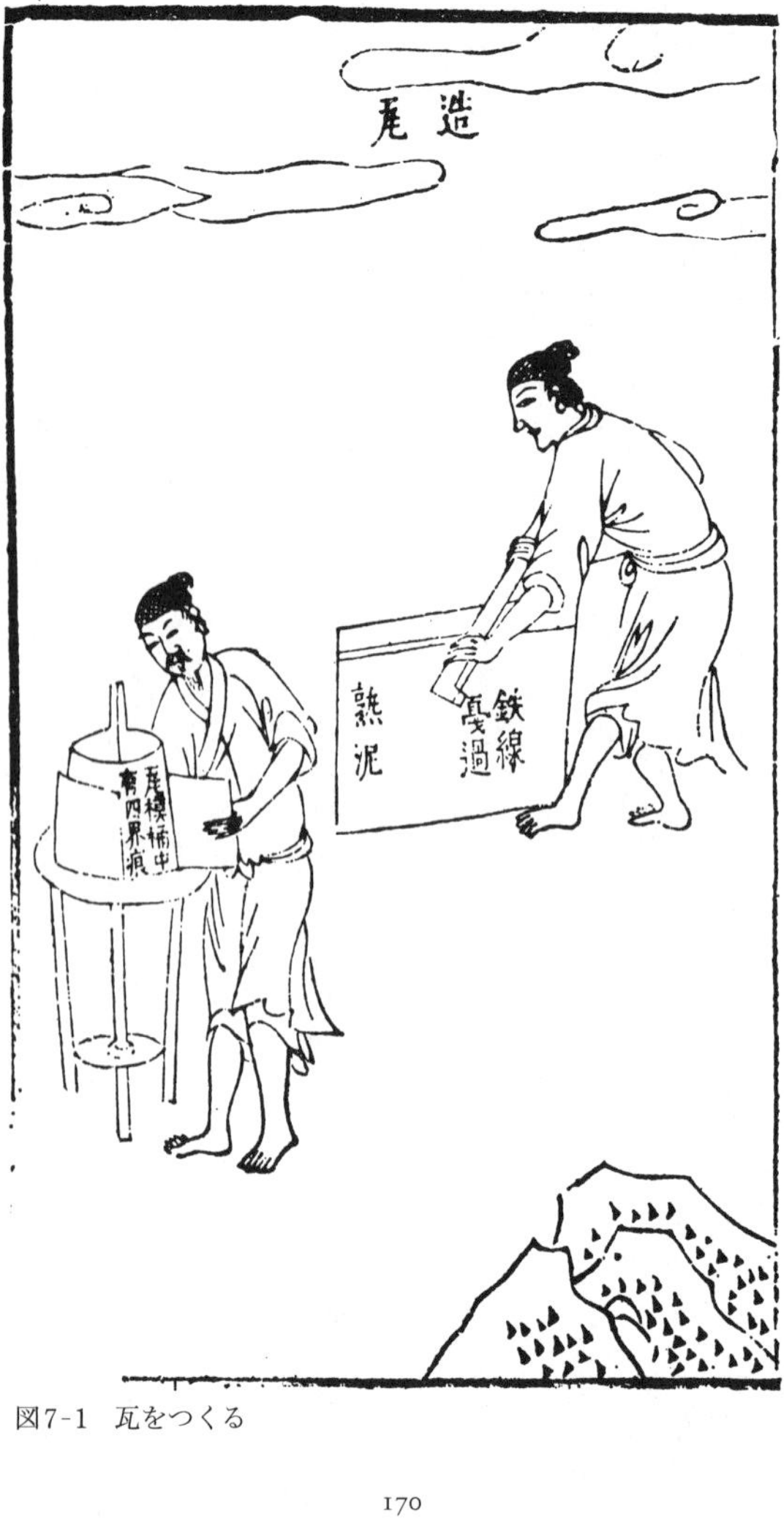

図7-1　瓦をつくる

図7-2　瓦の素地を桶からはずす

昼夜か、焼く瓦の分量によって火をとめる時期を加減し、水を注いで転泑《てんゆう》*2する。煉瓦をつくる方法と同じである。軒先に垂れている瓦には滴水《てきすい》*3があり、棟の端から下がっている瓦には雲瓦《うんが》*4がある。棟をおおう瓦には抱同《ほうどう》*5があり、棟の両端をおさえるものには鳥獣などの形をした瓦*6がある。みな人手で一つ一つつくって窯に入れ、水と火を受けてできる点は同じである。しかし皇室の宮殿で用いるものは、これとはたいへんちがっている。宮殿に用いる琉璃《るり》瓦には板状のものや円筒のものがある。円筒形のものは円い竹と削った木で模骨をつくり、一枚ずつつくりあげる。その土は必ず太平府（安徽省）からとりよせる〔船で三千里を運びやっと京師に達する。砂をまぜたにせものがあったり、人夫の雇い入れ、船を奪われたりする心配などいろいろな被害がある。しかし天子の御陵のものでもここからとりよせてつくるので、これに対し誰も改めようとしない〕。*7まず琉璃窯の中に装入し、薪五千斤ごとに百枚の瓦を焼き、とり出して色をつける。無名異と櫻《シュ》櫚《ロ》毛などの煎汁とを塗ると緑色となる。再び別の窯に入れ、火を減らして焼くと、たちまち立派な琉璃のような光沢にできあがる。地方の官庁や親王の御殿、道観（道教寺院）や仏寺でも時にこれをつくることがある。ただ染付けの材料はそれぞれちがった配合があり、その選択はみな同じというわけではない。民家では琉璃瓦の使用は禁ぜられている。*8

注

＊1——これは主として平瓦（牝瓦）の製法を説いたものである。この手法による平瓦の製法については、小林行雄『続古代の技術』（一九六四年刊）三〇八—三一六ページ参照。平瓦を並べた継ぎ目にかぶせる丸瓦（牡瓦）は曲率が小さいから、四枚を一時につくることはむつかしい。

＊2――転泐のことは「磚」の条にみえる。この方法によって瓦の光沢と同時に強度を増すことができる。
＊3――一に唐草瓦とよばれるもので、軒先の端にあって、円形状の垂れ（瓦当）があり、それに唐草などの文様がある。
＊4――雲瓦はよくわからない。中国の建築では棟を高く積みあげ、棟瓦の下に垂直におかれた瓦がある。或いはそれを指すのであろうか。或いは下り棟におかれた瓦であろうか。
＊5――棟瓦のこと。
＊6――鴟尾《しび》のこと。いわゆる鬼瓦。
＊7――無名異については一八三ページの＊3をみよ。
＊8――明代には官設の琉璃廠《しょう》（工場の名）を設け、盛んに琉璃瓦を焼いた。特に明代では黄釉《こうゆう》瓦が焼かれ、これが最も尊ばれた。明以前には帝室関係の建物にはすべて緑釉瓦が使われた。関野貞『支那の建築と芸術』一二三ページをみよ。

磚[*1]

土をこねて磚をつくるには、まず土地を掘って土質を調べる。藍、白、紅、黄色〔福建、広東には紅泥が多い。藍色のものは善泥といい、江蘇や浙江に多い〕など、いずれも粘って散らず、粒子が細かくて砂のない土が上等である。水を汲んで土を潤し、数頭の牛を使って足で踏ませて土をこねる。そのあとで木枠の中につめ、鉄線弓でその表面をそぎとって素地《きじ》をつくる《図7－3》。

都市の城壁や民家の塀を築くばあい、眠磚《せん》と側磚との二種がある。[*2] 眠磚は横にして積むものである。城廓や庶民の資産家の塀は、費用を惜しまないで、眠磚だけで積みあげる。しかし勘定を

図7-3　土で磚の素地をつくる

考える民家では、眠磚を一並べした上に、一列の側磚をおき、土礫《どれき》を隙間につめて塞ぐ。これは費用を節約するためである。

以上に述べた墻磚《しょうせん》のほか、地面に敷く方墁《ほうまん》磚というものがある。またたる木の上に使って瓦を載せるものを榥《こう》板磚といい、小さな橋、屋根の尖った門、埋葬する墓穴などを円形にするものを刀磚とか鞠《きく》磚とかいう。刀磚は一側面を削って薄くし、それらをたがいにあわせ、しっかりくっつけて積みあげて円くするのである。車馬が踏みおさえても崩れ落ちない。

方墁磚をつくるには、土を四角の枠に入れ、平たい板で蓋をし、二人がその上に立ち、またひっくりかえして固める。固まった素地を焼いて役に立てる。石工はその四辺をみがき削ってから、地面に敷く。刀磚の値段は、墻磚に比べて一割ほど高く、榥板磚ではその十個が墻磚の一個にあたる。方墁磚では、その一個が墻磚の十個に匹敵する。

磚は、まずつくった素地を窯《かま》の中に入れる。百斤の目方のものを入れて焼くには一昼夜、二百斤だと時間をたっぷり二倍かけねばならない。

磚を焼くのに、薪で焼く窯や石炭で焼く窯がある。薪を使用するばあいは、とり出した時に青黒色となり、石炭を使用すると、火からとり出した時に白色となる。

薪で焼く窯は、頂上と側面に三個の穴をあけて煙を出し、火が十分になって火を止める時に、泥で固くその穴を塞ぐ。それから水で転泑《てんゆう》する《図7-4》。

火加減が一両少ないと、転泑した色に光沢がない。三両少ないのを嫩火《どんか》磚といい、もとの土の色が所々に残っている。後日、霜や雪を受けると、立ちどころに崩れ、もとの土にもどってしま

図7-4　水によって転泑する

う。火加減が一両多いと裂け目ができ、三両多いと、煉瓦の形は縮小してひびが入り、曲がったままで真直ぐにならない。これを叩くと屑鉄のようであって、使用には適しない。うまく利用する人は、これを土中に埋めて、墻の土台とするが、やはり磚の役目をする。

火加減は窯の穴から内壁を透してみる。土が火気を受け、形がゆらゆら動いて金銀がとけきった時のような状態になる。そこを見分けるのが陶工頭の仕事である。

転汐の方法は、窯の頂上に一個の平たい田の形をつくり、まわりの縁をやや高くして水をその上に注ぐ。磚百斤について水四十石を用いる。すると水気が窯を透して火気と感じあい、磚ができあがる。こうして水と火がたがいに作用しあうと、磚がいつまでももつのである。

石炭窯では、薪窯に比べて高さを二倍にする。その上部の円味はだんだん小さくして、また頂上を塞がずにあけておく。その中に、石炭で直径一尺五寸の大きなたどんをつくり、このたどん一段ごとに磚を一段ずつ積み重ねておき、葦を積みあげて燃やしつける《図7-5》。

皇居に用いる磚では、その大きなものをつくる工場が臨清（山東省）にあって、工部の出張機関が管理している。はじめその種類に副磚、券磚、平身磚、望板磚、斧刃《ふじん》磚、方磚の類があったが、のちには種類の数を半分に減らした。そこから京師に運ぶには、糧船（舟車の項をみよ）一隻で四十個積むが、民船ではその半分である。また正殿に敷くために精細な材料でつくった方磚は、蘇州でつくって送りとどけている。琉璃甎の色つけに使う材料はすでに瓦の条に述べておいたが、これは薪を台基廠からとり、黒窯[*3]で焼くということである。

図7-5　石炭で磚を焼く

注

＊1――磚は煉瓦の類であるが、日本とちがっていろいろな形がある。本書で墻磚というのは、日本の煉瓦に近い形のものであろう。

＊2――眠磚、側磚は墻磚の類で、それぞれ横及び縦におくものであろう。

＊3――明代に工部直轄の五大工場には、北京を中心として神木廠（崇文門外）、大木廠（朝陽門外）、黒窯廠（左安門内）、琉璃窯（和平門外）、台基廠（交民巷）があった。薪は台基廠におかれ、黒窯廠でもっぱら瓦・磚が焼かれた。

甕

製陶家がつくる甕の種類は何百何千もある。大きなものは缸《こう》や甕で、中くらいのものでは鉢や盂《う》、小さなものは、瓶や罐である。[*1]その形状はそれぞれ地方によってちがっていて、数えきれない。ただこれらは必ず円くて角ばっていない焼物である。土を調べ陶土を選んでから、さらにろくろをつくるが、仕事に熟練した者は、器の大小に応じて泥をつまみとり、その分量に大した狂いはない。二人が土をもちろくろをまわし、ひとひねりしてできあがる。朝廷で使用する龍鳳缸《りゅうほうこう》〔窯は真定の曲陽と、揚州の儀真とにある〕と南直隷《れい》（江蘇地方）の花缸とは厚く土をくっつけ、それを彫りこんでゆくので、全くつくり方がちがっている。だからその値段は百倍とか五十倍とかになる。

甕に耳や口のあるものは、みな別にそれをつくってからくっつけ、釉《ゆう》（うわぐすり）をとかした水で塗り固める《図7－6》。陶器にはみな底があるが、底のないものとしては陝西から以西

図7-6　ポットをつくる

で使う蒸し器があって、そこでは素焼きのを用い、木製のものを使わない。

いろいろな焼物の中で、精巧なものは内外ともに釉をかけ、粗末なものは半分だけに釉をかける。ただ沙盆《さぼん》、歯鉢の類は、その内側に釉をかけないで、ざらざらした所を残し、すりつぶすのに都合よくする。沙鍋や沙罐は釉をかけない。すると物を煮つめるのに火の通りがよい。

釉の材料はどこででもできる。江蘇、浙江、福建、広東で用いるのは、蕨藍草《けつらん》*2という種類で、その草は住民の燃料となる。長さは三尺までである。枝や葉は杉の木に似ているが、束ねても棘《とげ》がたたない「それをよぶ名称は数十もあり、土地によってちがう」。製陶家はこれをとってきて、燃やした灰を袋に入れ、水を注いで漉《こ》し、粗いものを去ってごく細かいものをとる。この灰二椀ごとに紅土泥水一椀をまぜ、よくかきまわして素地の上に塗る。これを焼くと自然に光沢が出る。北方で何を用いているかは、はっきりしない。蘇州の黄罐に使う釉も別に原料がある。ただ朝廷で用いる龍鳳器は、やはり松脂と無名異*3とを用いる。

瓶窯《へいよう》では小さい焼物を焼き、缸窯《こうよう》では大きなものを焼く。山西省や浙江省では缸窯と瓶窯を区別しているが、他の省では一つの窯を兼用している。

口の開いた甕をつくるには、ろくろをまわして上下半分ずつをつくり、それを接合したつぎ目は、木槌で内と外から叩き固める《図7－7》。口のせまった罎や甕も上下半分ずつを接合するが、槌が使いにくいので、あらかじめ別の窯で金剛圏《けん》の形をした丸瓦を焼き、内側におしあて、外から木槌で叩くと土が自然にくっつく。

缸窯や瓶窯などは、平地につくらないで、必ず台地の斜面につくり、長いものには二、三十丈、

図7-7　缸（かめ）をつくる

短いものでも十余丈の長さに数十窯を連ねるが、みな一窯ごとに一段ずつ高くなっている[*4]《図7-8》。つまり勾配を利用して川水に浸される恐れをなくするとともに、火気が一段ごとに上に上ることになるからである。数十窯で焼物をつくるばあいに、値段の高いものは大して得られないが、多くの労力と資力をかけてつくっている。窯が円くつくりあがると、その上をごく細かい土で厚さ三寸ばかりにおおう。窯には五尺ほどへだてて煙を通す穴があり、窯の口は向かいあって開いている。装入するにはごく小さい焼物を最下段の窯に入れ、非常に大きな缸や甕は最後の高い窯に装入する。火はまず最下段の窯から焚き始め、二人が向かいあってかわるがわる火加減をみる。おおよそ焼物百三十斤について薪百斤を消費する。火が十分まわった時にその焚口をしめ、それから次に第二の焚口で火を燃やし、順次火をつけて最後の窯に至るのである。

注

＊1——ここでは深底の陶器を、その形状、用途によって幾種類かに分かっている。

＊2——清の朱琰《えん》の『陶説』には景徳鎮を中心とした磁器製造を述べ、その釉灰は鳳尾草よりつくるとある。鳳尾草はシダの類であり、蕨藍草もこれに類するのであろう。

＊3——次の青磁にみえるように、青料（呉須）と無名異とを同一視している。呉須はマンガン、コバルトなどの化合物である。

＊4——わが国で登窯とよばれる。この窯で焼かれるのは、缸や瓶のみではない。

瓶窯連接

図7-8　登りがま

白磁　付　青磁

白い陶土を堊土《あど》という。製陶家がすぐれて美しい焼物をつくるのに用いる。中国で産出するのは五、六ヵ所で、北方では真定府の定州、平涼府の華亭県、太原府の平定州、開封府の禹州であり、南方では泉州の徳化〔土は永定に産し、窯は徳化にある〕、徽郡の婺源《ぼうげん》、祁門《きもん》〔他所の白土は成形しようとしてもくっつかない。それで壁の上塗りに使ったりする〕である。徳化窯はただ仙人や精巧な人物や玩具だけを焼き、実用には適しない。真定、開封などの州の磁窯《じよう》から出るものは、色が時に黄色く濁って光沢がない。これらの数州をあわせても江西の饒州《じょうしゅう》産に匹敵しない。浙江省の処州の麗水、龍泉の両邑では、杯や茶椀を焼き、釉をかけて漆のように青黒くするが、これは処窯とよばれている。宋元の時代に龍泉の華琉山《かりゅうさん》下に章氏のつくった窯があり、その製品は貴ばれた。骨董屋のいう哥窯《かよう》器[*1]とはこれである。

中国やその辺境に名が知られ、人々が争って買いとるものは、すべて饒州浮梁《ふりょう》の景徳鎮の産である。[*2]この鎮は、昔から今まで磁器を焼く土地でありながら、白土を産しない。白土は婺源、祁門両県にある二つの山から産出する。一つの山は高梁山といって粳《こう》米土を産し、その土質は硬い。一つの山は開化山といって糯《じゅ》米土を産し、その土質は軟らかい。[*3]この二つの山の土をまぜあわせて、磁器が初めてできる。これらの土を四角な塊につくり、小舟で景徳鎮に運ぶ。瓷器をつくる人は両方の土を等分に臼に入れ、一日のあいだ搗いてから甕に入れて水で澄ます。その上澄みが上等の材料であり、甕を傾けて水を流したあとに沈澱するものが粗末な材料である。上等な材料は甕の中で再び上澄みをとって、それを流しこんだものから最上等の材料が得られ、その底に沈澱したものが中等の材料である。澄ませてしまってから、煉瓦で長方形の池を窯のすぐ傍に築き、窯の火力を利用する。澄ませた泥をその中に流しこみ、煉瓦に水分を吸わせて乾かす。そのあとで再び清水でこねて素地をつくる。

磁器の素地をつくるには、二通りの方法がある。その一つは印器《かたもの》といい、これには形の不規則な瓶、甕、火鉢、蓋物《ふたもの》の類や、宮中で使う焼物では屏風、燭台の類がある。まず黄泥で模印《かた》をつくるが、それは左右半分ずつのものや上下半分ずつのや、まるっぽのものもある。それができると白土をこねて模印に入れ、模印からとり出して継目を釉で塗りあわせると、焼きあげた時にすっきりと継目が消える。別の一つは円物《まるもの》といい、これでつくられる大小幾多の杯や皿の類は人々の日用必需品であるから、生産されるものは円器が九割を占め印器は一割にすぎない。この円器の素地をつくるには必ずろくろをこしらえておく《図7-9》。ろくろは垂直棒一本を立て、根元を三尺だけ土中に入れて固定させ、土から高さ二尺ばかりの所に上下に円盤を並べて、盤の縁を短い竹棒ではじいて回転させる。盤の頂上の中央に、檀木《だんぼく》でつくった盔頭《かぶと》をかぶせる。

杯や皿をつくるには、きまった模印があるのではない。両手で泥を盔頭の上にささえ、盤をまわす時、親指の爪を切っておいて、土の底にあて親指を軽くまわしてあげると、すぐに一個の杯や碗の形ができる〔習い初めはいくら無駄ができてもかまわない。その場合には素地をこわし泥をとってつくり直す〕。経験を積んで熟練すると、たとえ千万個をつくっても一つの型からできたようである。

盔頭の上で小さな素地をつくるには、土を加えなくてもよいが、中皿や大碗をつくるには、泥

図7-9　ろくろで磁器をつくる

を増してその頭を大きくし、それを乾燥させてから仕事をする。

指でまわして素地をつくると、ひっくりかえして盔頭で型押しをし、少し乾かして水分を残しておき、再び型押しする。すっかり乾かすと非常に白くなる。それを水に入れてすすぎ《図7－10》、盔頭の上におき、鋭利な小刀を二度あて〔小刀をあてた時に手先が少しふるえると、焼いた時に雀口[*4]ができる〕、それから傷あとをつくろい、ろくろの上でぐるぐるまわして縁を整える。[*5]整えてから絵や字を描き、描いてから水を数回吹きつけ釉をかける。

砕器《かんにゅう》、千鐘粟《せんしょうぞく》、褐色杯などをつくるには、青料（呉須）を用いない。砕器をつくるには鋭利な小刀を使って形を修正してから、日にあてて十分に熱をもたせ、それを清水にちょっとつけてとり出すと、焼きあがりに自然に裂紋ができる。千鐘粟は釉を手早くかけ、褐色杯は古い茶の葉を煮出した水を一はきする〔古い砕器は日本で頗る珍重して、ほんものには千金を惜しまない。昔の香炉砕器はいつの時代につくられたか知らない。底に鉄釘があり、その釘は光沢におおわれていてさびない〕。

景徳鎮の白磁に使う釉は、小さな入江の口から出る泥汁に、桃竹の葉を焼いた灰をまぜあわせてつくるが、それは澄んだ米のとぎ汁に似ている〔泉州の焼物の仙人は松毛水を泥水にまぜる。処州の青磁の釉は何からつくるかわからない〕。これを缸の中に入れておく。

素地に釉をかけるには、まずそれを釉の中に漬け、指を釉にちょっと浸して外側の縁に塗ると、自然に一面にかかる《図7－11》。

碗に絵付けする材料は、すべて無名異[*6]〔漆職人が油を煮るにもこれを使って着色する〕だけで

図7-10　磁器を水ですすぐ

図7-11　釉をかける

ある《図7―12》。この物は深い地中にできないで、土地の表面にある。深いばあいも三尺を掘り下げれば十分である。各省とも、どこにもある。これも原料の上等、中等、下等を見分けねばならぬ。使用にあたってまず炭火を積んで燃やして焼きあげてみると、上等は火から出した時に翠《すい》毛色であり、中等は淡青色、下等は土褐色に近い。精煉すると上等の原料では一斤について僅かに七両だけとなる。中等、下等の原料では、次第に少なくなる。よい原料でできた上等の焼物や宮中で使う龍鳳甕などは、いずれも上等の材料で描くから、その値段は一石につき銀二十四両にあたり、中等のものはその半分、下等のものはその三割である。

饒州の景徳鎮で使用する釉は衢《く》、信二府（共に浙江省）の山からとったものを上等の材料とし、それを浙料とよぶ。上高の村々で出るものは中等の材料で、豊城の諸所に出るものは下等の材料である。

原料を精煉してから乳鉢でごく細かくすり〔その鉢底は粗いままにしておき釉をかけない〕、その後で水にまぜる。すってまぜあわせる時、色は黒味を帯びているが、火に入れると青色となる。

砕器《かんにゅう》で紫霞《しか》色の杯をつくるには、臙脂をぬらしておいて、鉄の針金で円い網籠をつくり、砕器をその中に入れて炭火であぶる。そのあと、湿った臙脂をなすりつけると、すぐできあがる。

宣紅器は、焼きあげてから、窯から出して別に細工を施し、少しあぶってできるものである。ふつうに朱砂は火の中でも赤色が残っているが、朱砂のようなものでつくるのではない〔宣紅のつくり方は、元代の末にすでにわからなくなった。明の正徳年間に度々試みて再びつくり出すよ

図7-12　絵付け

うになった〕。

磁器は絵を描き釉をかけてから、匣鉢《さや》に入れる〔装入した時、手に少しでも力がはいると、後日焼きあがった時、いびつになって正しくならない〕。鉢は粗い土でつくり、中においた泥餅一個に一器をのせ、底のあいた所は砂をつめる。大器は一個の匣鉢に一個を入れ、小器は十余個を入れる。匣鉢の上質なものは、十余度も焼くのに使われるが、悪いのは一、二度ですぐこわれる。

匣鉢に焼物を入れて窯に装入し、そのあとで火を燃やす《図7-13》。その窯の上には十二の円い穴をあけるが、それを天窓という。火は二十四時間つづけることが必要である。まず窯口の火を二十時間のあいだ燃やすと、火力は下から上に上る。そのあとで天窓から薪を投げ入れて四時間の間焼くと、火力は上から下に通り、磁器は火の中で棉のように軟らかくなる。鉄鋏でその一個をとり出し、火加減の足りているかを調べ、十分に足りたことがわかれば、薪をたって火を止める。だいたい一個の焼物は七十二通りの手を経てやっとできあがる。そのあいだの細かい手数については、十分に述べつくせない。

注

＊1――宋代にこの地方で章生一、章生二の兄弟が精巧な磁器をつくった。兄の製品を哥窯器といった。哥は兄の意。

＊2――景徳鎮は饒州窯として唐代に始まったが、明代には官設の御器廠がおかれ、いよいよ盛大になった。現在でも焼物の産地として有名である。

＊3――磁器に用いるのはカオリン（饒州府に属する高嶺という地名に由来）と珪石質長石を混合する。前

図7-13　磁器を焼く窯

者は粘土質であるため糯米土とよばれ、後者が粳米土とよばれたのであろう。

*4——雀口の意は不明であるが、焼いてヒビがはいることであろうか。しかし図7-9をみると、糸底をつくるようにみえる。

*5——原文に打圏とある。図7-12をみると、打圏は縁を小刀で削って修正することのようである。圏足といえば糸底を指すが、打圏は一般に縁を円く修正することをいうのであろう。

*6——前節に述べたように、無名異を呉須と解している。青色の絵付けとして明代以後さかんに使用された。外見は黒褐色の鉱石である。

付記　窯変　回青

明の正徳年間（一五〇六—二一）に内使（宦官）が宮中御用の焼物を監督してつくらせていたが、その時には宣紅[*1]のつくり方がわからなくなってできあがらなかったので、陶工はその命も家もともに失った。すると陶工の一人が窯に飛びこんで自焚し、夢に現われて製法を教えた。それから競って窯変《ようへん》の法を伝えるようになった。遂には異を好む者がでたらめに言い伝え、鹿や象などの変わった物を焼きあげて、それをも窯変といった。

また回青[*2]というのは、西域の大青で、その上等のものを仏頭青ともいう。中国で上等の無名異を用いたばあい、火からとり出した時にちょっと大青に似ているが、しかし大青が窯に入れられてもその本来の色を失わないのにくらべて、見劣りがする。

注

＊1——白磁の条にみえるように、宣紅は朱砂の類を用いないで、銅をふくむ釉を還元焔で焼く時にできる。このことがわからなかったのである。銅の釉では火加減でいろいろ変わった色が生まれるので、窯変という言葉が生まれた。

＊2——やはり明代になってから使用されたもので、コバルトを主成分とする、いわゆるスモルト青のことである。これで仏像の頭を青く塗ったため仏頭青とよんだという。回青の名は西域から伝わったためであり、その名は南宋の文献から出る。内藤匡『古陶磁の科学』（昭和十九年）一八〇ページをみよ。

八　鋳造

私はこう思う。首山で銅を採るのは軒轅《けんえん》から始まり、[*1]その源流は遠い。禹の時代に九つの地方の長官が銅を貢物とし、それによって禹の鼎がつくられた。[*2]この時から火でとかした金属の役割は日に月に盛んとなった。いったい金属は土をその母としてでき、それが器具となって世に役立つことになる。鋳造するにあたって、また母である土が型となり、子である金属がそれを型取るのも、やはり同じようなわけである。器具には精粗、大小があって、みられるように鈍器は臼に使われ、利器は耕作に使われている。鍋や釜のように、全体を薄くして水火を媒介するものは、庶民の用途が多い。また鐘《しょう》のように、その腹を空虚にして、目にみえない魂をゆり動かして八種の音を生ずるものがある。崇拝されるものは、神仏の姿に似せられるが、世間にはすぐれた形のものがあり、その神品は上清《じょうせい》[*3]の魂を奪うほどである。そして世界くまなく貨幣が流通して、たとえ指折り数え算木で数えても、数えつくすことができない。要するに、そこまでは人力が及ばないのである。

注

*1——伝説上の聖天子黄帝は軒轅とよばれた。黄帝が首山で銅を採り鼎を鋳たという話は、『史記』孝武本紀にみえる。首山は河南省の一地名。

*2——やはり『史記』孝武本紀に「禹収九牧之金、鋳九鼎」とある。

*3——上清は道家がいう三つの清浄な場所の一つで、上清の天には太上老君が住まっているという。ここは上清の天に住む仙人を指す。

鼎

鼎の鋳造については、堯・舜以前のことはわからない。しかし禹が九鼎を鋳たのは、九つの州からの貢物によったのである。[1]禹の時には国土がすでにできあがり、貢物とする各地の産物について毎年の例がきまっていた。河道は掘り割られて通ずるようになり、「禹貢」[2]はすでに書物となっていた。しかし後世の君主が租税を増し、後代の諸侯が欲しいままに貢物をとり立てたり、後日に治水をする人がもとの河道によらない心配があったので、そこで禹は自分の事蹟を鼎に鋳込んだ。それは書物のように失われやすいものでなく、鋳込まれた文の通りに守って移り変りできぬようにした。これが九鼎の鋳造された理由である。[3]しかしこれは大昔のことである上に、後世の学者が寡聞なため「蠙珠暨魚」とか、「狐狸織皮」[4]など、いずれも鼎の上に刻まれていた文句は、或いは磨滅して形を変えたことであろう。そこで無知な者は、磨滅した文字を怪物の姿であると考えるようになった。だから『左伝』にあるように「神姦を知らしめ魑魅《ちみ》に逢わない」[5]という説が生まれた。この鼎は、秦になって初めてなくなった。春秋時代には郜《こう》の大鼎、莒《きょ》の二つの方鼎[*6]があり、みな諸侯がつくったものである。たとえそれに文字が刻まれていたとしても、必ずや「禹貢」の本旨を失ったものであろう。これはただ古物としての名を残しているにすぎない。後世の図書は上古に百倍するほども増加し、もはや鼎を鋳造することはない。それで特にこのことを付記したのである。

注

＊1——前条の＊2をみよ。
＊2——「禹貢」は『尚書』の篇名。禹の功業を記録したもの。
＊3——このような目的に鼎が鋳造されたというのは、著者の見解である。
＊4——いずれも「禹貢」の句である。曁は及に同じ。
＊5——『左伝』宣公三年の条によったもので、これによると禹は鼎を鋳て物を象ったとある。
＊6——郜の大鼎は『左伝』隠公二年の条に、また莒より晋に献上した二方鼎を鄭の子産に賜ったことが、同書昭公七年の条にみえる。

鐘

鐘《しょう》は金属でつくった楽器の中で最も大切なものである。その音が一度鳴ると、大きなものは十里にも聞こえ、小さいものでも一里余に及ぶ。だから君主が出御したり、官吏が役所に出る時には、必ず鐘によって人々を集める。また郷飲酒礼[*1]には必ずこれを鳴らして歌にあわせる。社寺では必ずこれを用い、参拝者の真心を引き起こさせるとともに、鬼神への崇敬の心をよび起こすのである。

鐘を鋳造するのに、上等のものは銅でつくり、下等のものは鉄でつくる。現在、北極閣にある朝鐘*2はもっぱら響銅*3を用いる。一個ごとに銅四万七千斤、錫四千斤、金五十両、銀一百二十両を使う。できあがったものもまた重さが二万斤、高さが一丈一尺五寸、双龍の蒲牢《ほろう》*4の高さは二尺七寸、鐘の口径は八尺であり、これが現在の朝鐘の形式である。

重さ万斤の鐘をつくるのは、鼎を鋳る方法と同じである。深さ一丈何尺という穴を掘り、その中を乾かし突き固め室内のようにする。土をこねて鋳型をつくる《図8-1》。その鋳型は石灰三和土*5でつき固め、少しの隙間もなくする。乾燥してから、牛油と黄蠟《こうろう》*6をその上に数寸の厚さに塗りつける。油と蠟の分量は、油が八割で蠟が二割である。その上を高くおおい、日光や雨を防ぐ〔夏につくってはいけない。油が固まらないからである〕。油と蠟が塗り固まってから、字や絵を彫りつけ、すみずみまでつくりあげると、ついで篩《ふるい》にかけた非常に細かい土と炭粉とを泥状にし、だんだんに塗り重ねて数寸ほどの厚さにする。その内外を中まで乾かし固め、外部から火をあててその中の油と蠟をあぶりとかすと、油と蠟は下端の穴からとけてすっかり流れてしまう。その中空になった所は、鐘や鼎がその体を入れる場所である。

油と蠟の一斤分にあたる中空の場所には、銅十斤を流しこむ。だから油で鋳型をつくる時には、油十斤を使いはたしたならば、銅百斤を準備しておく。中がすっかり空になると、次は銅をとかしこむことにとりかかる。ところで万斤もある赤熱した銅は、とても人手では扱うことができない。そこで四方に炉を築き、四方に土で槽道《みぞ》をつくり、その槽道の上方は炉につなぎ、下方は斜

図8-1　鐘の型をつくる

めに低くして鐘や鼎の銅を入れる口に連ねる《図8－2》。槽道の横でいっせいに炭を盛んに燃やし、竪炉《たてろ》の銅がとけた時に、湯出し口の栓をとり開く〔初めに泥土で栓をして塞いでおく〕。すると銅が一度に水のようにどっと流れ、槽道中のかけいから流れ落ちて鐘や鼎ができあがる。

重さ万斤の鉄鐘と火鉢や釜をつくる方法はいずれも同じである。しかし鋳型をつくる方法は、もっと手数を省くこともできる。千斤以内ならばこのような手数を必要としない。ただ十数基もの鍋炉をこねてつくればよい《図8－3》。炉の型は箕《み》のようにし、これは鉄線で芯をつくり泥をつけてつくりあげる。その下の部分にまず鉄の円筒をつき通して、二つの穴をつくり、そこに横木を通すようにしておく。炉は盛土の上において、各々の炉にいっせいに鞴《ふいご》をおして金属をとかす。とけたら二本の横木を炉の下に通し、軽いものは二人、重いものは数人でもちあげ、鋳型の底の穴の中に流しこむ。甲の炉を流しこんでしまうと、すぐつづいて乙炉、すぐまたつづいて丙炉というように、手早くやると、型の中で自然に凝結する。もし流しこみの手順がおそいと、先に流しこんだものは固まろうとして、あとから流しこんだものと結合しない。これがひびの生ずる理由である。

鉄鐘の鋳型は油や蠟をそんなに使わない。まず土をこねて外型をつくり、縦に二分するか横に二分するかして、切口をとめあわせる。字や絵をその上に刻む。内型は寸法を縮小し、内型と外型の間を中空にし、精密に見計らって外型にみあわせる。模様（外型の内側に）を刻んだら、牛油で滑らかにし、あとで鐘が粘りつかないようにする。それから内型にかぶせ、その継ぎ目を泥で塗りあわせて鋳造にかかる。大きな磬《けい》、雲板《うんばん》＊7はみなこの方法による。

鑄鼎圖朝
土槽
土槽
入孔

図8-2　鼎や鐘を鋳込む

鑄千斤

図8-3　目方千斤の鐘や仙・仏の像を鋳込む

注

＊1――地方で選ばれた有能の士を送るため、地方官が設けた公式の宴会。
＊2――朝賀の時刻を知らせるための鐘であろう。
＊3――鐘その他打楽器の素材となるものであるから、響銅という。
＊4――鐘の頂上に二匹の龍がからみあい、その部分で鐘を吊り下げる。この部分を蒲牢という。蒲牢は怪物の名で、これを鯨が打つと大きな声で鳴くという話が、『後漢書』班固伝の注にみえる。
＊5――単に三和土（たたき）ともいう。「焙焼」石灰の条に詳しい。
＊6――蜂の巣からとった蜜臘のこと。
＊7――磬及び雲板はいずれも打楽器の名称。

釜

釜は水を入れて火にかけるもので、日々の食事に欠くことができない。鋳造するには生鉄[*1]か、または廃物になった鋳物の鉄器を材料に使う。大きさは一定しないが、ふつうに使うのは口径二尺を標準とし、厚さは約二分である。小さいものは口径がその半分であるが、厚さは変わらない。その型は内側と外側の二重にして、まずその内の型をつくる。長くおいて乾燥するのを待ち、釜型の大きさを内型の上に重ね、それから外側の外型をつくる。この型づくりは非常に精細にすることが必要で、少しでも狂いがあると役立たない。型ができあがると乾燥させ、そのあとで土をこねて炉をつくる。その中は釜のようで、生鉄を中に入れる。炉の背後に管を通して送風し、炉の外側に口をつけて鉄を出す。一個の炉でとかすのは、十個の釜か二十個の釜の分量である。鉄

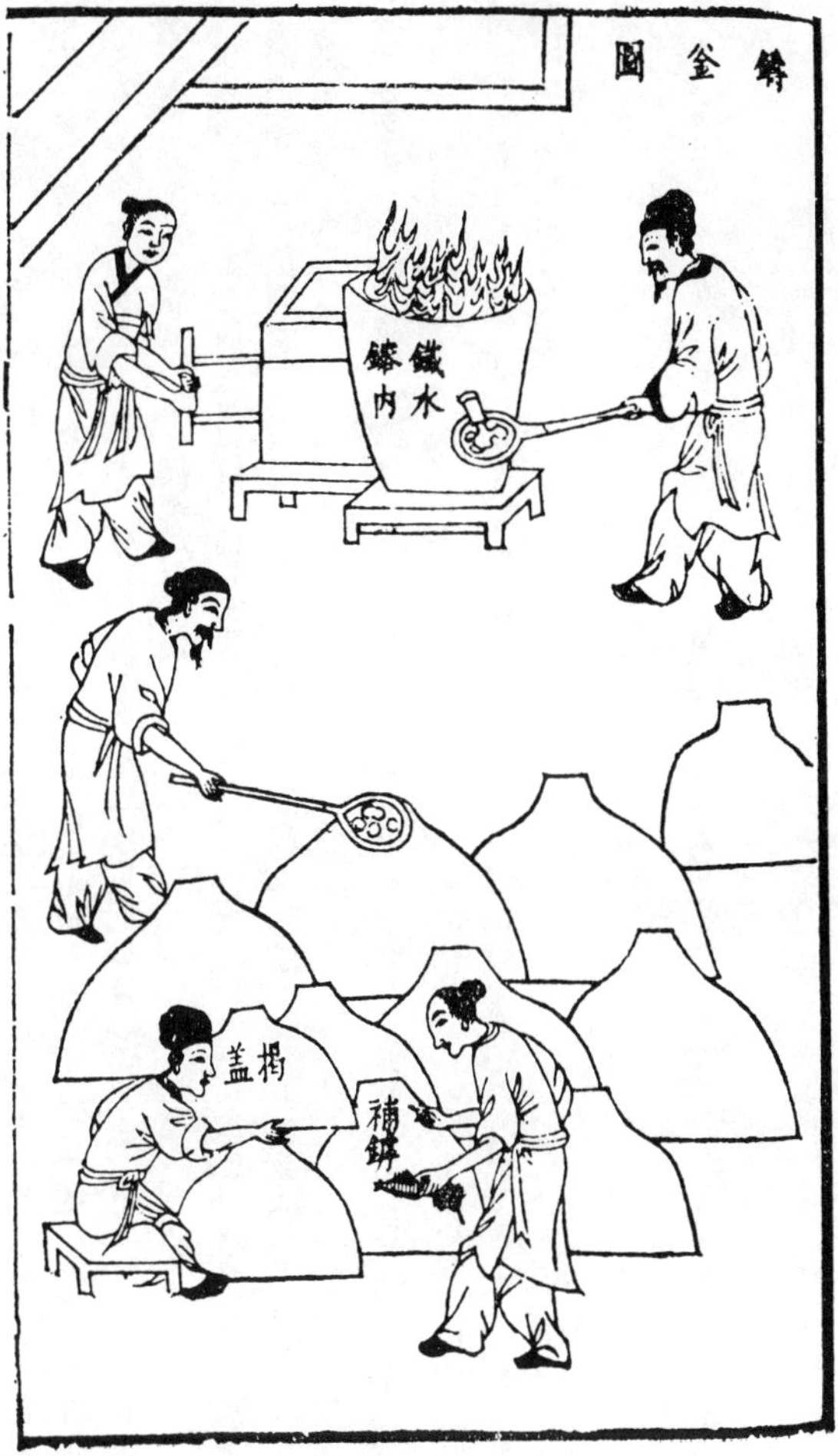

図8-4　釜を鋳込む

がとけて水のようになると、泥で固めた鉄の柄杓で、湯出し口から流れる鉄を受ける《図8-4》。一杓の鉄はおよそ一釜の分量で、それを型の上の穴の中に流しこむ。冷えきるのを待たないで、すぐに外型をもちあげ、裂け目など不十分な個所を調べる。この時には、釜はまだ真赤で黒くなっていないから、もし不十分な個所があれば、すぐに少量の鉄をその上にたらして補修し、藁をぬらして上をおさえると痕迹がなくなる。

生鉄で初めて釜を鋳た時には、補修を要するばあいが非常に多い。しかし、廃物の破れ釜の鉄で鋳造すると、隙間や漏れ穴ができることがない〔朝鮮の習俗では、破れ釜は必ず山中に捨て、再錬はしない〕。

できあがった釜を試す方法は、軽い棒で叩いてみて、もしその音が木のようであればよい。もしちがった音が出れば、鉄がまだ熟鉄となっていないためで、後日こわれやすい。中国の大きな寺では、鋳造によった千僧鍋というものがあって、米二石の粥を煮ることができる。これはまことにばかげた物である。

注

＊1――溶鉱炉からとり出したばかりの鉄、すなわち銑鉄にあたる。しかし恐らく不純物がまざったものであろう。

銅像

神仏の銅像を鋳造するには、その型づくりは朝鐘のばあいと同じである。ただ鐘や鼎は接合がきかないが、銅像は幾つかを接合してつくる。だから型に流しこむ手数はきわめて楽である。ただつぎあわせ方は、きわめて精密であるという。

砲

砲を鋳造するのに、西洋砲、紅夷砲[1]、仏郎機《フランキ》などは熟銅でつくる。信砲、短提砲などは、生銅、熟銅半分ずつをまぜてつくる。襄陽《じょうよう》、盞口《さんこう》、大将軍、二将軍などの砲は鉄でつくる。

注

*1――「兵器」の項には、紅夷砲は鉄でつくるという。

鏡

鏡を鋳造する鋳型には、灰と砂を使う。銅には錫をまぜる〔亜鉛を使わない〕。『考工記』にも「銅と錫が相半ばするものを鑑燧《かんすい》の剤《ざい》という」[1]とある。表面がぴかぴかするのは、水銀をつけてできあがるのであって、銅自体がこのように光るのではない。唐の開元年間のころ、宮中の鏡はみな銀と銅とを等分にまぜて鋳造した。一個の値段が銀数両になったのは、こうしたわけである。その上に朱砂のような斑点を生じるのは、それこそ金銀の精華が現われたのである〔昔の火鉢には、内に金をまぜたものがある〕。明朝の宣炉（宣徳火鉢）[2]は、たまたまある庫が火災にあい、金銀が銅と錫にまじってとけて一塊りとなったので、それで火鉢を鋳造させたのである〔ほんとのものは金色が入りまじっている」。唐鏡や宣炉などは、いずれも朝廷が栄えたときの逸品である。

注

*1――『周礼』考工記には、用途に応じて銅と錫との六種の合金をつくることを述べる。引用の原文は「金錫半、謂之鑑燧之剤」とみえる。金を銅として訳したが、中国鏡の遺品の化学分析の結果では、錫が半分もまざっているものはなく、三〇パーセント以下である。

*2――この炉は火鉢のことである。宣徳は明の宣宗の年号（一四二六―三五）であり、宣徳火鉢の起こりを述べている。

銭

銅を鋳造して銭をつくり、人民の役に立てる。その片面に年号通宝の四字を彫ることは、工部の一部局の仕事である。

通用している銭は十文で銀一分にあたる。大銭には五文、十文がある。欠点は偽造しやすいことで、そのためにかえって人民の害となり、中外に流通しても、たちまち通用しなくなる。

銭を鋳造するには、十斤ごとに紅銅六、七割、亜鉛〔帝都では水錫という〕三、四割で、これがその割合のだいたいである。[*1] 亜鉛は火でとかすたびに必ず四分の一だけ減る。明朝に通用している銭は、上物は北京の宝源局の黄銭と、広東の高州炉の青銭だけである〔高州銭は漳泉路（福建地方）で盛んに使われている〕。その価一文で南直隷や江蘇、浙江などの二文に匹敵する。黄銭はまた二種に分かれ、四火銅で鋳造したものを金背銭という。二火銅で鋳造したものを火漆銭という。[*2]

銭を鋳造するため銅をとかす坩堝《るつぼ》は非常に細かい土の粉末〔乾いた土煉瓦を砕くとよい〕と炭末とをまぜてつくる〔帝都の炉は牛蹄甲《ぎゅうていこう》を用いる。どんな作用があるかを知らない〕。坩堝に使う分量は、十両について土は七で炭は三である。炭の灰はその性質が暖かいので、土を助けて物をとかしやすくさせる。坩堝は長さ八寸、口径二寸五分で、一個におよそ十斤の銅と亜鉛を入れる。銅を先に入れてとかしてから、そのあとで亜鉛を入れる。竪炉《たてろ》に送風して、とけたものを型の中に流しこむ。

銭を鋳造する鋳型は、四本の木で箱型をつくる《図8-5》〔木の長さは一尺一寸、幅は一寸二分〕。土と炭の粉末をふるってごく細かくし、箱の中につめ、その表面に杉炭の灰か、柳炭の灰を少しばかりふりかける。型を火であぶるばあいには、松脂と清油とを使うことがある。そのあとで母銭[*3]百文〔錫に刻んでつくる〕の表か裏をその上に並べる。また別に一箱を使って前のように土と炭とをつめこんで、これにかぶせる。こうしてあわせてしまうと表と裏の二箱ができあがるから、ひょいとひっくりかえすと母銭があとからあわせた箱の上に落ちる。また一箱に粉末をつめこんであとの箱にあわせ、初めのようにひっくりかえす。こうして十余箱をあわせたあとで、それらを縄でしっかりからめる。木箱の上端には、銅を流しこむ穴を初めにつくっておく。鋳造工は鷹嘴《ようし》鉗《かん》を用い、竪炉から坩堝をとり出し、一人が別の坩堝の底をもちあげて支え、次々に穴の中へ流しこむ。冷えてから縄をといて箱をあけると、ころころした百文銭がちょうど花や果実が枝についたようで、初め型の中につけておいた溝を伝わって銅が樹枝のように流れている。

鑄錢
冊錢印模

図8-5　銭を鋳込む

それをはさみ出し、一つ一つ切り離し、鑪《やすり》でみがいて銭ができあがる。

銭はまず縁に鑪をかけた上で、竹や木の枝に数百文を通して鑪をかける《図8-6》。それがすんでから、一枚ずつ両面に磨きをかける。

銭の品質の高下は亜鉛の多い少ないで分かれる。厚くて重いものと薄くて軽いものとは、はっきりとみわけられる。亜鉛は安くて銅は高いから、偽造するものは、極端なばあいには銅と亜鉛を半々にまぜてつくる。石だたみの上に投げてみて、その音が木石のようなのは、質の悪い銭である。上質の銭で、銅が九で亜鉛が一というものでは、地に投げると金属性の音がする。

銅器具の廃銅で銭を鋳造すれば、とかすたびにその一割が減る。それは亜鉛が先にとけ去って銅成分が次第に純化するからであって、新銅を初めてとかしたものよりも良質である。

琉球などの諸国の銀銭では、その型は直接鉄鉗の先に彫ってあり、銀がとけた時にそれを坩堝にさし入れて銀をはさみとる《図8-7》。冷水の中に入れると、そのまま一銭が中に落ちる。

注

＊1――中国の銅銭は従来、銅に鉛及び錫をまぜたものであったが、明の嘉靖以降は銅に亜鉛をまぜるようになり、従来の青銅銭から真鍮銭に一変した。加藤繁『支那経済史概説』（昭和十九年）一三五ページ参照。

＊2――『明史』食貨志に、万暦年間のこととして「用四火黄銅鋳金背、二火黄銅鋳火漆」とある。また嘉靖年間に盗鋳が盛んに行なわれた時、世宗の問いに答えた徐階の文に、背面に金を塗ったものが金背で、火でくすべて黒くしたものを火漆というとみえる（『東亜銭志』巻一二）。四火、二火は精練

図8-6　銭に鑪がけをする

図8-7　日本で銀貨をつくる

の回数を指すか。
＊3――銭型のこと。

付記　鉄銭

鉄というものは非常に安いから、昔から銭には鋳造しなかったが、唐代の藩鎮である魏、博の地で鉄銭が始まった。[＊1]銅貨が通用しないので、初めてこれを鋳造したのであるが、それは一時的の手段であったろう。朝廷の栄えた時には、銀を鋳造して高杯をつくりさえしたが、諸大名が衰えた時には鉄を鋳造して銭をつくったのである。博物者としての感慨をここにあわせしるしておく。

注
＊1――鉄銭はすでに唐以前から行なわれた。たとえば梁の普通年間（六世紀初め）に一時銅銭をやめてもっぱら鉄銭を用いたことがあった。

九　舟車

私はこう思う。人はそれぞれの地域に分かれ住み、土地によってちがった物ができる。そこでたがいに往来して貿易し世界が成り立つのである。もしそれぞれ分居したままで一生を終えるならば、どこに人間社会の存立がありえようか。高官になっても必ず地方へ赴くことがあるが、その巡行の道々には苦労が多い。安価な物には必ず需要があるが、坐していては売りさばくのに困る。わが国では、南方は船により、北方は車によって往来する。また万国を回航して帝都の意気をあまねく輝かしている。しかるに初めて船や車をつくった人は、なぜ神として祀られないのであろうか。海をゆく船頭が大海原を平地同然に考えるのは、「冷風を御する」[*1]という列子とちがったところはない。書物に書かれているあの奚仲《けいちゅう》[*2]のような人は、いわゆる神人という者ではなかろうか。

注

*1——『荘子』逍遥遊に「夫列子御風而行、冷然善也」とあるのによる。列子は風に乗って往来し、そのありさまが軽妙であるという意である。

*2——『世本』によると、奚仲は車の発明者であり、夏の時代に車正という官にあったと伝えられる。

船

船の古名はすこぶる多いが、現在の名も非常に多い。あるものは形から名づけられ〔海鰍《かいしゅう》、江《こう》編《へん》、山梭《さんさ》など〕、あるものは積載量から名づけられ〔積みこむ数量による〕、あるものは使われている材料から名づけられ〔各種の木材の名称による〕、そのすべてを述べつくすことはできない。海辺を行く人は外航船をみることができ、川のほとりにいる人は、川をゆく糧船をみることができる。もし山国の中に引っこんでいたり、平原の中で一生を送る人にとっては、みるものは、一隻の小舟が流れを横切り筏を乱すぐらいのものである。だからここにざっと数種の船の構造をのせることにした。その他はこれらの例から推量してほしい。

糧船[*1]

都は兵隊や庶民が集まる地域であるから、各地方からは、水運によって物資が搬入される。そこで糧船が盛んになったわけである。元朝は天下を統一して北京を首都としたが、南方からの輸送路は、蘇州の劉家港《りゅうかこう》、海門の黄連沙《こうれんさ》から海に出て、ただちに天津に達した。その船には遮洋船《しゃよう》(海洋船)を使用した。明代の永楽年間(一四〇三―二四)にもこれを踏襲したが、風波の危険が多いので、のちに河川による輸送に改めた。それには平江泊《へいこうはく》の陳某が初めてつくった平底の浅い船を用いた。これがいまの糧船の形式である。

この船の構造は、いわば船底は床に、枋《ほう》[*2]は壁に、陰陽竹[*3]は屋根に、伏獅《ふくし》[*4]は、その前方が左右の門に、その後方が正殿にあたる《図9－1》。帆柱は弓や弩《ど》の弦に、帆は翼に、櫓は車につける馬の役目をする。曳綱は靴に、繂索《いつ》＊5は鷹や大鷲の筋骨に、船印は先鋒に、舵は指揮をする将軍に、錨は軍隊が駐留する陣営に相当する。

糧船ができた当初の構造では、底の長さ五丈二尺、その板は厚さ二寸、大木から切りとる。その木は楠を最上とし栗がこれに次ぐ。船首の長さは九尺五寸、船尾の長さ九尺五寸、底の幅は九尺五寸、底の先端の幅は六尺、底の後端の幅は五尺、船首にある伏獅の幅八尺、船尾の伏獅の幅七尺、梁頭は十四座＊6、龍口梁の幅は一丈、深さ四尺、使風梁の幅は一丈四尺、深さ三尺八寸、後の断水梁の幅は九尺、深さ四尺五寸、両厫《がん》＊7は共に幅七尺六寸、これが当初の形式であって、ほぼ二千石に近い米を積む〔交兌《こうだ》＊8のばあいは毎隻五百石を限度とする〕。後になって租税米を輸送する軍隊がつくったものは、勝手に長さで二丈、首尾の幅を二尺余り増し、三千石の量が積めるようにした。しかし運河の水門はもともと幅が一丈二尺なので、やっと通れる程度である。

現在、官用の客船の構造は全く同一であって、ただ窓の間の出入口を広くし、手のこんだ装飾が加えられている。

船をつくるにはまず底より始め、底に檣＊9を立てかけ、上には桟《さん》をかけ渡し、下は船底にくっつける。その間に並べ渡すのを梁といい、梁の両側に高く立つのを檣という。檣をおおう巨木を正《せい》枋《ほう》といい、その上を弦（ふなばた）といい、梁の前の帆柱を立てる位置を錨壇という。壇の底の横木は帆柱の根元を挟んでおり、これを地龍《こもち》という。前後に立っているものを伏獅といい、その下にあるものを拏獅《どし》＊10という。伏獅の下の封頭木を連三枋《れんさんほう》という。船首には一ヵ所だけ切りこんだ所があり、これを水井〔その下に纜《ともづな》などをしまう〕という。船首の甲板のすぐ近くに二本の木を立てて、纜をつなぐ。これを将軍柱という。船尾の下が斜めにあがっている部分を草鞋底といい、後部の封頭木の下を短枋といい、その枋の下は挽脚梁《めんきゃくりょう》という。船尾は舵を操る船頭がいる所で、その上にあるものを野鶏篷《やけいほう》＊11〔帆走する時にその帆の頂上に一人が坐って帆綱を受けもっている〕という。

船の長さが十丈になるものは、必ず二本の帆柱を立てる。その中の主柱の位置は中央より二間隔ほど前にし、前部の帆柱はそれよりも一丈ばかり前方に立てる。糧船では、主柱の長いものは八丈を標準とし、短いものはそれより一、二割を縮小する。船窓内にはいる根元の部分もやはり一丈余りとし、帆をかける位置は約五、六丈である。前柱の長さは主柱の半分にも及ばない。また帆の縦横の長さはその三分の一にも及ばない。江蘇、湖南の六郡の米を運ぶばあい、その船はたいてい石だたみのたいこ橋の下を通るし、その上に大河（揚子江）を渡るような危険がない。だから帆柱と帆との長さは、ぐっと切りつめられる。しかし湖広、江西省の船では、湖を過ぎ揚子江を渡る時に、ふいに風浪の危険にあう。だから、錨や纜や帆や帆柱は規格通り厳密にして初めて心配がない。

帆の長さの基準は、船体の横幅にあわせる。長すぎると危険にあうおそれがあり、短すぎると力がきかない。船の帆の材料は、竹を割いて織りあわせるのである。竹を編みつなぎ、一つ一つ折りたたんで帆にかける用にあてるのである。糧船の主柱の帆になると、十人の力をあわせて初めて頂上まで引きあげることができる。しかし前柱の帆ならば、二人でゆっくり操作できる。

漕舫
定風旗

図9-1　糧船

帆綱をかけ渡すには、まず中空の直径一寸ほどの円木につないで、それを帆柱の上に滑車装置に仕掛け、それから綱を腰につけて柱をよじ上り、三つ組みあわせて渡しかけるのである。帆の力は、その先端にある一枚が下の三枚に匹敵するので、それらを調和させて力を均等にするのである。順風の時は、絶頂に帆を張ると、船は走る馬よりも速い。もし風力が強くなるとだんだんに帆をへらして下ろす〔風の勢いが急で下ろせない時は、鈎でかけとめる〕。風の力が激しい時は、ただ一、二枚だけをかける。

風が横に吹いてくるばあいの帆走法を搶風《そうふう》[*12]という。流れの方向に沿って船をやる時は、帆をかけてよたよたと流してゆくか、或いはまず東へ船を走らすばあいに、もし帆を風の方向に対して僅かでも平らかにとりすぎると、ひどい時は数十丈も後へおしやられる。さて東へ走らせて岸の手前で舵をねじり、帆をまわし、今度は西に向かって船を走らせる。こうして水力を借り、同時に風力をも利用しつつ操って流れを下れば、僅かの時間で十余里も行ける。水平で流れのない湖水では、ゆるやかに操ってもよい。水流をさかのぼる船では、一歩も行けない。

船というものは水のまにまに行くもので、ちょうど草が風になびくようなものである。だから舵をつくって水をさえぎり、船の進行方向を自由に変えるようにする。舵が一転すると、その度に水流はこれに従うのである。舵の大きさは船腹と全く同じである。もし一寸でも長ければ、浅瀬にあった時、船腹は乗りきっていても、船尾の舵のために動かなくなる。もし突風が吹き狂えば、この僅かの木が、口にいえないほどの災害を引き起こすのである。舵がまた一寸でも短ければ回転の力が弱く、船首をめぐらすことがおくれる。舵の力は、舵をおす水の力と相応じて船首にまで及んでいる。船腹や船底の下の水は、全く一筋の急な流れとなっている。だから船首は制御しなくても正しく向くので、その仕掛けの巧妙なことはいいようがない。舵の上で操る柄を関門棒という。舟が北行しようとする時は、南向きに回転させ、船が南行しようとする時は、北向きに回転させる。船体がきわめて長く、しかも風力が荒れ狂う時には、舵力はあまり手のままに動かない。その時は急いで一枚の披《ひ》水板《すいばん》を下ろし、その勢いをふせぐ。

舵は真直な一本の木を身とし〔糧船で用いるのは、まわり三尺、長さ一丈余りである〕、上の部分には横に棒を入れ、下端には切りこみをつくり、板をその中に挟んでちょうど斧の形のようにする。鉄釘で固くとめて水をさえぎる。船尾の隆起した部分を、やはり舵楼《だろう》とよんでいる。

鉄錨は水に沈めて船を繋ぐ用をなすもので、一隻の糧船は総計五、六個の錨を用いる。その最も大きいものを看家錨《いちばんいかり》といい、重さ五百斤内外である。その他は船首に二個を用い船尾に二個を用いる。中流で逆風にあい、進むことも港に泊まることもできぬ時には〔或いはすでに岸に近づいても下が石で砂がないと碇泊できない。その時には錨だけを深所に下ろす〕、錨を下ろして水底に沈め、繋いである綱を将軍柱の上に巻きつける。錨の爪は、一度泥砂にぶっつかると、底をつかんで船を食いとめる。きわめて危急なばあいには看家錨を下ろす。この錨をつなぐ場所を本身という。これは大切なことをいうのであろう。さらに同行している前方の船が行き悩んでいて、自分の船が勢いに乗って突進し衝突の危険がある時には、すぐに急いで船尾の錨を下ろして食いとめ、速く流れてゆかないようにする。風がやんで船を出すばあいには、滑車で錨綱を絞り、錨を引きあげる。

船板の隙間をふさぐには、白麻の切り屑を筋とし、先端の鈍い鑿《のみ》でつき入れ、それから篩を通した細かい石灰に桐油をまぜ、つき固めて塊とし、隙間をふさぐ。温州、台州、福建、広東の地では、石灰の代わりに蠣灰《れいかい》を用いる。

船の帆綱は火麻〔大麻ともいう〕の皮をないあわせて太くつくる。直径一寸以上のものは、たとえ一万斤の重さがかかっても断ち切れない。錨綱は、青竹を割りさいてつくる。細い割竹を釜に入れてよく煮てから、ないあわせる。曳綱も割竹をよく煮てないあわせてつくる。十丈以上は中途で輪をつくって接手《つぎて》とし、障碍物にあえば離せるようにする。竹というものは真直なもので、一本の割竹で千斤を支える。揚子江を三峡から四川にさかのぼってゆく時の船は、ないあわせた曳綱を用いないで、竹を割って幅一寸ばかりとしたものを、一本ずつそのまま次々につないでゆく。これを火杖という。つまり沿岸の崖の石角は刃のようであるから、綱に編んだ割竹では、いたみやすい心配があるからである。

木の種類としては、帆柱には真直な杉の木を用い、長さが足らぬ時は継ぎあわせ、その外側には鉄箍《たが》を一寸ごとにはめる。船窓の前方はみな真中をからっぽにしておき、帆柱を立てるのに便利なようにする。主柱を立てるには、数隻の大きい船を連ねて主柱を載せ、その端に長い縄を縛りつけて引き起こすのである。梁と枋と檣は、楠木、櫧《しょ》木、樟《クスノキ》木〔樟木でも、春夏に伐ったものは長くたつと虫が食う〕、楡《ゆ》木、槐《かい》木を用いる。桟板は何の木でもよい。舵棒には、楡木、榔《ろう》木、櫧木を用いる。関門棒には椆《ちゅう》木、榔木を用い、櫓には杉木、檜木、楸《しゅう》木を用いる。以上がそのだいたいである。

注

＊1――租税米を運ぶ船を糧船という。『大明会典』巻二〇〇では糧船を分かって遮洋船、浅船とする。元代には主都北京へ江南の米を運ぶのに、シナ海を渡る遮洋船を使った。明の永楽帝が都を北京に遷してから、河川、運河をつないで行く浅船が多く使用されるようになった。

＊2――船側に渡した木。明、李昭祥の『龍江船廠志』及び下文に桟とよぶものであろう。

＊3――船室をおおう屋根。もともと竹でつくったものか。

＊4――伏獅はそれぞれ船の首尾にあって、その上では錨や舵を操作し、下は船手の居所となる。

＊5――繂索の繂は長いという意。ここでは主として帆につける綱を指すのであろう。

＊6――梁は一方の船側から他方のそれに渡す横木であるが、『龍江船廠志』に「分倉者曰座梁」とある。原文の梁頭の意は明らかではないが、十四の数は、船底を区画する梁の本数であろうか。以下、船に渡した三本の梁の名称、幅、深さが記述されている。深さは梁より底までに至る尺寸であろう。

＊7――原文には両厫とあり、『龍江船廠志』に左右厫堂とあるのに同じであろうが、その意は不詳。『龍江船廠志』には船図があって断水梁が明記される。最後端の梁である。

＊8――ふつうに兌運とよばれ、人民が目的地まで米を運ばないで、付近の衛所に運んで、それからは衛所の軍士に輸送を委託する方法である。

＊9――牆は船側に立てた柱で、これに梁を渡し、また横板を張って船側をつくる。

＊10――『龍江船廠志』巻二には「首尾横大木曰伏獅、両辺側木曰拏獅、以拏伏獅也」とある。拏は拿と同義。封頭木は不明。

＊11――ここで篷は「とま」でなく、帆を意味する。多く竹でつくる。

＊12――清、胡文英の『呉下方言考』巻八に「搶風、逆風掛帆、因斜舟以受風使行也」とある。

海洋船

海を行く船は、元朝と明朝の初めに米を運送したのを遮洋浅船《しやよう》[*1]といい、それの小さいものを鑽《さん》風船《ぷう》〔海鰍のこと〕といった。航路はせいぜい一万里ほどで、長灘、黒水洋、沙門島などの場所もそれほどの大きな危険がないから、琉球や日本に使者となって行ったり、またジャワやボルネオなどに貿易する外航船に較べ、その構造や工費は十分の一にもならない。

遮洋運船の構造は、河川を行く運送船よりも一丈六尺長く、幅は二尺五寸広いが、用具はどちらも同一である。ただ舵棒には鉄力木を用い、隙間を防ぐ石灰には魚油と桐油をまぜて用いるが、それにどんな効用があるのか知らない。外国の海洋船の構造も大同小異である。福建、広東〔福建は海澄から大洋に出てゆき、広東は香山嶴《こうさんおう》から出てゆく〕の海洋船では、竹を二つ割りとし、それを並べて柵としたものを両側に立て波を防ぐのである。山東の登《とう》・萊《らい》で使用する船の構造は、それともちがっている。日本の海洋船は両側に漕ぎ手の欄板《かきたつ》を配置して波を防ぎ、その内側で人が櫓を漕ぐのである。朝鮮の船の構造もちがう。

船の首尾にそれぞれ羅針盤[*2]をおき、これで方角を定める。船の胴には横に渡した大きな梁が数尺つき出ており、それに腰舵がはめこまれていることは、どれも同じである。腰舵は船尾の舵と同じ形ではなく、広い板を刀の形に削りあげ、水中に入れてもねじれないようにしてある。それは傾くのを防ぎ守る効用がある。その上にさらに柄を横に通し、梁にはめこんである。浅瀬にあうと引きあげる点は、舵に似たところがある。そこで腰舵という。

海洋船は竹筒に数石の淡水を貯えて、船中の人の二日分の需要に備え、また島に行きつくと水を汲みこむ。ある国、ある島に行くのに、どの方向に向けるかは羅針盤が明らかに示してくれる。これは人知によって生まれたものではなかろう。舵取りは乗組全員の中心となるものであるから、知識がすぐれていて、死生をすっかり超越し、血気にはやる者とはちがうのである。

注

＊1——下文には遮洋運船とある。前条の＊1にいう遮洋船と同じく海洋に耐える船のこと。

＊2——原文には羅経盤とある。中国で磁針を航海に利用したのは十一世紀にさかのぼる。しかしピボットで磁針を支える形式のものは明代になって、その使用が始まった。ここでいう羅針盤は、すでにこの種のものであろう。

雑船

揚子江や漢水を行く課船は、船体がきわめて細長く、上に十個余りの倉が並んでいる。倉一つには一人だけが休息できる広さである。船首、船尾をあわせて櫂が六本、それに小さい帆柱と帆が一つである《図9-2》。風波の激しい時には、特に櫂をふやして船を守る。もし逆風にあわないと、一昼夜で流れに従ってゆくこと四百余里、流れをさかのぼっても百余里をゆくことができる。明代では塩課[*1]が淮州、揚州の地に多いから、これによって塩税の銀を運ぶのである。それを課船という。旅を急ぐ旅行者もこれを雇う。この船は南は章水、貢水、西は荊《けい》州、襄陽から瓜州、儀州にまで航行している。

三呉の浪船。浙江西部の平江は、東西南北七百里にわたって、すっかりどこも深い溝や小川が

六槳課舡

図9-2　六丁櫓の課船

入りこんでいるので、浪船〔最も小さいものは塘船とよばれる〕は万億と数えられるほどである。旅行者が貴賤を問わず、その船を利用して、馬や車や履物代わりとなっている。船はたとえ小さいものでも必ず窓や座敷をしつらえてある。その船材には多く杉を用いる。人や物を乗せた時は、一方に偏ってはならない。一石の重さでも、偏るとすぐに傾いてしまう。だから俗に天平船という。この船が航行する七百里四方の中で、その便利さを好む者は、すぐこれを雇って北方の通州、天津に旅するのであるが、ただ鎮江（揚子江に臨む町）の渡しだけは、風の静まるのを待ってから渡りすぎる。また青江浦を渡って黄河をさかのぼり、浅い河を二百里ほどゆくと、運河にはいって安全な水路となる。揚子江の上流となると、風浪のある時はすぐ沈没するから、古来避けて通らないのである。浪船の航行力は船尾の後部にある大きな櫓一本によるもので、これを二、三人でおして進み、時には曳綱の力を借りることもある。帆といえば、掌のように小さい蓆で、頼りにならない。

東浙の西安船。浙江東部では、常山から銭塘《とう》にゆく八百里の水路がそのまま海にはいり、その他の水路は通らない。だからこの船は常山、開化、遂安などの小河を起点として銭塘に達し、これ以外は航行しない。その構造は、竹で編んだ捲甕のような篷《とま》を蔽いとし、縫いあわせた布を帆としている。その高さは二丈ほどで、真綿の綱で引っ張られている。初めて布帆をつくった理由は、もともと銭塘江に高潮があるので、火急の時に下ろしやすいというためであったそうだが、しかしそうとも限るまい。その費用は竹で編んだものよりも高くつくようであるし、はっきりした理由はわからない。

福建の清流船と稍篷《しようほう》船。この船は光沢、崇安の両小河から始まり、福州の洪塘《こうとう》まで航行する。そこから下流の水路は、すべて海である。清流船は、貨物と行商人を乗せる。稍篷船はそれよりも大きく、寝起きができるほどである。役人や貴人などがこれを用いる。その船はみな杉で底をつくってあるから、浅瀬の急流はきわめて危険で、破損するのが常である。損傷にあうと、岸に船やどりし、物を運びあげて船を修繕する。その船尾には全く舵を使わず、船首に一つの大きな船印をかかげ、その上部をねじ向けて方向を変える。必ず五隻が組になってゆく。危険な瀬を通る時は、四隻の人たちはみな後から綱を引いて、その速度を牽制するのである。この船の船頭は、寒冬でも足を包まない。度々ぬれてもよいからである。帆は、とりつけたままで張り直すことはないという。

四川の八櫓船など。四川の水源は揚子江と漢水に通じているが、四川の船の航路は荊州止りで、これより下流は船を代える。さかのぼってゆくと夷陵《いりよう》から峡谷にはいる。そこで曳綱を引く者は大きな竹を四片、または六片に割って、麻縄でつなぎあわせた火杖というものを用い、船中では競漕のように太鼓を鳴らすのである。引き手は岸の岩間で太鼓の音を聞いて力をあわせる。中夏から中秋に至るあいだは、四川の水路は峡谷の通行をふさぐために、数ヵ月間舟行を絶ってしまう。これがすぎて川水が減退すると、初めて航行が始まる。新灘など幾つかの険阻な所では、人も貨物もすべて半里ほど岸を伝ってゆき、ただ空船だけが上下する。その船の構造は腹部が円く、首尾が尖っているが、それは瀬の急流を切るためである。

黄河の満篷稍。この船は黄河から淮水にはいり、淮水から汴《べん》河《が》をさかのぼる時に用いる。船材は楠木を用い、建造費は頗る高い。大小いろいろあるが、大きなものでは三千石を積み、小さなものは五百石を積む。流れを下る時は、船首の所に一本の横木を渡し、大きな櫓二本を横木の両側でおして下る。錨綱、曳綱、帆の構造は、揚子江、漢水の船に似ている。

広東の黒楼船と塩船。北は南雄から、南は広東省城に達する。これより下流は、恵州、潮州から漳州、泉州に通ずるが、海汊《かいさ》からは海洋船に乗ってゆくことになる。黒楼船は役人、貴人の乗用で、塩船は貨物を載せるものである。船はその両側を通行することができる構造である。帆は蒲を編んでつくり、一本の帆柱にかけないで、二本の帆柱に帆を張る。中原の船のように自由に動くものではないが、さかのぼる時に、曳綱の力を借りる点では、他の各省のものと全く功用は同一である。

黄河の秦船〔俗に擺子船という〕。この船は韓城で建造される。大きなものは数万斤の荷物を積み、流れに沿うて下り、淮州、徐州の地方の輸送に従う。その構造は首尾ともに幅が等しく、船倉の梁はゆるやかに下がり、それほど隆起していない。急流を下る時は、大きな櫓を両側からおし、航行は風力に頼らない。帰りの空船には、曳綱を引く者が二十余人にも達するが、そのまま船を棄てて手ぶらで帰るばあいもある。

注

*1――明末には塩の専売制がすたれ、ただ塩商に課税して銀を上納させることになった。この銀を運ぶのが課船である。

車

車は平地を行くのに便利である。昔は陝西、山西、河北、山東などの地方では、列国の戦争に必ず車を用いた。だから千乗（戦車の数）とか万乗とかいう言葉が戦国時代から起こったのである。楚《そ》と漢とが激戦してから、だんだん南方が開発されてくると、水戦には船を用い、陸戦には騎兵と歩兵を用いるようになった。北方で蛮族と戦うには、それぞれ鉄甲でよろうた騎兵を使用したので、遂に戦車は用いられなくなった。しかし車に馬をつけて重い荷を運搬する今日の騾《ら》車は、全く昔の戦車と同じ意味のものである。

騾車の構造には四輪があり、二輪があるが、その上に載せる台はいずれも軸の上に穴を穿ってとりつける。四輪車は前後にそれぞれ一本の車軸が横にあり、軸の上に短柱で架台をかけて梁を真直にして渡し、梁上に箱を載せるのである。馬を停めて車からはずした時も、その上は水平であって、家にいて安穏にしているような乗り心地である。しかし二輪のばあい、馬をつけてゆく時に、馬がその前を引いておれば箱は水平であるが、馬をはずすと短い木で地面から支えて安定させる。そうしないと傾き倒れる。

車輪は輮《えん》[*1]ともいう〔俗に車陀という〕。大きな車輪の轂《こしき》〔俗に車脳という〕は長さ一尺五寸〔小戎の詩の朱子の注にみえる〕で、いわゆる「外側は輻《や》を受け、中は軸が貫く」部分である。輻は総計三十本、その根元は轂にさしこまれ、その先は輔《ほ》[*2]につらなっている。車輪において、内側で輻を集め外側で輞《もう》につらなり、[*3]ぐるっと回転するものを輔という。輞の所で先が終わる部分は輪轅という。

大車を馬からはずした時は、各部の物をばらばらにしてしまっておく。馬につける時は、まず両軸をつけ、それから次々に組み立てる。軾《しょく》、衡《こう》、軫《しん》、軛《やく》*4はみな軸の上を基底としている。四輪の大車には五十石が積める。これを引く騾馬は、多い時は十二頭立、または十頭立、少ない時でも八頭立である《図9-3》。鞭をとる御者は箱の中におり、高い所に立ち、前の馬を分けて二組とする〔戦車は四頭を一組とし、驂《さん》と服《ふく》*5に分ける〕。黄麻をないあわせて長い綱とし、それぞれ馬首につないで、後でまとめあわせて、衡内の両側に収める。御者は手に長い鞭を持つ。鞭は麻で縄をつくり、長さ七尺ほどとし、それを結ぶ棒の長さも同じである。力のはいっていない馬をみてとり、その馬には鞭を加える。箱の中では二人がかりで綱を引く。馬の性質と綱の性質をよく知る者が、この役にあたるべきである。馬の進み方が早すぎると、すぐ立ちあがって綱を引く。そうしないと顛覆の危険が起こる。

車を駆る時、前方にさけねばならぬ通行人があれば、御者は急いで声をかけると、馬はみな止まる。馬の綱が一本にまとめられ、衡を通って箱にはいる部分は、みな牛皮でからめておく。『詩経』にいう脅駆《きょうく》*6とは、これである。

大車のばあい、馬に食事をさせる時に小屋へ入れない。車上に柳で編んだ笊を載せておいて、綱をといてこの笊で馬にその場で食わせる。乗車する人は上り下りにいずれも小さい梯子を使う。もし中央が高くて両端の低い橋に行きあったならば、十頭の中で最も強力な一頭を選んで車の後につける。坂を下る時には、九頭は前方でゆるやかに引き、一頭は後から力限り食い止め、こうして早く駆ける勢いを殺《そ》ぐのである。こうしないと危険である。大車は途中、山にあっても止まり、河にあっても止まり、曲り道、小道にあっても止まる。徐州、兗《えん》州、汴《べん》州、梁州の地方は、時には三百里行っても河川のないというような国だから、舟運の乏しさを救う役目をするわけである。

車の材料は、何よりもまず長いものを選んで軸とし、短いものを選んで轂《こしき》とする。その木は槐、棗、檀、楡〔榔楡《ろうゆ》を用いる〕が上等である。檀というものは長く使いすぎると焼けるから、細心の人は棗と槐を抱きあわせる。これは申し分のないものである。その他の軫、衡、箱、軛はいろいろな木でつくってよい。

このほか、牛車では飼料を載せる。山西地方で最も普及している。途中狭い道に出会った時には、牛の首に「報君知」という大きな鈴をかけておく。騾車の騾馬がみな鈴をつけているのと同じである。また北方の独轅《どくえん》車は、人が後からおし、驢《ろ》馬が前を引くのである《図9－4》。旅人で馬に乗れない者がこれを雇う。そのためアンペラで車の上をかこって風や日を防ぎ、人は必ず両側に向かいあって坐る。そうしないと傾き倒れるのである。この車は北は長安、済寧からずっと北京にまで往来する。人を乗せないものは貨物を載せるが、重さは約四、五石までである。牛をつけた轎《きょう》車は、ただ中部の諸州だけに盛んである。両側に双輪があり、中に一軸を通して全く水平であり、架台を横にかけ、衡を短くし、轎をその上に並べてあるので、人は安楽に坐ることができる。牛をはずしても傾かない。南方で使う一輪の推車は一人の力だけで動かす《図9－5》。二石を載せうるが、「穴にあえば止まる」というもので、最も遠くにゆくものでも、せいぜ

合掛火
箱
衡
輞
輻
轂

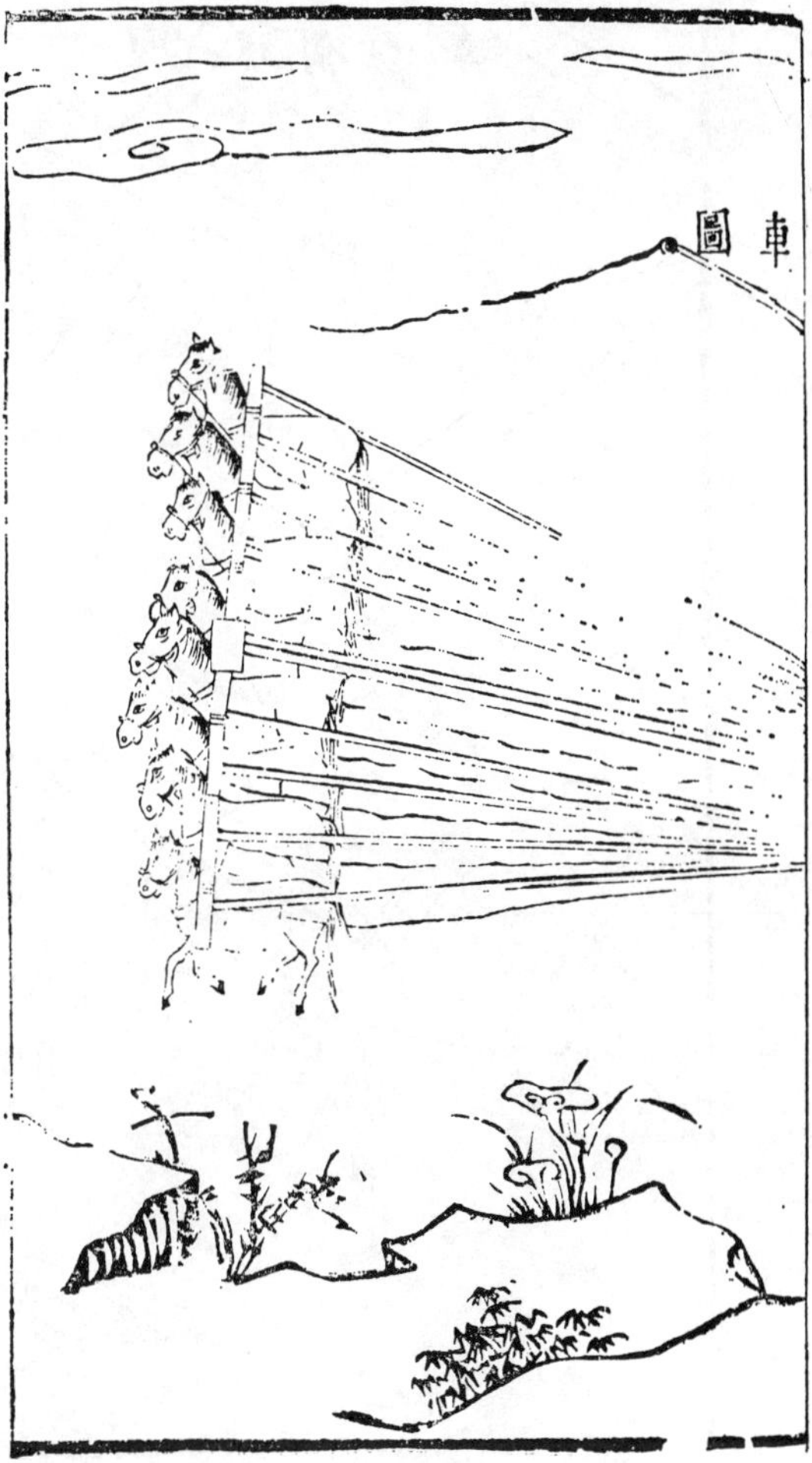

図9-3　八頭立の大車

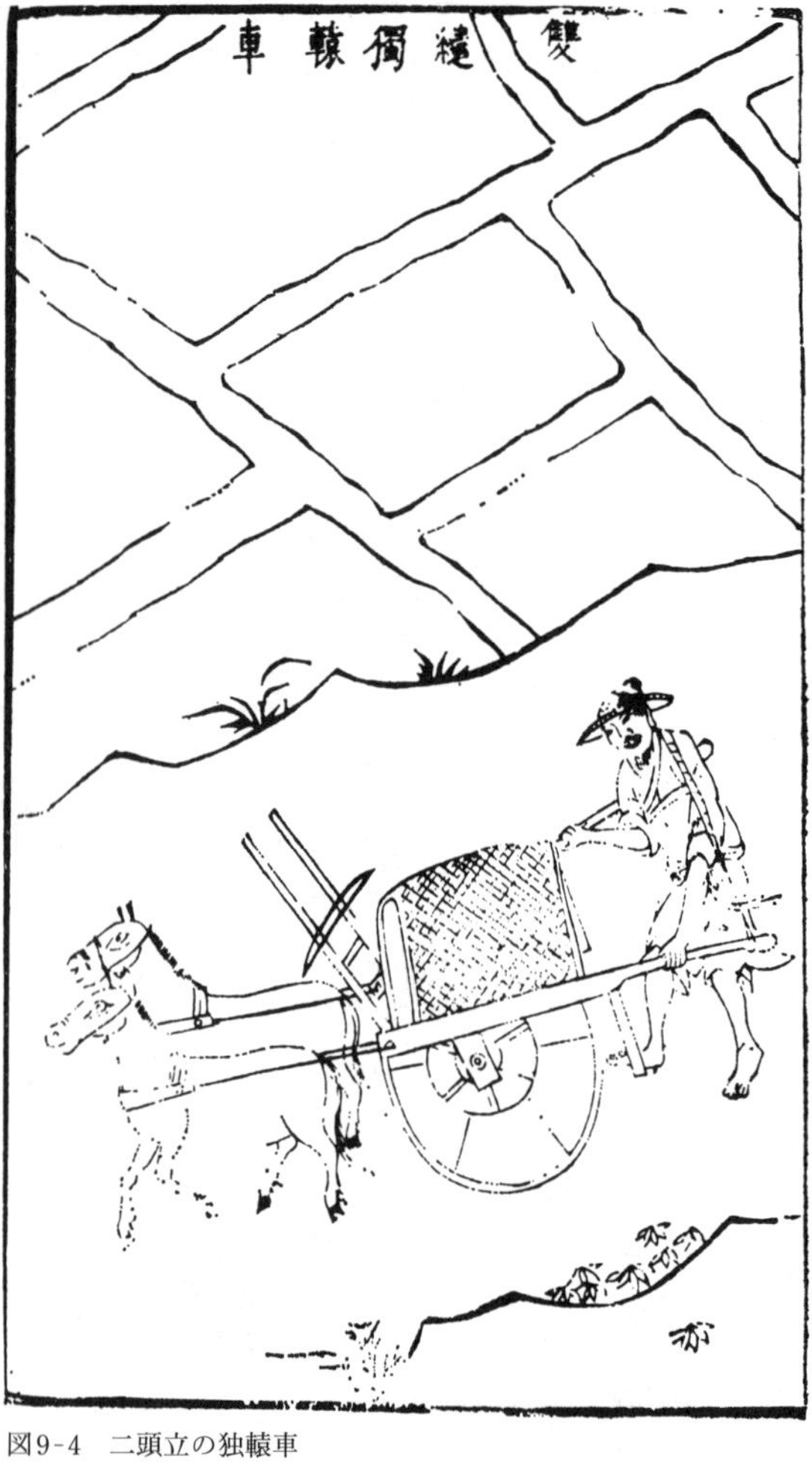

図9-4　二頭立の独轅車

図9-5　南方で使う一人用の推車

い百里までである。その他はいちいち述べきれない。ただ南方に生まれた人間は大車をみないし、北方で一生を送る者は巨船を知らないので、あらましを書いておいた次第である。

注

*1――輗は「ながえ」と訓じ、車を牛馬につなぐためのものである。ここは特別な用例であろうか。
*2――輔は輻（や）の先端がさしこまれる部分と解される。ふつう輞とか牙とよばれる部分にあたるが、ここでは輔の外側にさらに輞があると考えられる。
*3――原文には「車輪之中、内集輪、外接輞」とあるが、第二句の輪を輻に改めて訳した。
*4――すべて車上に乗せた箱の部分である。
*5――四頭を一列に並べ、内側の二頭を驂馬、外側の二頭を服馬という。
*6――『詩経』秦風小戎にみえる。

十　鍛造

私はこう思う。金属や木に手を加えて器物が完全にできあがる。しかし世に利器がなければ、公輸般《こうしゅばん》や倕《すい》*1のような名工も腕のふるいようがあろうか。五種の兵器*2、六種の楽を奏する楽器にあっても、鉗《かなばし》や錘《つち》を使って鍛造されなければ、それらの機能をはたすこともおぼつかない。同じく竪炉《たてろ》の強い火から出ながら、つくられた器具に大小のちがいがある。重さ千斤もある錨は、巨艦を荒れ狂う深淵につなぎ止め、また反対に、一枚の羽根ほどの軽い針が刺繡模様を礼服に縫い出している。鐘や鼎を鋳造する仕事をひたすらに神業に譲っている。それは莫邪《ばくや》、干将《かんしょう》*3の名剣や、双龍が躍りあがったという話*4にも、こうした事実の証明をみることができよう。

注

*1――般は春秋時代の魯の名工、倕は舜の時代の名工と伝えられる。

*2――『周礼』夏官司兵の条に、五種の兵器として戈《か》、殳《しゅ》、戟《げき》、酋矛《ゆうぼう》、夷矛《いぼう》をあげる。

*3――いずれも剣の名称である。唐の陸広微の『呉地記』によると、前六世紀末に呉王闔閭《こうりょ》の命により干将が剣を鋳造しようとしたが成功せず、その妻莫邪が炉中に身を投げ、ついに二口の名剣ができた。夫婦の名をとって干将、莫邪と名づけられた。

＊4――晋の雷煥が地下から発掘した二口の名剣が、水中で二匹の龍と化し、躍って天に上ったという話。『晋書』張華伝にみえる。

鉄の鍛錬

鉄を加工して器具をつくるには、すでに火を通した熟鉄[*1]を用いる。まず鉄で砧《かなしき》を鋳造し、金槌を受ける土台とする。諺に「万器は鉗《かなばし》を祖とする」といっているが、これはでたらめな説ではない。炉から出た熟鉄を毛鉄と名づける。鍛える時にその三割が鉄華や鉄落[*2]になって消える。もはや廃物にはなっていても、まだ錆びていないものは労鉄という。これを別の器具やそのもとの形につくり直すように、再び鍛え直した時は、僅か一割が減るだけですむ。

炉に入れて鉄を赤く焼くには炭（石炭もしくは木炭）を用いるが、その炭の使用度は石炭が七割で、木炭が三割である。石炭のない山林では、鍛工はまず堅い木の枝を選び、焼いて火墨《かたずみ》〔俗に火矢という。焼くのに火口を閉じない〕にする。その炎は石炭よりも一段と激しい。たとえ石炭を用いる時にも、別に鉄炭[*3]という種類がある。その火は内にこもって、焰がむやみに立ち上らないのが長所である。それは炊炭《すいたん》[*3]と同じようであるが、別種のものである。

鉄というものは、つぎつぎに接合することができる。黄泥を接触面の上に塗り[*4]、火に入れて金槌で打つと、泥滓がなくなってしまう。つまり泥にふくまれる神気が媒介となるのを利用するのである。接合してしまうと、赤く灼いて斧で切らない限り、永久に離れない。

熟鉄と鋼鉄は、一度炉や金槌で手を加えたものでも、水と火がまだ調和しないので、これらのものはまだ硬くない。そこで火から出した時に、清水に入れて焼入れする。こうしてできたものを健鋼、健鉄という。つまりまだ「健」でない時には、鋼でも鉄でも弱さが残っているというわけである。

接合の方法は、西洋諸国では特別な奇薬がある。中国では、ちょっとした接合には白銅（銅と砒素の合金）の粉末を用いる。大がかりな接合には、力限りに金槌をふるって力づくで接合するが、いつまでも長く丈夫というわけにはゆかない。だから西洋では大砲を鍛接してつくることがあるが、中国では鋳造だけによっている。

注

*1――鉄を銑鉄、錬鉄、鋼鉄に分けると、熟鉄は錬鉄にあたると思われる。融点が高いので、焼いて軟らかくして鍛える。

*2――鉄落は鍛造の時に飛び散る鉄屑。鉄華は同時に火花となって散る細粉を指すのであろう。

*3――ともに「焙焼」の項に詳しい。

*4――鉄を直接に鍛えて接合する時には、現在でも炭酸塩や珪酸塩をふくむ泥を接触面に塗布することがある。これによって接触面から鉄の酸化物や不純物がおし出され、接合が容易になる。

斧[*1]

鉄でつくった兵器の薄いものは刀剣であり、背が厚くて面が薄いものは斧である。非常によい刀剣は、百錬鋼[*2]でその外を包み、その中は鋼とはちがう鉄を芯とする。鋼を表にし、鉄を芯としなければ、強い力を加えるとすぐに折れてしまう。次に普通の斧の刃は、鋼を刃の面にかぶせるだけである。たとえ値段の高いすぐれた刀で、釘を切ったり普通の鉄を切断できるものでも、数千回も砥石にかけると、鋼がなくなって鉄が現われる。日本の刀は背の幅が二分ほどもないが、指の上にのせても横倒しにならない。どんな鍛え方をしているのかわからない。中国にはまだその方法が伝えられていない。

刀や斧は、みなすっかり嵌鋼《はめがね》にしたり包鋼《きせがね》したりしてから、[*3]水に入れて焼入れする。さらに砥石でとぐと鋭利になる。

手斧と金槌は、その柄を通す中空の部分は、いずれもまず冷えた鉄を打って芯とする。これを羊頭という。それからこの羊頭を灼熱した鉄で包むと、冷えた鉄と灼熱したものとはくっつかないで、自然に中空な部分ができる。石を割る大金槌が、長く使われて四面にみな穴ができると、鉄をとかしてすっかり穴を埋める。すると再び使用しても差支えがない。

注

＊1——原文には「斤斧」とあるが、いずれも「おの」であり、比較的大きなものが斤、小さなものを斧と区別する。

＊2——何度も鍛錬した鋼というほどの意であろう。

＊3——嵌鋼は、斧のように刃の部分だけに鋼をかませたもので、包鋼は刀のように全体を鋼で包むことである。

作物を手入れするには、くわの類を使う。熟鉄を鍛え、生鉄をとかして、刃の部分にそそぎかけ、水に入れて焼入れすると、すぐに堅牢なものとなる。鍬鋤《しゅうじょ》というくわでは、重さ一斤ごとに三銭の生鉄を注ぐことを標準とする。生鉄が少ないと硬くならず、多いと硬すぎて折れる。

鋤鎛《じょはく》*1

注

*1――鋤、鎛はいずれも「くわ」の類。

鎈

鎈《やすり》（鑢）は純鋼でつくる。まだ焼入れしない時は、鋼の性質はやはり軟らかいから、すでに焼入れしたたがねで縦と斜めに目を刻みこむ。刻みこむ時にたがねを斜めに入れると目からぱっと焔をあげる。刻みこんだあとで焼き、その赤味が消えて少し冷えると、水に入れて焼入れする。長く使用して平らになったら、火に入れて焼きをもどし、再びたがねで刻む。

鎈で鋸の歯を刻むには、茅葉鎈《ぼうようさ》を用い、あとで快弦鎈を使う。銅銭の加工には方長牽鎈《けんさ》、鍵の類には方条鎈を用いる。骨や角などを加工するには、剣面鎈〔朱注にいう、鑢錫《りよしやく》のことである〕*1を用い、木の端を加工するには、香鎈といって、円い穴があいていて、縦や斜めの目を刻みこまないのを用いる〔やすりの目を刻む時には、羊角の粉末を塩と醋《す》にまぜてあらかじめ塗る〕。

注

＊1――『礼記』大学に「如切如磋、如琢如磨」とあり、それに対する朱子の注に「磋以鑢鍚、磨以沙石」とある。

錐

錐《きり》は熟鉄を鍛錬してつくり、鋼をまぜない。書物などをとじるには円鑽《えんさん》＊1を用い、皮革に穴をあけるには扁鑽を使う。木工が紐をまわして穴をあけ釘を打って木をあわせるばあいには、蛇頭鑽を用いる。その形は、先から二分ばかり上のところが一面は円く、一面は切れこんで、その縁に二つの刃ができており、紐でまわしやすいようにしてある。銅板に穴をあけるには鶏心鑽を用いる。錐全体に三つの刃のあるものを旋鑽《せんさん》といい、全体が四角で尖端が鋭いものを打鑽という。

注

＊1――鑽も「きり」の意である。下文の蛇頭鑽は舞錐の一種。

鋸

鋸《のこぎり》は熟鉄を鍛えて長い薄片とする。鋼にもしないし、また焼入れもしない。火から出して赤味がひいてから、度々冷たいままで打って硬くし、やすりで歯を刻む。両端に木をかませて横木とし、割竹をよじって張り開き、鋸を引っ張って真直にする。長い鋸では木を縦に切り、短い鋸は木を横に切る。歯の非常に細かいものは竹を切る。歯がにぶくなると、度々やすりでこすって鋭くして使う。

鉋

鉋《かんな》は鋼をはめた少しばかりの鉄片をとぎ、その刃をほんの少し木口の面から斜めに露出させて木を平らにするもので、昔は準《じゅん》といった。大きいものは準をねかせて刃を露出させ、木をもって削るもので、推鉋《すいほう》という。桶づくりがこれを用いる。普通に使用するのは、横木が両翼となっていて、それを手で握っていて前方におす。木工が細かい細工をするには起線鉋がある。刃の間は二分ばかりである。また木を削って強く光らせるものを蜈蚣《ごこう》鉋という。一つの台の上に、十余個の小刀を差しこんであり、それが蜈蚣《むかで》の足のようである。

鑿

鑿《のみ》は熟鉄を鍛え、鋼を先端にはめる。その根元に円孔があって、そこに木の柄を差しこむ〔まず鉄芯をつくって型とする。それを羊頭という。曲がった柄でも同じように用いる〕[*1]。鑿は、柄をにぎって木におしこみ穴をあける。末端の刃の部分は、太いものでは幅一寸ばかり、細いものでは三分までである。円い穴には、つぼ鑿をこしらえて円い穴をあける。

注

＊1——原文には「拘柄同用」とあるが、その意味ははっきりしない。羊頭のことは「斧」の項にみえる。

錨

航行している船が、風にあって港に泊まることがむつかしい時には、錨に船全体の運命がつながれる。戦艦や海をゆく船には、錨の重さ千斤のものがある。鍛造の方法は、まず四個の錨爪をつくり、次々に錨身に接合する《図10-1》。三百斤以内のものは、直径一尺の広い砧《かなしき》を用い、それを炉の傍にすえる。錨身と爪の端がすっかり赤くなると、炉の炭をとり去り、鉄をかぶせた棒で挟みながら砧にのせる。千斤内外のものでは、木をかけ渡して棚をつくり、多くの人がその上に立ち、錨に結んだ鉄鎖をいっしょにもって爪を錨身にくっつける。鎖の末端にはいずれも大きな鉄輪や鎖止めをつけて、引きあげて捩転《ねんてん》させ、力をあわせて打ち鍛えて接合する。接合剤には黄泥を用いない。まず古い壁土をとって細かくふるい、一人がひっきりなしに、接目の所にまいてすっかりあわせると、少しの隙間もなくなる。鍛造するものでは、これが最も大きいであろう。

針

針はまず鉄を鍛えて細長い線状のものをつくる。一本の鉄尺に錐で線を通す穴をつくり、この穴に線状の鉄を引き通して針金とし、それを一寸ずつに断ち切って針とする《図10-2》。まずその末端にやすりをかけて針先をつくり、小槌でその根元を叩いて扁平にする。硬い錐で針穴をあけ、またその外にやすりをかけてから、釜に入れてとろ火であぶる。あぶってから、土の粉末に松木、火矢《かたずみ》、豆鼓《なっとう》の三種をまぜたものでおおい、下から火で蒸すのである。その時に二、三本の針をとって外にさしておき、それで火加減をみる。外の針が手でひねってこわれるようになれば、中の針の火加減はみな十分であるから、おおいかぶせた土をとり去って、針を水に入れて焼入れする。

糸を通し衣服をつくったり、刺繡をしたりするばあいに用いる針は、いずれも硬い。ただ馬尾の毛を刺して冠をつくるには、柳の枝のような軟針を用いる。このようにうまく針に区別ができるのは、水火による焼入れ方によるという。

銅細工

紅銅[*1]は黄銅に変えてからとかして器具をつくる。砒素を加えて成分を変えたものでは、白銅[*2]の器具をつくる。手間は二倍もむつかしく、奢侈を好む者がこれをつくる。

黄銅はもともと炉甘石《ろがんせき》[*3]を入れて変えたもので、熱がひかないうちに金槌で鍛える。亜鉛で変えたものは炉から出して熱をさまし、冷えたまま金槌で鍛える。

響銅は銅に錫をまぜる〔その法は製錬の巻に詳しい〕。楽器は、必ず銅を打ち延ばしてつくり、ろうづけしない。その他の種々の器具には、接合剤をつけ、火にあぶってくっつける。錫の粉末を用いるのは、ちょっとしたろうづけのばあいであり、響銅の粉末を用いるのは大がかりなろうづけのばあいである〔銅を砕いて粉末とし、飯でねりあわせ、水に入れて飯を洗い去ると、銅の

錨鍾

図10-1　錨を鍛接する

抽線琢

図10-2　針つくり

錘鉦與

図10-3　錠と錨を鍛造する

粉末はそのまま残っている。そうしないと散らばってしまう」。銀器をろうづけするには、紅銅の粉末を用いる。

楽器を叩いてつくるのに、たとえば鉦《しょう》〔俗に鑼《ら》という〕を打ちつくるには、初めに鋳造を行なわない。とかしたままの金属をすぐに金槌で打ち鍛える。鐲《たく》〔俗に銅鼓という〕と丁寧《ていねい》*4とは、まず円片を鋳造してから鍛える。

鉦や鐲をつくるには、みな銅の塊りを地面におき、大きなものは大勢がいっしょに力をふるってだんだんに打ち延ばし、その中から縁をつくる《図10-3》。その音は、冷たいままで金槌を加えるにつれて出てくる。銅鼓は中間に隆起をつくり、それから冷たいままで打って音の出るようにする。音が雌と雄に分れるのは、少しの起伏の加減である。金槌をくりかえし何度も加えたものは、その音が雄となる。

銅は金槌で打たれると、白味がかった色となる。やすりをかけると、また黄色の光沢が現われる。鍛えることによって消失するのは、鉄のばあいが十であれば、銅ではただ一だけである。銅特有の匂いを発し色が美しい。だから銅細工の職人は、鉄細工の職人より一段高く重んぜられるという。

注

*1――紅銅は純銅のこと。これに炉甘石、すなわち亜鉛の化合物を加えたのが黄銅（真鍮）である。
*2――日本の白銅とはちがう。銅に砒素をまぜたもので、白色。
*3――亜鉛の化合物。
*4――丁寧も楽器名。

十一　焙焼*1

私はこう思う。五行の中で土は万物の母である。それから生まれる貴重なものは、ただ五種の金属だけではない。金属は火と助けあって広く役に立ち、これにまさるものはないといわれる。しかし石が焼かれて役に立つことになると、その働きはいよいよ不思議である。水というものは、しみこんでは物をいためぐ、隙間があれば必ずはいりこみ、ほんの少しの隙間もそのままにしておかない。これに対し石を焼いた石灰をこねて外からの水を防ぐ。海に浮かぶ船にそれを塗って怒濤を防ぎ、壁に塗っては城廓を固める。しかも時間をかけて遠方に行かないでも、このような至宝は得られる。石を焼いたものの役立つことは、これより大きいものはないであろう。礬《はん》が五色の色どりをなし、硫黄がいろいろな石の中で最上なものとなるのも、みな烈火によって変化するのである。その技巧は丹鉛*2をつくる炉火を極致とするが、たとえ錬金術師がいろいろと自分の技巧の表現に苦労しても、その技巧は天巧の万分の一に比較することができようか。

注

*1――原文の「燔石」の燔は焼と同義である。石灰のように石を焼いてつくるものから、燃料となる石灰

をふくめる。

＊2――黄丹、あるいは丹鉛と称し、酸化鉛のこと。

石灰

石灰は、火で焼いてから使用する。それができあがると、水に入れても長く変質しない。多数の船や垣などの隙間は必ず石灰で塞いで水もりを防ぐ。ほぼ百里四方の地域には、地中に必ず焼くことのできる石を産出する。石は青色のものが上等で、黄色や白色のものがそれに次ぐ。必ず地中二、三尺の所に埋もれていて、それを掘りとって焼く。土地の表面にあって風化したものは使用しない。石灰を焼く燃料としては、石炭を使うのが九割で、薪炭が一割である。まず石炭を泥にまぜて餅状のもの（煤炭餅《メイタンビン》）をつくる。この煤炭餅と石とを交互に積み並べ、薪をその底に敷いて火を燃やして焼く《図11－1》。最もよいものを礦灰《こうかい》といい、最も悪いものを窯滓灰《ようさい》という。火力がまわると、石が焼けちぢみ、空気中におくとやがて風に吹かれて粉末となる。急いで使用する時は、それに水をそそぐと、やはり自然に粉末となる。

石灰を使用して船の隙間を固めるには、桐油や魚油に石灰をまぜ、厚手の絹や上等の羅にこの油をつけ、これを杵でこつこつたたいて隙間を塞ぐのである。石灰を使用して石垣を積むには、石灰の塊りをふるい去ってから、水で塗りあわせる。瓦下にはやはり油と石灰を用いる。石灰で壁を白塗りするには、水に澄ませて紙のすさを入れて塗る。それで墓や貯水池をつくるには、石灰一に川砂と黄土を二の割合で入れ、糯米《もち》、粳米《うるち》、羊桃藤の汁でよくまぜあわせて薄く塗ると、

図11-1　煤炭餅で石を焼いて石灰とする

堅固で長く崩れない。これを三和土《たたき》*1という。そのほか藍澱《らんでん》をつくったり、紙をつくったりするのに使用され、その効用は数えきれない。

温州、台州、福建、広東の沿海地方などで、石から石灰ができない所では、天然にできる蠣蠔《かき》*2が代用となる。

注

*1――三和土は石灰、砂、土の三種を水でこねたもの。ここではとぎ汁などを加えている。

*2――蠣も蠔もともに「かき」のこと。李時珍の『本草綱目』には、「かき」は集まって大きな塊りとなるので、それを蠔というとみえる。

蠣灰

海浜では水ぎわの石山の所で、海の波に長くもまれて蠣房《れいぼう》*1がつくり出される。福建では蠔《ごう》房という。長く年を経たものは数丈にも成長し、広さは数畝で、ごつごつしている。石で山の形をかりにつくったもののようである。蛤の類が岩の中におしこめられたばあい、久しく経つととけて肉塊となる。それを蠣黄とよんで、味はきわめて珍美である。

蠣灰を焼くには、槌と鑿とをもち、水にはいってとってきて〔薬屋で売る牡蠣《ぼうれい》というのはこれを砕いたものである〕、石炭を積み重ね火にかけて焼きあげるので、前述の石灰と同じ方法である《図11-2》。それで城壁や橋梁を築造したり、桐油をまぜて船に用いたりするが、その効用はみな同じである。

図11-2　かきをほりとる

蜆灰《けんかい》〔蛤粉《こうふん》と同じ〕を蠣灰のことだと誤解する者があるが、それはものを知らないからである。

注

＊1——塊りとなった蠣の一つ一つを小さな部屋（房）とみたてたのである。蠣房、蠔房はこの塊りを指す。

石炭

石炭はどこにでも産出し、金石を鍛錬するのに使用する。南方の草木のない禿山では、その地下にきまって石炭がある。北方ではいうまでもない。

石炭には三種類あって、それらは明煤《めいばい》、砕煤、末煤[*1]である。明煤は桝ほどの大塊で、河北、山東、陝西、山西に産する。ふいごで吹かないでも、木炭を少し火種とすると、盛んに燃えて昼夜消えない。それにまざっている細かい屑は、きれいな黄土と水とをまぜて餅状にして燃やす。砕煤には二種類があって、多く江蘇、湖北、湖南に産する。炎が高く出るものを飯炭といい、炊事用に使う。炎が低いものは鉄炭といい、冶金鍛錬に使う。炉に入れるには、まず水で湿らせておく。必ず鞴《ふいご》で吹いて真赤に燃やし、次々に継ぎ足して使用する。小麦粉のような粉炭を自来風《じらいふう》といい、泥水でこねて餅状として炉の中に入れる。燃えついてからは、明煤と同じで、昼夜を経ても消えない。半ばは炊事にあて、半ばは銅をとかしたり、石をとかして朱をとったりするのに使用する。石を焼いて石灰や礬や硫黄をつくるばあいには、三種の石炭はいずれも使用できる。

石炭を長年採っている者は、土の表面からその有無の状態をよく見分ける。見分けてから手掘りするが、五丈ばかりの深さになって初めて石炭が得られる。初め石炭の端緒を見つけた時には毒気にあてられる。あるばあいには大きな竹の節を打ち抜いてその末端を尖らし、それを石炭の中に挿入すると、その毒煙が竹の中を通って上へ抜けるから、人はその下でくわを使って拾いとる《図11-3》。また竪穴の下から炭層が縦横に広がっている時には、その左右からとり広げてゆく。その天井には板を支えて土崩れを防ぐのである。

石炭をとりつくしたあとは、土でその穴を埋める。二、三十年経つとその下に石炭がまた成長するから、いくらとってもつきることがない。その底や四周にある石卵で、地方の人が銅炭とよんでいるものは、とり出して焼いて皀礬《そうばん》と硫黄とをつくる〔後の項に詳しい〕。ただ硫黄だけをとる石卵は、その臭気が強いので、臭煤《しゅうばい》と名づける。北京の房山、固安や湖広（現在の湖南・湖北）の荊州などにまま産する。

石炭を燃やすと、その質は火の精とともになくなり、灰が全く残らない。恐らく金属と土石との中間に、造化の神が別にこのような種類をつくり出したのであろうか。

石炭が草木のよく茂る所に産しないのは、天のすぐれた配慮を示すものである。炊事に役立たないのは、ただ豆腐をつくるばあいだけである〔豆腐をつくるのに石炭炉を用いると苦くなる〕。

注

＊1——中国語で石炭を俗に煤とか煤炭という。古くは石炭を石墨とよんだ。顧炎武の『日知録』巻三に墨が煤に誤ったという。ここは形状、品質から石炭を三種に分ける。

図11-3　南方で石炭を掘る

礬石　白礬

礬《はん》[*1]は石を焼いてつくる。白礬（明礬のこと）という種類はやはりどこにもあるが、最も盛んなのは山西の晋州、南直隷（江蘇省）の無為州などである。値段は安くて、寒水石[*2]とほぼ同じである。しかし白礬を沸騰した湯に入れてとかし、これで物を染めると、固く着地のあいだにくっついて、外からの水は絶対にはいりこまない。だから砂糖漬をつくったり、画紙、紅紙を染めるばあいに、これを必要とする。その粉末を乾いたままでまいても、やはり汚水のしみこむのをよく防げるから、湿創にかかった人にも必需品である。

白礬は、地面を掘り、塊りとなっている石層をとり、煤炭餅を積み並べて製煉するが、それは石炭を焼くのと同じである。火加減が足りると、よく冷やしてから水を入れる。火にかけてその水が煮えたぎった時に、鍋から物が飛び出るように溢れるものがある。これは俗に蝴蝶礬《こちょうばん》というもので、これで礬ができあがる。煮つめてから水甕の中に入れてすます。その上に盛りあがって結晶するものを弔礬《ちょう》といい、きわだって白い。沈下しているものは缸礬《こう》という。棉絮《わた》のように軽いものを柳絮礬《りゅうじょ》という。液汁を煮つめてしまって雪のように白くなったものを巴石という。仙薬をつくる人が煉《ね》って用いるのは枯礬とよばれるそうである。

注

＊1——中国では各種金属の硫酸塩に属する礬をほぼその色によって白、緑（青または皂）、紅（赤）、黄、

胆の五種類に分ける。その代表的なものは白礬、すなわち明礬である。

＊2――『本草綱目』に凝水石とよばれるもので、硫酸カリと硫酸マグネシウムの複塩である。

青礬、紅礬、黄礬、胆礬

皂《そう》＊1＊2、紅、黄＊3などの礬はみな一つの種類からできて、その質が変わったのである。石炭の外側にある母岩〔俗に銅炭という〕の小塊をとり五百斤ごとを炉に入れ、炉には千余斤の煤炭餅〔鞴を使用しない自来風という種類〕を用いる。まわりからこの石を包みかこい、炉の外側に土墻をぐるっと築く《図11-4》。炉の頂上に茶碗大の一つの円孔をあけ、炎を真直に上らせる。穴のまわりは、礬を焼いた滓で厚くおおう〔この滓の使用はいつの時代に始まったかわからない。新しい炉をつくろうとするばあい、古い滓でおおわないとできない〕。その後で底から火を燃やす。その火は十日たってからやっと止める。その穴から金色の光がたち上ることがある〔硫黄をとるのは、後の項に詳しい〕。焼いて十日たち、冷えきってからとり出す。半ばふにゃふにゃとなり粉をまじえているのは別に選び出し、これを時礬といって、紅礬を焼くのに使用する。その中でまじり気なく礦灰の状態にあるものは甕の中に入れ、六時間水に浸し、濾《こ》して釜の中に入れて煮つめる。水十石について一石まで煮つめる。火加減が足り、煮つまってから、上部に結晶するのはいずれもよい皂礬である。下のものは礬の滓である〔あとでつくる炉はこれでおおう〕。この皂礬は染物屋が必要とするものである。中国で、これを煮つめる所はただ五、六ヵ所だけである。五百斤の原石で二百斤の皂礬ができるのが、だいたいの標準である。選び出した時礬〔俗にまた

図11-4　皂礬を焼く

鶏屎礬《けいしばん》という」は、一斤について黄土四両をまぜ、坩堝《るつぼ》に入れて焼くと紅礬となる。左官や漆職人が使用する。

　黄礬のでき方は、また非常に珍しいものである。というのは皂礬を焼く炉の周囲の土墻は、春夏に火と石の精気を受けるので、霜降《そうこう》（新暦十月二十四日ごろ）、立冬（十一月八日ごろ）のころになって冷えてくると、その墻の上に自然にこの種類が吹き出してくる。ちょうど淮水《わいすい》以北で煉瓦の垣に焔消《えんしょう》が生じるようなものである。それを削りとったものが黄礬とよばれ、染物屋が使用する。淡い金色の黄礬を塗ってあぶると、すぐに紫赤色となる。外国から輸入される黄礬で、割ると中に金線があるのを波斯礬《はしばん》（波斯はペルシア）という。これは別の種類である。また山西、陝西では硫黄を山上で焼いてつくり、その滓を地面に捨てる。二、三年後には雨水がしみこみ、成分が麓の溝の中に流入し、自然に皂礬ができる。それをとって市場に出すが、これは製煉を必要としない。その中で色のよいものは、とって石胆《せきたん》にまぜるということである。

　石胆は一つに胆礬《たんばん》*4とよび、やはり晋州、隰《しゅう》州（いずれも山西省）などに産する。やはり山の石穴中に自然と固まってできるものである。だから、緑色で光沢をもっている。鉄器を焼いて胆礬の液中に漬けると、すぐに銅色となる。本草書には五種の礬をのせているが、みなその本質を弁別していない。黒泥のような崑崙《こんろん》礬や、赤石脂《せきせきし》のような鉄礬は、みな西域の産である。

注

*1——皂礬は表題の青礬と同じで、緑礬ともよばれ、硫酸第一鉄の七水化物である。皂は黒色である。『本

草綱目』によると、緑礬を使って皂色に染めるから、緑礬を皂礬というとみえる。
＊2――紅礬は赤礬、絳《こう》礬とよばれ、硫酸コバルトの七水化物。
＊3――黄礬は『国訳本草綱目』の注釈に、「硫酸礬土に水酸化鉄及び硫酸鉄を混ずるもの」とある。
＊4――胆礬は硫酸銅の五水化物。木村康一等編『和漢薬名彙』(一九四六)による。

硫黄

硫黄というものは、石を焼いてできる液を容器に受けて固めるのであるが、書物を書いた人が火で焼くという意味の焚石《ふんせき》を誤って礬石と書いたので、そこから硫黄が礬から出る液であるという説が生まれた。しかし焼いて硫黄をとる石は、半ばは特別にできる白石からとり、半ばは石炭の母岩の中で礬を焼く石からとる。これが礬液説の混入した理由である。また中国で温泉のある所に必ず硫黄があるというが、現在東海、広南の硫黄を産する所には別に温泉はない。これは温泉の水気が硫黄に似ているところから、あて推量でいったのである。

硫黄を焼く石と、石炭の母岩とは同じ形のものである。その石を掘りとり煤炭餅《メイタンビン》でかこんで積み重ね、外側に土をつき固めて炉をつくる《図11-5》。煤炭餅と石とを千斤ずつ中に入れ、炉の上は硫黄を焼いた古い滓でおおい、中央は小高くして一つの円孔をあける。内部の火力がまわった時に穴から黄色の焔と金色の光が出てくる。あらかじめ陶器屋にひとつの鉢をつくらせる。その鉢は中央が高くなって、縁はまきこまれて魚袋[*1]のようになっている。この鉢で穴の上をおおっておく。石の精気が火神と感応しあって、黄色の光となって飛び走ると、鉢にあたってさえぎ

図11-5　焼いて硫黄をとる

られ、上に飛ぶことができないで液状となり、鉢の底にくっつく。その液は袋状の縁の中に流れ入る。その縁に小穴をあけておくと、冷道から灰槽小池[*2]に流れこみ、固まって硫黄となる。石炭の母岩を焼いて皂礬をとるばあいに、黄色の光が上に飛び出た時、やはりこの方法を用いて鉢でおおい、硫黄をとる。硫黄一斤をとると、皂礬三十余斤が減る。礬の精気が硫黄になってしまうので、その滓はもはや廃物である。

火薬の成分のうち、硫黄は純陽のものであり、消石は純陰のものである。陰陽の精がたがいにつきあって音を出し、変化を起こすので、陰陽の力がたまたま不思議な物をつくり出したのである。硫黄は北方の蛮地には産しない。また産出しても製煉してとり出すことを知らないのかも知れない。珍しい大砲が西洋[*3]と和蘭《オランダ》にできているところからすると、東西数万里を隔てても、どちらも硫黄を産する土地である。琉球の土硫黄や広東の水硫黄は、みな誤まって書かれたものである。

注

＊1――中国の官吏が帯に下げた魚形の袋で、その模様によって官吏の等級が区別された。
＊2――図11－5にあるパイプとタンクを指している。
＊3――ここにいう西洋は原文のままで、現在の西洋とはちがう。明代にはほぼシンガポール以西を指して西洋といっており、大砲がこの方面から舶載されたと考えたのである。

砒石

砒霜[*1]を焼く原料は、土に似てそれより堅く、石に似てそれよりもろい。土地を数尺掘ってとる。江西の広信郡、河南の信陽州にはみな砒石の井戸があるので、この石を信石とよぶことになった。近ごろは衡陽だけに盛んに産し、一ヵ所で一万斤もつくる工場がある。

砒石の井戸には、その上にいつも濁った緑色の水がある。まず水を汲みあげてしまってから掘り下げる。砒には紅白の二種[*2]があり、それぞれ産出した原石の色のままに焼きあげるのである。

砒を焼くには、下に土窯をこねあげ、その上に石を積み、上に曲がった煙突をとりつけ、鉄の釜をさかさまに伏せかけて、曲がった煙突の口を塞ぐ《図11-6》。下から石炭を燃やすと、ガスが曲がった煙突の内側でくすぶって釜にくっつく。くっついた層の厚さが一寸ばかりになったころをみて、下の火を止める。出たガスが冷却しきるのを待ってから、また二度目の火を燃やし、前のようにくゆらし付着せしめる。一個の釜の中に数層ができていっぱいになると、とりおろして釜をこわして砒をとる。だから製品となった砒の底に鉄屑があるのは、こわした釜の鉄屑なのである。

白砒をつくるのは、ただ以上の一方法だけであるが、紅砒は分金炉内の銀と銅から出るガスがぱっとひらめいて一瞬にできるものである。[*3]

砒を焼く時に、立っている人は必ず風上へ十余丈以上の所に離れる。風下の近い所では草木でもみな枯れる。砒を焼く人は二年たつと転業する。そうしないと鬚や髪がすっかり落ちてしまう。この物は人が少し食べてもたちどころに死ぬ。しかし毎年千万斤がすぐにさばかれ、売れ残るこ

図11-6　砒石を焼く

とがないのは、山西の地では、豆や麦をまく時に必ずその種子にまぜたり、田の黄鼠《はたりす》の害を駆除するのに用いるからである。寧州や紹州の稲田では、必ず砒霜を用い、早苗の根を漬けて豊収を得る。そうでなくても火薬や染銅[*4]のための需要はたいへんなものである。

注

*1――砒霜は砒石を精煉してできる粉末。
*2――白砒は亜砒酸、紅砒は硫化砒素である。
*3――このところは不明。
*4――銅に亜砒酸を作用させて緑色に染める（村田徳治氏の注意による）。

十二　製油

私はこう思う。天道が昼夜を等分しているのに、人々は夜を日に継いで仕事をなしとげる。これは人が仕事を好み、安逸をにくむからであろうか。もし織女が薪を燃やして明りとし、書生が雪明りで本を読んだというのでは、その成果はどれほどであろうか。草木の実はその中に油を蓄えているが、自ら流れ出るわけにはいかない。水火を媒介とし、木石の力に頼って、初めて流れ出る。こうした人々の営みの聡明さは、いったい何から受け継いだものであろうか。人間が重い物を遠方に運ぶには、船と車を頼りとする。しかも車は僅か一銖《しゅ》の油によって回転し、船は一石の油によって水漏れが塞がれる。この油の働きがなければ船車も役には立たない。野菜を料理するにしても、もし油を用いなければ、泣いている子が乳を失ったようなものである。これらはその効用の一端を述べたにすぎない。

油の種類[*1]

食用となる油は、胡麻〔一名は脂麻《しま》〕、ダイコンの種子、大豆、菘菜《シロクキナ》〔一名は白菜〕の種子からとるのが上等で、蘇麻《エゴマ》〔形は紫蘇に似て、粒が胡麻より大きい〕、芸薹《うんだい》（ウンダイアブラナ）の種子〔江南では菜子という〕、桊《ユチャ》の種子〔木の高さは一丈余り、種子は金罌《きんおう》の実のようで、肉をとり去り仁《じん》を用いる〕、莧《ヒユ》菜の種子の順で、大麻の仁〔粒は胡荽《コエンドロ》の種子ぐらい。その皮をはぎとり縄に使う〕が最下等である。燈火用には桕（ナンキンハゼ）の仁の中の水油が上等で、芸薹、亜麻〔陝西でつくる。俗に壁虱《へきしつ》脂麻と名づける。匂いが悪くて食べられぬ〕の種子、棉花の種子、胡麻〔燈火にすると早くたち消える〕の順で、桐油と、桕の混油*2は最下等である〔桐油の毒気は人をむれさせ、桕油《きゅうゆ》は皮膜ができて固まって澄まない〕。

蠟燭*4をつくるには、桕の皮油*3が上等で、蓖麻《ヒマ》の種子、桕混油の一斤ごとに白蠟をまぜて固めたもの、同じく白蠟を入れて固めた諸種の清油、樟木《クスノキ》の種子の油〔その光は弱くないが、ただその匂いを好かぬ人がある〕。冬青の種子の油〔韶郡《しょうぐん》（広東省）ではもっぱらこの油を用いるが、油の歩留りが悪いのでここに並べておく〕の順である。北方では広く牛脂を用いるが、これは下等である。

胡麻、蓖麻、樟木は、種子一石につき四十斤の油を得る。ダイコンの種子は一石ごとに二十七斤の油を得る〔とりわけ美味で人の五臓を補益する〕。芸薹の種子は一石ごとに三十斤の油を得るが、栽培にあたってよく草取りして地を肥やしてやり、それにしぼり方が丹念であれば、四十斤もとることができる〔一年を経た古いものでは内部が空になり油もない〕。桊の種子では、一石ごとに十五斤の油を得る〔油の味は豚脂に似ていて非常に美味である。そのしぼり滓は、火を起こしたり魚の毒流しにしか使えない〕。桐の種子の仁は、一石ごとに三十三斤の油を得る。桕の種子では、別々にしぼると二十斤の皮油と十五斤の水油を得る。いっしょにしぼると、すべて三十三斤を得る〔これにはごくきれいなものを必要とする〕。冬青の種子は一石ごとに十二斤の油を得、大豆では一石ごとに九斤の油を得る〔蘇州地方では油をとってから、その滓を固めた餅を豚の飼料にする〕。菘菜の種子は一石ごとに三十斤の油を得る〔油は澄んで緑水のようである〕。棉花の種子では、百斤ごとに七斤の油を得る〔初めしぼった時は非常に黒く濁っているが、半月澄ますと、非常にきれいになる〕。莧菜の種子では、一石ごとに三十斤の油を得る〔味ははなはだ甘美ではあるが冷滑*5なのが欠点である〕。亜麻、大麻の仁は、一石ごとに二十余斤の油を得る。以上はそのだいたいである。そのほか、まだ十分に調べていないものや、一部は調べたが他の点がまだわかっていないものとが残っている。

注

*1――油をとる植物の和名を記すと、食用油には胡麻、ダイコン、大豆のほか、菘菜（シロクキナ）、蘇麻（エゴマ）、芸薹（ウンダイアブラナ）、樣（ユチャ）、莧菜（ヒユ）、大麻（アサ）があり、灯火用としては桕（ナンキンハゼ）、芸薹、亜麻（アマ）、棉花、桐（アブラギリ）、樟（クスノキ）、冬青（?）がある。なお、液状のものが油で、ラードのように凝固するのが脂にあたる。

*2――柏混油のことは下文にある。

*3――皮油は桕からとった凝固油。

*4――柏混油の量に一斤とあるが、これにまぜる白蠟の量は明記されていない。

*5――食べると身体が冷え下痢しやすいことを指す。

搾油工程

油をとるには、搾《しぼ》ってとる方法のほかに、二個の鍋で煮てとる方法がある。この方法で蓖麻と蘇麻とを処理する。北京には磨《うす》でとる方法、朝鮮には舂《つ》いてとる方法があり、これで胡麻を処理する。そのほかはすべてしぼってとる方法によるのである。

大きな搾木《しめぎ》では、周囲が一抱えもあり、その中は空洞になっている《図12-1》。材料は樟木が上等で檀と杞《き》とがこれに次ぐ〔杞でつくったものは、地の湿りを防がないと早く腐る〕。この三種の木は、木理がうねうねと長く延び、縦に真直な筋目がないから、力まかせに木槌をふって楔《くさび》を中に打ちこんでも、両端が裂ける心配がない。縦紋のある他の木は使えない。中国の揚子江以外では、一抱えもある大木が少ないから、四本の木をあわせてつくり、鉄たがをはめ、横に栓をさしこみ、その中を空洞にして、いろいろな原料を入れると、ばらばらな木がまる木の用をする。

搾木《しめぎ》をくりあける。その容量は木の大小によるが、大きなものは一石を入れて余りがあり、小さなものは五斗もはいらない。

搾木の中をくりあけるには、まず一本の平槽《みぞ》を彫りあけ、つぼ鑿《のみ》を中に入れて上下を円く削る。下ぞいに一個の小穴を掘り、一つの小さな溝をつくり、油が出た時に容器に流れこむようにする。

平槽はおよそ長さ三、四尺、幅三、四寸である。その木材の大きさに応じてつくるので、一定のきまりはない。溝につめる楔と枋《ほう》*1とは檀と柞子《さくし》の二種でつくるのがよい。他の木ではだめである。楔は斧で削ったままで、鉋をかけない。楔の表面はざらざらしたのがよく、なめらかなのがよくないのは、後戻りする心配があるからである。撞木でつかれる楔は、いずれも鉄輪を首にはめる。裂けないためである。搾油器《さくゆき》の用意ができあがると諸種の麻や菜の種子を釜に入れ、とろ火でゆっくり炒《い》る〔桕や桐などの樹木に属するものは、いずれも炒らないで、ひいてから蒸す〕。香気が立ちのぼってきたら、ひき砕いて蒸すのである。

いろいろな麻や菜の種子を炒るには、深さ六寸ほどの平底鍋を鋳造するのがよい《図12－2》。種子や仁を中に放りこんでせっせとかきまわすが、もし釜底が深すぎたりゆっくり攪拌したりすると、火加減がうまくゆかず、油の質が減る。炒鍋を竈の上に斜めにのせるのも、*2 蒸鍋とはたいへんちがっている。

碾《てん》はまず槽を土中に埋め〔木造ならば鉄片をかぶせる〕、その上から木竿に鉄陀をかませたものを、二人が向かいあっておす。*3 資金が豊かだと、石を積んで牛にひかせる碾をつくる。一頭の牛の力は十人に匹敵する。碾を用いないで磨《うす》を用いるばあいもあるが、棉の種子のばあいはこれである。

ひいてしまったら篩にかけ、粗いものを選びとって、再びひき、細かいものは甑《こしき》に入れて蒸しをかける。蒸気がよくとおると、とり出して稲や麦の藁に包んで餅状とし、その外側にはたがをかける。たがは鉄でつくったり割竹を編みあわせてつくるが、搾木の中の寸法とぴったりあうようにする。

油というものは、もともと気から得られ、無より生ずるものである。甑からとり出した時に包み方がゆるいと、水火でむれた気が逃げ出し、これがために油を減ずる。上手な者は手早くあけ、手早く包み、手早くたがをはめる。たくさん油をとるこつは、これによるのである。油をしぼる

南方榨

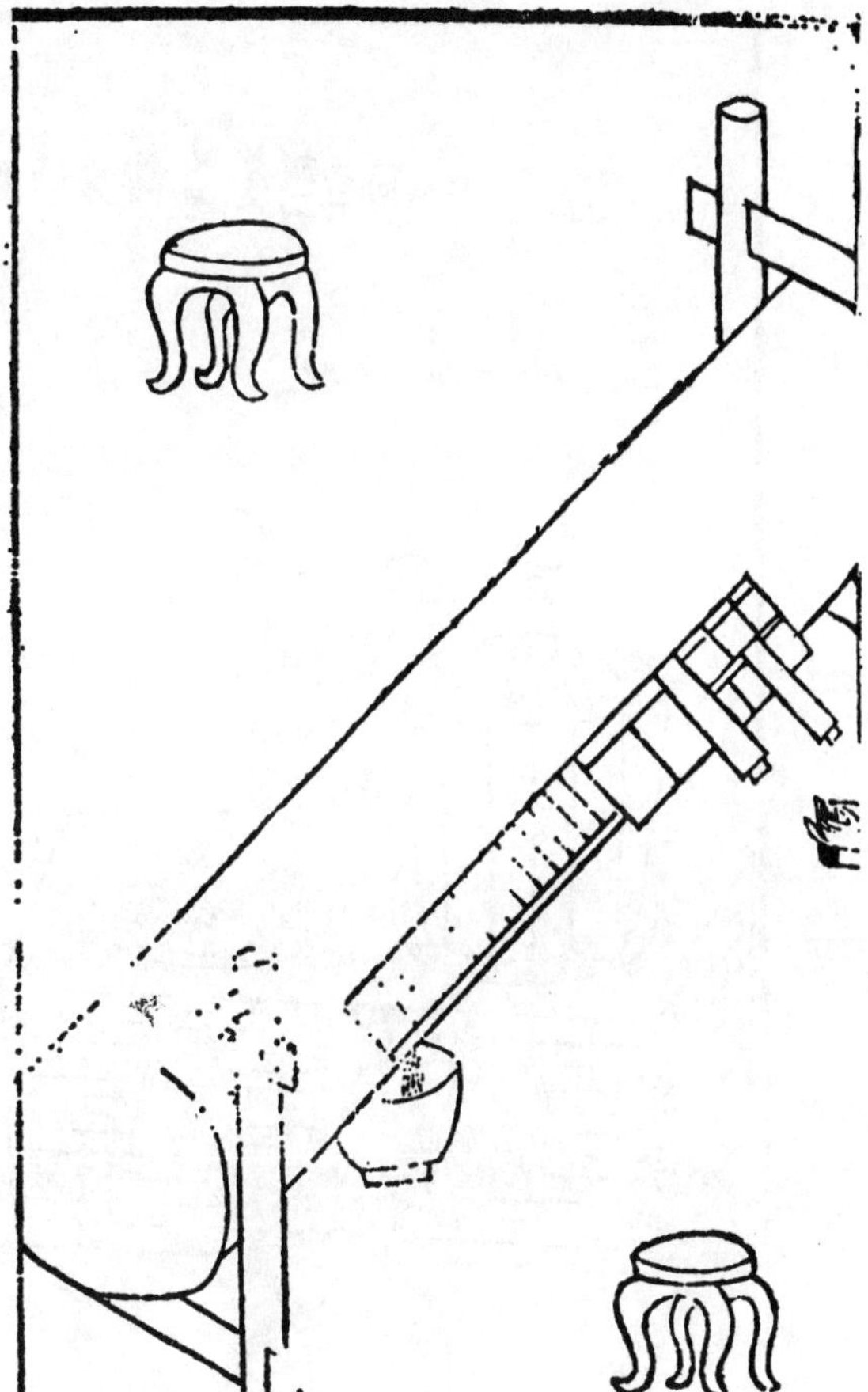

図12-1　南方の搾油装置

図12-2　種子を炒る

職人には、子供の時からやっていながら、老人になっても心得ていない者がある。包みができあがると、搾木の中に挿入し、いっぱいになるにつれ、撞木でついて楔をおしこむと、油は泉のように流れ出る。包みの中には油が出たあとの滓が残る。これを枯餅《あぶらかす》とよぶ。

胡麻、ダイコン、芸薹などの枯餅は、みなもう一度ひき砕き、藁しべをふるい去り、再び蒸し、包んでしぼる。初めにしぼった油を二とすると、二度めには一の油を得る。桕、桐などでは、一度しぼるとすっかり油が流れ出て、二度する必要がない。

水煮法《すいしゃ》というのは、二個の釜を併用する。蓖麻や蘇麻の種子をひき砕き、それを一つの釜に入れ、水をさして沸騰させる。その上に浮かんだ泡がそのまま油である。杓子ですくいとり、水気のない釜の中に流しこみ、その下からとろ火で水気をあぶり乾かすと、油がすぐにできる。しかし歩留りは結局少なくなる。

北方の麻油を磨《うす》でつくる方法は、粗い麻布の袋をねじしぼるのだが、その方法はいずれ明らかにしたい。

注

＊1――枋は側壁に入れる木か。その内側に楔を打ちこむのであろう。

＊2――攪拌しやすいように鍋を手前に傾ける。

＊3――碾は重い石の類をおしころばせて種子をつぶすもので、エッジ・ランナーの類。ここでは木竿にかぶせた鉄陀によってひきつぶす。鉄陀は輪状の鉄塊である。

皮油[*1]

皮油で蠟燭をつくる方法は、広信郡（江西省）に始まった。この方法はきれいな桕の種子をとって、種子のまま甑に入れて蒸す。蒸してから、臼にあけて搗く《図12－3》。その臼は深さ一尺五寸ばかり、きねは石でつくり、鉄嘴《てっさき》を用いない。その石は深山にできて木理の細かななめらかなものを用いる。その重さは四十斤までを限度として削りあげる。上部は横木の先にはめこんで搗く。皮膜の油がすっかりとれて落ちたならば、すくいあげ、盆の中にふるいこみ再び蒸す。包んだり搾木に入れたりするのは、いずれも前法と同じである。

表皮の脂肪がすっかり落ちつくした芯を黒子という。冷たくなめらかな小さな石磨《いしうす》で、熱にやける心配のないものを用い〔この磨も広信郡の深山から採取する〕、赤くなった堅炭で周囲をかこんで熱しながら、黒子を一摑みずつそそぎ入れながら手早くひく。ひき割った時に、あおいでその黒い殻をとり去ると、中身は完全に白い仁となり、梧桐《ごとう》の種子[*2]と変わらない。引きつづきひき、蒸し、包み、しぼるのは前法と同じである。しぼり出された水油は、とても澄んでいる。小さな燈心皿に入れると、一本の燈心草で夜明けまで燃えている。いろいろな清油の及ぶ所ではない。食物に使っても害にはならないが、いやな人は食用にしないだけのことである。

皮油で蠟燭をつくるには、苦竹《まだけ》を切って二つに割り、水中で煮てふやけさせる〔そうしないと粘りつく〕。小さな竹のたがであわせて口のとがった鉄の杓子で油を流しこめば、すぐ一本ができる。芯を中にさしこみ、やがて固まると、たがをはずし、筒を開いてとり出す。或いは棒を削って型をつくり、紙を切り一端をその上に巻いて紙筒をつくり、それに流しこんでも一本の蠟燭ができる。この蠟燭は空気中に放置しても、また暑さ寒さを経ても変質することはない。

注

＊1——皮油はハゼの種子からとった油である。

＊2——梧桐（アオギリ）の種子からとった油は、薬用や食用として、中国では広く使用される。

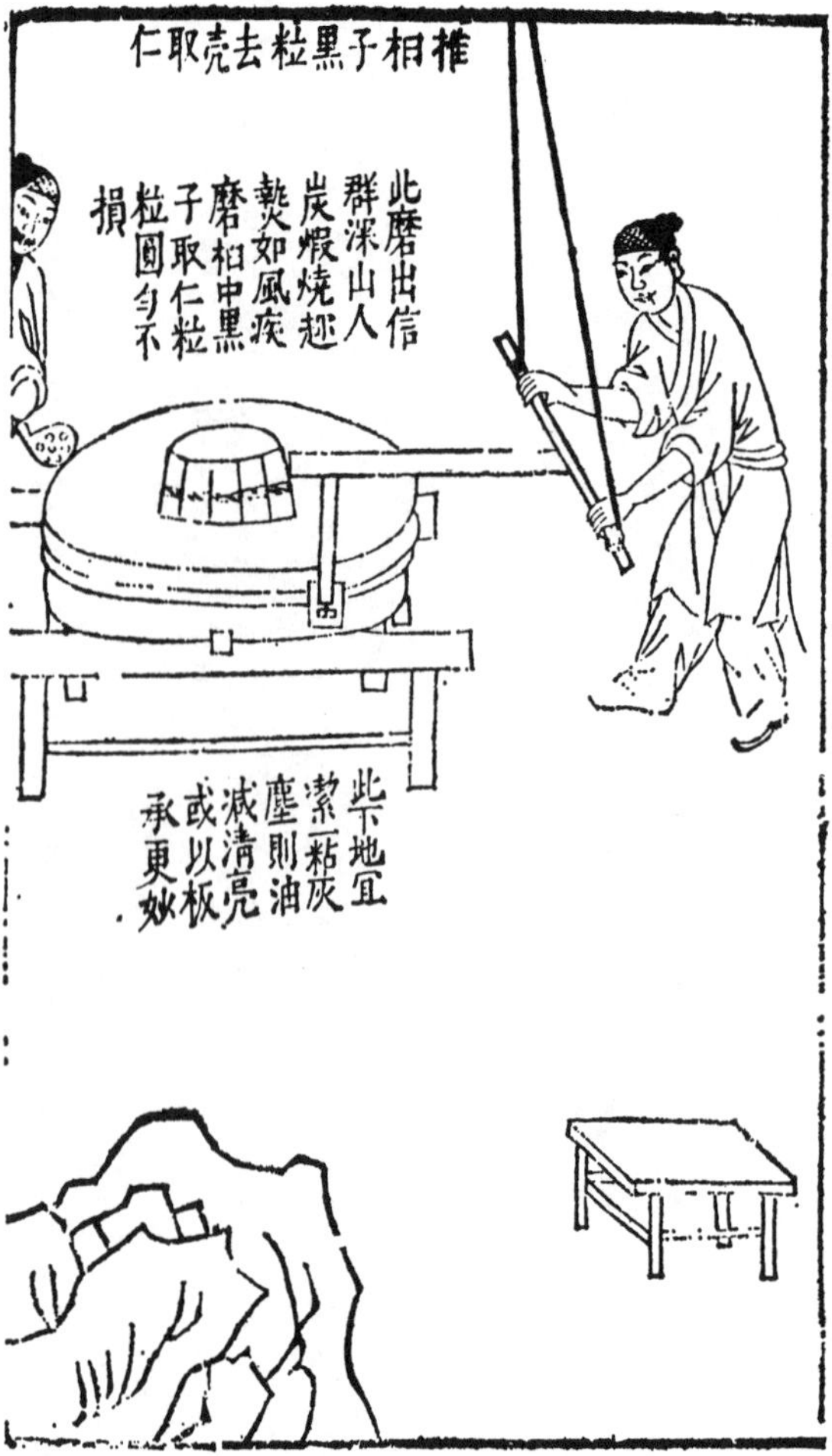
推相子黑粒去壳取仁
此磨出信群深山人炭煅烧趣爇如風疾磨柏中黑子取仁粒粒圓匀不損
此下地宜潔不粘灰塵則油減清亮或以板承更妙

図12-3　種子を搗いたりひいたりする

十三　製紙

私はこう思う。物象の精華や天地の微妙さは、古えから今に伝えられ、中華から外国に広められている。後に生を享けたものはそれらを目でみ、心で識るが、いったいそれらを何に書きしるすであろうか。君主の意が民に通じ、師が弟子に教えを伝えるのに、くどくどした言葉に頼っていては、いったいどれほどの期待ができようか。それに反して一片の沙汰書、半冊の書物でも、それを手にすれば事は達せられ趣旨は通じて、政令は風のようにあまねく太陽の光にとける氷のように容易に行なわれる。ここに天地の間に紙というものの存在する意味があり、聖人も頑愚な者もこれの恩恵を受けている。その本身は竹骨と木皮であり、そのもとの青さを殺《そ》ぐと紙としての白さが生まれるのである。諸家百般の書物は、そのもとはこの紙によるのである。すぐれた紙は書物に使われ、粗末なものは風をさえぎり物を守るのに役立っている。このことは上古に始まっているのに、漢[*1]、晋の人に創始者としての名を独占させておくのは、何と浅はかなことであろう。

注

＊1――通説では、中国の製紙術は後漢の蔡倫に始まる。しかしそれ以前にも紙はあったらしい。しかし上古に始まるというのは著者の臆説である。

紙の材料

紙の材料として、楮樹《カジノキ》＊1〔一名は穀樹〕の皮と、桑穣《そうじょう》、芙蓉《フヨウ》膜＊2などを用いたのは皮紙であり、竹麻＊3を用いたのは竹紙である。精製したものはきわめて真白く、書きもの、印刷、手紙の用にあてる。粗末なものは、火紙、包み紙とする。製紙を殺青《さっせい》というのは、竹を切ることからその名が生まれたのであり、汗青《かんせい》というのは煮ることから名が生じたのである。＊4 簡《かん》というのは、できあがった紙のことなのである。＊5 やはり竹を煮て簡をつくるのであるが、後世の人はそれは竹片を削って記録したものであると疑い、また韋編《いへん》というのは、皮紐に通した竹片であろうと誤解している。秦の始皇帝の焚書以前にも書籍は甚だ多かった。竹を削ったものならば、どれ程を貯えておけようか。また西蕃では貝樹《ばいじゅ》で紙をつくっているという話＊6にしても、中国では貝葉に経典を書くのだと思っている。それは木の葉が根を離れるとすぐ枯れることを知らないのであって、竹を削ったのを使用するというのと同じく、笑うべきことである。

注

＊1――楮をコウゾにあてるのは誤りである。コウゾは中国になく、紙の材料となるのは和名でカジノキとよぶものである。

＊2――桑の枝から皮を剝いでつくった紙を特に桑皮紙とか桑穣紙という。穣は一般に稲類の茎をいうが、

ここでは具体的に桑皮を指すのであろう。芙蓉膜はフヨウ（木芙蓉）の樹皮を指す。
＊3――竹の繊維で、紙をつくる材料。
＊4――殺青、汗青はいずれも青い竹皮を処理することで、昔の中国ではこの上に字を書いて紙の代用とした。『後漢書』呉祐伝には、祐の父恢が竹皮を火であぶってその上に経書を写したとある。著者は竹が紙の代用であった事実を認めようとしない。
＊5――簡というのも、本来は殺青した竹であるが、著者は簡そのものが紙であると主張する。従って下文の韋編に対する見解も誤っている。
＊6――貝葉は貝多羅樹（パルミラヤシ、一名オオギヤシ）で、インドで古くその葉に文字を書いた。この点でも著者は誤っている。

竹紙のつくり方

竹紙をつくることは、南方が始まりで、福建省が特に盛んである。筍の生えた後で山窩《さんか》＊1の深浅を調べる。枝葉が生えようとしている竹を上等の材料とする。時期は芒種（新暦六月六日ごろ）を境として、山に上って竹を切る。五、七尺の長さに切断する。その山に一個の溜池を掘り、中に水を満たして切断した竹を漬ける《図13－1》。池の水が時に涸れる心配があれば、竹樋でざあざあと水をそそぎ入れる。百日以上漬けてから、手を加える。槌で打ってから洗い、粗い表皮と青皮とを洗い去る［これを殺青という］＊2。その中の竹麻の状態は苧麻《カラムシ》のようである。上等の石灰を水にとかした液を塗り、簀《す》の子のある桶に入れて下から火で煮立てる。八昼夜を標準とする。その竹を煮る下鍋は直径四尺のものを用い、鍋の上は泥と石灰でふちをつくる《図13－2》。その

図13-1　竹を切り溜池につける

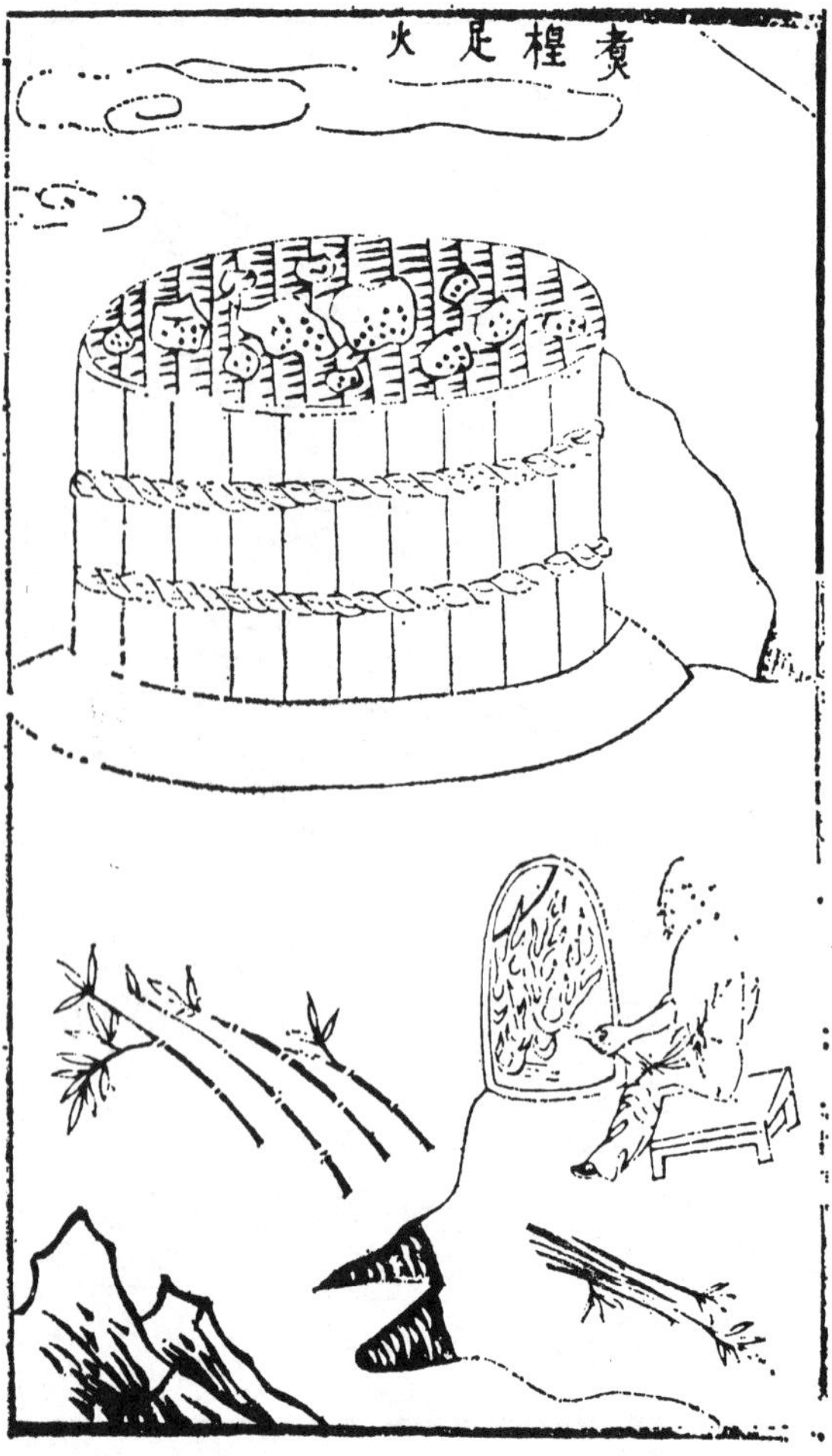

図13-2　竹を十分に煮る

大きさは広東で塩を煮る牢盆《ろうぼん》と同じである。中に十余石の水を入れることができる。上に簀のある桶をのせる。その周囲は一丈五尺、直径は四尺余り、しっかりのせてから煮る[*3]。たっぷり八日たつと、火をとめて一日おき、桶をあげて竹麻をとり出し、洗い池の清水に入れて洗浄する。その溜池の底や四方には、みな板を張りあわせて敷きつめ、それで泥汚を防ぐ〔粗紙をつくる時はこれをする必要がない〕。洗浄したら、灰汁《あく》に漬けて再び釜の中に入れ、その上を平らかにし、稲藁の灰を一寸ばかり平らに敷く。桶の中の水がわき立つとすぐに別の桶の中にとり出し、更に灰汁をそそぎかける。もし水が冷却したらわき立たせて再びそそぐ。このようにして十余日たつと自然に腐る。とり出して臼に入れて搗くのである〔山国にはみな水碓がある〕。搗いてどろどろの穀粉のような状態になると、槽の中に流しこむ。

抄紙槽《しょうしそう》は上の部分が四角な桝であり、その大きさの寸法については、槽《ふね》は用いる簾の大小により、簾はつくる紙の大小によってきまる《図13－3》。竹麻ができあがると、槽の内の清水に表面から三寸ばかり浸し、紙薬[*4]〔形は桃竹葉と同じである。地方によって名はまちまちである〕の液をその中に入れる。水分が乾くと自然に真白になる。

抄紙簾《しょうしれん》は、みがいた非常に細い糸状の竹で編む。巻いたのをのばしてひろげる時に、その下に縦横の架匡《さん》がある。両手で簾をもち、水に入れて竹麻をすき起こす。それが簾の中にはいる時の厚薄は、手加減次第であって、軽くゆり動かすと薄く、激しくゆり動かすと厚くなる。竹麻が簾に浮かんだ時、水が四隅から槽の中にたれ落ちる。その後で簾をひっくりかえし、紙を板上に落とす《図13－4》。紙をたくさん積み重ね、適当な数量になると、上から板でおさえ、縄で縛っ

図13-3　竹麻を簾ですく

図13-4　簾をひっくりかえし、紙を積み重ねる

透火焙乾

図13-5　火を通して紙をあぶり乾かす

て棒を入れ、酒をしぼるようにする。水気がすっかりなくなって乾いたら、細い銅の毛抜で一枚ずつめくり、あぶり乾かすのである。

紙をあぶるには、まず煉瓦を積んで狭い二重の壁をつくり、煉瓦でその間の部分をおおう《図13－5》。数塊ごとに一個の煉瓦をあけておく。薪を一方の火口から燃やしつけると、火気は煉瓦の隙から二重の壁の外へとおり、煉瓦はすっかり熱くなる。そこで湿った紙を一枚ずつ上に貼ってあぶり乾かし、乾いたらはがして帙《ちつ》とする。

近ごろ大四連という広い紙は、にわかに書き物としてもてはやされる。ほご紙は朱や墨の汚れを洗い去り、よく水に漬け、槽に入れて再びすき直す。初めに行なった煮たり漬けたりする手間はすべて省けて、やはり紙ができ、その目減《めべ》りも多くはない。しかし竹が安価な南方では、そういうことはしない。北方ではたとえ少しの紙屑が地面に落ちていても、かたっぱしから拾いとって再製する。これを還魂紙《すきかえし》と名づけている。

竹紙と皮紙とは、その精粗ともつくり方は同じである。火紙や粗末な紙なども、竹を切り、竹麻を煮、灰汁をそそいだりするのはいずれも前法に同じである。ただ簾からはずした後は火であぶらないで、おさえて水気を去り、日にさらして乾かすだけである。盛唐の時には鬼神を祭ることが盛んで、紙銭〔北方では細長く切った紙を用い、板銭とよんだ〕をもって絹布を焚く代わりにした。だからこれをつくる者は火紙とよんでいる。荊楚《けいそ》での近ごろの習俗では、一度焚くのに多い時は千斤にも達することがある。この紙の七割は祭事に焼くのに供し、三割は日用にあてる。紙の中で最も粗末で厚いものを包装紙という。それは竹麻に、刈り残しの晩稲の藁をまぜてつくったものである。

鉛山（江西省）の諸邑でつくった手紙用の紙は、すべて上等な竹の材料を用いる。厚手にすきあげて高い価で売る。最も上等のものを官柬《かんかん》という。富貴の家では名刺に用いる。その紙は厚ぼったくて筋目がない。紅色に染めて祝い紙とするには、まず白礬水で染めてから、紅花汁をかけるという。

注

＊1――山窩の意は不明である。
＊2――前条の＊4を参照。
＊3――寛政十年に成った国東治兵衛の『紙漉重宝記』にも同じような桶を使用している。
＊4――粘着剤として用いるもので、わが国ではトロロアオイ（黄蜀葵）の根を浸出した粘汁を使用した。

皮紙のつくり方

楮樹《カジノキ》は春末夏初にその皮をはぎとる。もはや老成している樹では、根のところから切りとり、あとを土でおおっておけば、翌年には再び新しい枝がのび、その皮は特別によい。

皮紙は楮皮六十斤に、非常に軟らかい竹麻四十斤を加え、いっしょに溜池に漬ける。石灰の液を塗り、釜に入れてどろどろに煮る。近ごろ材料を節約する方法では、楮皮と竹麻を七割として、或いは刈りおきの稲藁三割を入れ、紙薬をうまく使ってやると、やはり真白くなる。

楮皮を材料とした堅い紙は、縦にさくと木棉糸のようである。だから綿紙という。横に破るには力がいる。その最上等なもので、禁裡に御用立てして窓枠に張るものは欞紗紙《れいしょうし》という。この紙は広信郡でつくる。長さは七尺以上、幅は四尺以上である。五色の絵具は先に染料を槽の中に滴らせてまぜておくのであって、後染《あとぞめ》の法によらない。その次のものを連四紙という。連四紙の中で最も白いものを紅上紙という。皮紙とはいうものの、それに竹と稲藁をまぜて材料としたものを、掲帖呈文紙という。芙蓉などの皮でつくったものは小皮紙と総称する。江西では中夾紙という。河南でつくるのは、どういう草木を材料とするかは、明らかでないが、北方の帝都に供するので、その生産もはなはだ多い。また桑皮でつくったものは桑穰紙といい、非常に厚ぼったい。浙江の東部でつくられ、三呉[*1]で蚕卵を収めるばあいに、必ず使用する。

雨傘や油団扇に張るには、みな小皮紙を用いる。大判の皮紙をつくるばあいは、水を入れた槽は非常に広く、大きな簾は一人の力では扱えないから、二人が両方からもちあげてゆり動かす。欞紗紙のようなものは、数人でやっととり扱える。

画幅に用いる皮紙は、まず白礬水に漬ける。するとけば立たない。紙は簾に向いたほうを表とする。それは材料がたとえよくとけていても、上に浮かんだものには、まだあらさが残っているからである。朝鮮の白硾紙《はくすい》は、どういう材料を使ったかは知らない。日本では、紙をつくるのに簾ですかないものがある。それは材料を煮てどろどろになった時に、大きな青石で炕《おんどる》の表面をおおい、その下で火を燃やし石を焼く。その後で糊刷毛をどろどろの液にひたし薄く石の表面に刷くと、なんとたちまちにして一枚の紙となり、そのままぱらりとめくりとれる。朝鮮で、この方法を用いるかどうか知ることはできない。中国でもこの法を用いる者があるかどうかもわからない。

永嘉（浙江省）の繭《けん》糨《きよう》紙も、桑穰でつくる。四川の薛濤牋《せっとうせん》も芙蓉の皮を材料とし、どろどろに煮て、芙蓉の花の粉末をとかした汁を入れる。この方法はむかし薛濤[*2]が教えたものであろうか。今日までその名を留めている。その美しさは色にあって材料にあるのではない。

注

＊1――三呉は南北朝以来の言葉で、太湖の沿岸にある三都会、すなわち蘇州、宜興及び呉興もしくは嘉興を指す。

＊2――薛濤（七六八―八三一）は唐の名妓。長安に生まれ、父と共に四川に移住した。当時の文人との交りが多く、彼女が詩文を書いた紙は小型で、地色によって松花牋とよばれ、もてはやされた。

下巻

十四　製錬[*1]

私はこう思う。人には十の等級[*2]がある。しかし上は王公から下は最下級の役人に至るまで、その一つを欠いても社会の秩序は成立しないのである。大地が五種の金属を生じ、天下の人々とその後世に利用されるのも、その意味はやはり同様である。貴重な金属は、千里をへだててたまたまその産地があり、いかに近くても五、六百里は離れている。しかし賤しい金属は、交通の便がやや困難なところでは、必ず広く産出するものである。黄金の上等のものになると、その値は鉄の一万六千倍にもなるが、しかし鉄でつくった釜、鍋、斧の類が日用の役に立たなければ、たとえ黄金を得ても、値が高いだけで人々には無益であろう。有無を通じ売買と貯蔵を司る『周礼』泉府[*3]の役目は、万物の生命に関するところというべきである。しかし金属の善悪を分別し、その軽重を指摘することは、果して誰が真先に始め、それを永遠に用いられる標準としたのであろう。

注

＊1――原文の「五金」とは金、銀、銅、鉄、錫であるが、ここは金属の製錬を説いているので、内容から表題を製錬とした。

＊2――『左伝』昭公七年の条に、王に始まる官吏の等級を王、公、大夫、士、皁《そう》、輿、隷、僚、僕、臺とする。

＊3――『周礼』地官の条にみえる。

黄金

黄金は金、銀、銅、鉄、錫などの五金の長で、とかして器具に仕上げてしまうと、いつまでも変化しない。銀は竪炉《たてろ》に入れても目減《めべ》りしないが、ただ火加減が十分な時に鞴《ふいご》を吹くと、火花が散って現われたかと思うとすぐに消えてしまう。再び鞴を吹くと、もう沈んで現われない。しかし黄金のばあいには、力をこめて吹くと、一吹きするごとに火花が散り、激しく吹けば吹くほどいよいよ現われてくる。黄金の品質が貴ばれるわけである。

中国で金を産出する地域は、およそ百余ヵ所もあって、一々数えられない。山の岩から出るものでは、大きなものを馬蹄金といい、中ほどのものを橄欖《かんらん》金、帯胯《たいこ》金といい、小さなものを瓜子金という。水中の砂から出るものでは、大きなものを狗頭《こうとう》金といい、小さなものを麩麦《ふばく》金、糠《こう》金という。平地に井戸を掘って得られるものは麪砂《めんさ》金といい、それの大きいものは豆粒金という。いずれもまず洗ってから製錬して塊とする。

金は西南地方に多く産出する。採取者は山に十余丈もの深さの穴を掘って伴金石がみつかると、すぐに金を見出すことができる。この伴金石は褐色で一端は焼けて黒くなったようである。水中からとれる金は雲南の金沙江〔昔は麗水といった〕に産する。この水源は吐蕃《とばん》（西蔵）から出て、めぐって麗江府に流れて北勝州に至るまで全長五百余里で、その中間の数ヵ所で金を産する。また四川北部の潼川《どうせん》などの土地、湖広の阮陵《げんりょう》、溆浦《じょほ》などでは、いずれも揚子江の砂の中から金を洗い出している。数多くの中には、たまに一塊の狗頭金を得ることがあり、それは金母とよばれる。ほかはいずれも小麦粉のようで、炉に入れて製錬する。とりたては浅黄色であるが、再錬すると赤くなる。儋州《たん》や崖州《がい》（海南島）には金田があり、金が砂の中にまじっていて、深く探さないでも得られる。しかし、度々採取すると、もはや産出しなくなる。長いあいだ洗いとっていると、あっても限りがあるものだ。嶺南（広東・広西の地方）の蛮人である獠《ろう》が住む洞穴中の金は、とり立ての時は黒い鉄屑のようである。これは深く数丈掘って黒く焦げた石の下から得られる。採取した直後には、咬むと軟らかい。呑んで腹に隠す坑夫もあるが、それでも害はない。河南の蔡《さい》、鞏《きょう》などの土地、江西の楽平、新建などの土地では、みな平地に深い井戸を掘り、細かい砂をとり、水で洗い製錬するが、せいぜい工賃が出る程度で、儲けは幾らもない。だいたい中国では千里を隔てて一ヵ所の産地がある。『嶺表録』[*1]に「土地の人で鵝鳥や鴨の糞から金の切れ屑を洗い出す者がある。一日に一両もとることがあるかと思うと、全く何もとれなかったりする」といっているが、これはでたらめな記述であろう。

金というものは非常に重い。銅の一寸四角の重さが一両のばあいに、銀では同じ大きさで重さ三銭を増し、銀の一寸四方の重さが一両のばあいに、金は同じ大きさで二銭を増す。[*2]

金の性質は軟らかくて柳の枝のように曲げられる。その上等下等を色で分けると、七青、八黄、九紫、十赤[*3]に分かれ、試金石「この石は広信郡の川の中にきわめて多い。大きなものは枡ほどもあり、小さいものは拳ぐらいである。熱湯中に入れて一度煮ると、黒くて漆のようである」の上にこすりつけてみると、すぐ見分けがつく。

足色金[*4]に他の金属をまぜてごまかして売るばあい、まぜられるのは銀だけであって、それ以外のものはだめである。この合金から銀を除いて金だけを残そうとすれば、合金を薄片に打ちのばして小さくたち切り、一塊ごとに泥土で包んで坩堝の中に入れ、硼砂とともにとかすと、銀はすぐに土の中に吸収され、金は流れ出て足色金となる。その後で土に鉛を少しばかりまぜ、別に坩堝の中に入れ、土の中の銀を引き出すと、微量の銀まですっかり残る。

色の中でも金色というものは、この世で最も美しく貴いものである。だから加工して箔とし彩飾に用いる。金七厘ごとに一寸四方の金箔一千片がつくれる。これを物の表面に貼りつけると、縦横三尺をおおうことができる。

金箔をつくるには、まず金を薄片としてから、烏金紙の中に包みこんで、力まかせに槌で打ちのばすのである「金を打つ槌は柄が短く、その重さは約八斤」。烏金紙は蘇州、杭州で生産される。その紙は東海に産する大きな竹の繊維[*5]を原料に用いる。豆油の燈をともし、周囲をふさぎ、ただ針ほどの穴だけを残して空気を通ずる。この煙にくすべられて烏金紙ができる。紙一枚ごとに金箔を五十回打ってから棄て去るが、あとは薬屋の朱の包み紙に使われて、それでもまだ破れない。人知によってこんな不思議な物ができたのである。

この紙の中で箔にしてから、まずよくなめした猫皮を貼って小さな四角の板台をつくり、さらに線香の灰を皮の上にまき、烏金紙にはさまれた箔をとり出してその上にのせる。それを鈍刀で区切って一寸四方とし、息をとめ、手にもった軽い棒を唾でしめして、それで金箔をはね起こして小さな紙の中にはさむ。これで物を飾るには、熟漆《じゅくしつ》を地に塗ってから貼りつける〔字に貼るばあいは多く楮《カジ》の木の液汁を用いる〕。陝西で皮金《きんからかわ》をつくるばあいには、羊皮をなめし広げて非常に薄くし、金箔をその上に貼ってたち切り、服飾に用いられるようにする。きらきらとしてすぐれた色がある。

金箔を物に貼り、後日これを棄てる時は、金箔を削りとってから焼くと、金はやはり灰の中におさめられており、これに数点の清油をたらすと、油とともに落ちて底に集まる。それを洗って炉に入れると、金は少しも失うことなく回収できる。

金色にみせるのには、たとえば、杭州の扇は銀箔を材料とし、紅花の種子からとった油をそれにはきつけて、火であぶって金色とする。広南の商品は、蟬のぬけがらを水に調合して、絵を描き、火でさっとあぶって金色としているが、これはほんとの金色ではない。金で器物をつくった時、ところどころ色のうすいものができたばあいは、そこに黄礬を塗り、炭火であぶるとすぐに赤宝色となる。たとえ風化して次第にぼやけてきても、火にあぶるとすぐもと通りになる〔黄礬は「焙焼」の巻に詳しい〕。

＊1――また『嶺表録異』ともいう。唐の劉恂《りゅうじゅん》の著。広東地方の物産や風土を書いたもので、三巻より成る。ここの引用文は上巻にみえる。

＊2――金、銀、銅の比重は、たとえば温度二〇度で、一九・三、一〇・五、及び八・九で、この文から算出した比重とはかなりちがう。金属の純度が十分でなかったのであろう。このような比重の数値については、すでに六朝時代の数学書『孫子算経』にみえる。

＊3――色によって金を十等に分け、その第七を青、第八を黄、第九は紫、最も純度の高い第十を赤としたものであろう。

＊4――明の曹昭の『格古要論』中巻には、赤色のものを足色金とよぶ。

＊5――原文には竹膜とあるが、製紙（殺青）の条の竹麻と同じものであろう。

銀

中国での銀の産地としては、古く浙江、福建に鉱山があったが、明代の初めに採掘したりやめたりした。江西の饒《じょう》、信、瑞の三州には銀鉱があるが、まだ採掘していない。湖広では辰州に産し、貴州では銅仁に産し、河南では宜陽の趙保山、永寧の秋樹坡《しゅうじゅは》、盧《ろ》氏の高觜児《こうしじ》、嵩《すう》県の馬槽山、四川では会川の密勒《みつろく》山、甘粛では大黄山などがいずれも良鉱である。その他は一々数え立てられない。しかし銀の産出にも限りがあるので、採掘者は採掘のたびごとに数量が足りないと財産を提供して賠償する。[*1] 法が厳重でなければ、盗掘争いから騒ぎを引き起こすことになる。だから禁令は苛酷とならざるをえない。河北や山東などでは、地気が寒く石がやせていて金銀を産しない。だから鉱山を開いて銀を製錬するのは、これら八省の産額を合しても、雲南の半ばに匹敵しない。

雲南だけが長く続けて行なうことができる。雲南の銀鉱は楚雄、永昌、大理が最も盛んであり、曲靖《せい》、姚安《ようあん》がこれに次ぎ、鎮沅《ちんげん》がこれに次ぐ。

石山の穴に鉱砂*2があると、その表面にころころして少し褐色を帯びた小石が現われ、それが分岐して鉱脈をつくっている。採掘者は十丈とか二十丈とか穴を掘るので、その工程はとても日月では計れない。土中の銀苗《ぎんびょう》*3を探しあててから礁砂*4のありかがわかる。

礁砂は深い土中にあって枝のように分かれている。人々は銀苗に沿って道を分かち、横に掘って探すのである《図14－1》。坑道には支柱を立て、板を天井にかけ渡し崩れ落ちるのを防ぐ。坑夫は燈をかかげ鉱脈に沿ってくわで掘り、母岩がみつかるまで掘り進む。土中の銀苗には黄色をした細かい石があったり、或いは土や石の隙間にもつれた糸のようになったものがあり、これが出ると母岩のありかに近い。

銀を含む鉱石を礁といい、それの非常に細かいものを砂といい、表面に枝のような筋のはいったものを鉱といい、その外側を包んでいる石塊を母岩という。この母岩は、大きなものは桝ほどもあるが、小さいものは拳大である。これは棄ててよい廃物である。礁砂の状態は石炭の下に密着した石のようで、そんなに黒くはない。品質には数等ある〔経営者は穴を掘って砂をとると、まず役所に差出して調べてもらう。役所はその後で税をきめる〕。掘り出した土は桝ではかり、製錬工に渡す。品質のよいものは、一斗について六、七両、中等のものは三、四両、下等は一、二両の銀がとれる〔礁砂がひどくぴかぴかするのは、精華がもれていて、かえって銀は少ししかとれない〕。

礁砂を炉に入れるには、まず選別してきれいに洗う。その炉は土で大きな台を築き、高さ五尺ばかりとする。底に磁器の屑、炭灰を敷き、炉ごとに二石の礁砂を入れる。栗材の木炭二百斤をまわりいっぱいに積み重ね、炉の傍に一つの煉瓦の塀を築き、その高さも幅も一丈余りとする。鞴《ふいご》を塀の背後におき、二、三人が力をあわせて鞴をおし、管から送風する《図14-2》。塀で炎熱を防ぐので、鞴を扱う人は初めて安全である。木炭が燃えきると、長い鉄箸で木炭をつぎ入れる。風と火の力がまわると、礁砂がとけて塊となる。この時には銀は鉛（原鉱に含まれる）の中に隠れていて、まだそこから抜け出してこない。だいたい二石の礁砂で、重さ約百斤の塊をとかし出す。十分冷やしてとり出し、別に分金炉に入れる。これは蝦《が》蟇《ま》炉ともいう。内部を松炭でとり囲み、一個の穴をあけて火加減を見分ける。その炉には鞴をとりつけたり、団扇であおいだりして火熱がまわれば、鉛は沈下して沈澱物となる[5]《図14-3》〔その沈澱物は蜜陀《みつだ》僧《そう》のような状態になってしまう。別の炉に入れて製錬すると扁担鉛《へんたんえん》となる〕[6]。たびたび柳の枝を穴からさし入れて燃やすと、鉛がすっかりなくなり、宝物の銀がかたまって現われ出る。この初めにできた銀を生銀（粗製品）ともいう。流し固めても糸紋がない。たとえ再び火を通しても、真中にただ一点の円星が現われるだけである。雲南の人は、これを茶経といっている。後で少しばかりの銅を入れ、更に鉛の力をかりてとかし、その後で土槽に入れると糸紋ができる〔糸紋は必ず土槽に流すと現われる。四囲をしっかり囲むと、銀気があふれてにげ出すことはない〕。

楚雄に産するものは、またその製錬の方法が変わっている。そこの穴の中の礁砂は鉛分がはなはだ少ないから、各地から鉛を買い入れて製錬を助ける。礁砂百斤ごとに二百斤の鉛を炉の中に

開採銀
礦
苗

図14-1　銀鉱石を採掘する

鎔焦結銀與鉛圖

図14-2　鉱石をとかし銀と鉛を製錬する

沉鉛結

図14-3　鉛を沈めて銀をとり出す

分金爐清錫底

図14-4　分金炉で銹底を製錬する

入れ、そのあとで通風製錬して塊とする。それから再び蝦蟇炉に入れ、鉛を沈め銀をとるのは、同じやり方である。宝である銀をつくり出すには、さらに別の方法はない。錬金術師の書物や本草家の書物には、理屈にあわないでたらめな説があり、まことに煩らわしいことである。

だいたい大地の精気によって金を産する所では、その周囲三百里に銀がなく、銀を産する所ではその周囲三百里に金がない。造物者の意図はこれによってもよくうかがわれる。人夫が泥塵を掃き集め、それを水に入れてゆすいで製錬したものを淘厘《とうり》錙《し》という。一日の手間で、少ないばあいは、得る分量が三分、多いばあいはその二倍である。銀というものは、すべて日用の鋏や斧の刃についた残り滓や靴底についたりして街路にまかれたり、家々の掃き屑が河岸に棄てられたりして、その中にあるものである。浅い土の表面では銀を生むことはできない。

銀が世間で用いられるばあい、紅銅と鉛の二物だけはまぜて偽物とすることができる。細かい銀屑をあわせてとかし固め、さらにまぜものをとり去って純粋なものをつくろうとするには、高炉の火の中におかれた坩堝で十分製錬し、硝石を少しばかりまくと、銅、鉛はみな坩堝の底に溜まる。これを銀銹《ぎんしゅう》という。灰池の中に落ちたものを炉底[*7]という。銀銹と炉底をいっしょに分金炉に入れ、炭火を土製の甑の中につめこむと、鉛が先にとけて低いほうに流れる。銅とそれにくっついている残りの銀とを、鉄箸でつついて切りはなすと、きれいに分離してみだれあわない《図14－4》。これまた人工と天工とが、その作用の一面を発揮したものである。炉の形式はあわせて図に示しておく。

注

＊1――原文には「括派以賠償」とあるが、この意はやや不明である。
＊2――鉱物の所在を示す最初の手がかりとなるものであろう。
＊3――小野蘭山の『本草綱目啓蒙』には「シロカネのスジと云て石に筋あるに傍て掘行ときはアラカネを得、其スジをカナヅルと云、漢名龍口（広東新語）と云、一名銀苗（天工開物）」とある。
＊4――礁砂は＊3にいうアラカネで、鉱石の砂状になったもの。
＊5――いわゆる灰吹法で、溶融点の低い鉛は灰の中にとけ沈み、銀と鉛とが分離される。
＊6――扁担鉛のことは「鉛」の条にみえる。
＊7――これは分金炉の底に沈澱したもの。＊5参照。分金炉の底には灰がまかれ、その中央が凹んで、いわゆる灰池となっている。

付記　朱砂銀

いかさまの錬金術師はいろいろな方法で人を惑わすが、特に朱砂銀には愚人は惑わされ易い。その方法は鉛を入れた朱砂を銀と等分に坩堝に入れて密封し、三七二十一日のあいだ温めると、朱砂が銀気を吸収する。[*1] それを火に通すと至宝となる。えり出した銀は、形はあるが本質は失われて、石ころ同然の死物である。これに鉛を入れて製錬する時には、火につれてぽろぽろ砕け、さらに何度も火を通すと、ほんの少しも残らないで、朱砂と燃料の代価を損するだけである。愚者は欲に迷っていまだに無知であるから、あわせてここに記しておく。

注

*1――丹砂、辰砂ともいい、赤色をした硫化水銀である。「朱墨」の項に詳しい。

銅

世間で使用される銅のうち、山から自然に産出するものや炉から出るものは、ただ赤銅*1だけである。しかしそれに炉《ろ》甘石《がんせき》*2とか亜鉛をまぜると、色が変わって黄銅となる。また砒素などの薬品で製錬して白銅*3とし、礬石や硝石などの薬品を入れて製錬して青銅*4とし、広錫をまぜて響銅とし、亜鉛をまぜとかして鋳銅とする。しかし最初の材料はもっぱら赤銅という種類だけである。

銅坑はどこにでもある。『山海経』*5に「銅を産出する山は四百三十七」といっているが、この言葉は何かよりどころがあるのだろう。現在中国で使用する銅は、西は四川、貴州から最も盛んに産出する。東南地方では海路を船で運ばれてくる。湖広の武昌、江西の広信には、いずれも銅山が多い。江西の衡、瑞などの土地には最下品を産する。蒙山銅というのは、鋳物に入れてまぜることがあるが、製錬して硬いものとすることができない。

銅を産出する山では、土と石とがまざり、数丈の穴を掘って銅を得るが、なお母岩がその外を包んでいる《図14－5》。母岩の状態は薑石《きょうせき》*6のようで、銅の小粒を含んでいる。これは銅璞《はく》ともよばれ、製錬するとやはり銅が流出するのであって、銀の母岩が廃物であるのとは同じでない。銅砂が母岩に包まれる状態は同一ではない。大小があり、明暗があり、鍮《ちゅう》石のようなものもあれば、薑鉄のようなものもある。土滓を洗いすすいでから炉に入れて製錬する。別に銅気がむれあ

図14-5　銅と鉛を採掘する

化銅
淘淨銅砂

図14-6　銅をとかす

がって外へあふれたものは自然銅であり、また石髄鉛ともいう。

銅には数種がある。全体がすべて銅で鉛や銀を含まないものがある。竪炉で製錬するだけで銅ができる。しかし鉛といっしょになっているものでは、これを製錬する炉の形式では、炉の横に高低二ヵ所の穴をあける《図14-6》。鉛が先にとけて上の穴から流出し、銅はあとにとけて下の穴から流出する。日本に産する銅には、銀の母岩に包まれているのがある。これは炉に入れて製錬する時、表面に銀が集まり、銅は下に沈む。商船によって中国に運ばれてくるものを日本銅という。その形は縦長の細い板状である。[*7] 漳州《しょう》（福建省）にはこれを手に入れると、炉で再錬して僅かの銀をとり出してから、銅を薄い餅状にとかし固め、四川の銅と同じようにして売り出す者がある。[*8]

紅銅を黄色になるまで製錬して鍛造用とするには、粉炭〔この石炭は粉のように細かく、それを泥で固めて餅状とする。送風しないでも、真赤になると昼から夜までもつ。江西では袁《えん》郡と新喩の町に産する〕百斤を用い、炉の内で焼く。素焼の坩堝に銅十斤を入れ、ついで炉甘石六斤を入れ、炉の中におくと自然にとける。後世になって、この方法では、炉甘石の煙がたくさん飛び散るので、改めて亜鉛を用いることにした。紅銅六斤ごとに亜鉛四斤を入れ、順次坩堝に入れてとかし、冷却しきってからとり出すと、すぐ黄銅になって、思いどおりに鍛造できる。

銅で楽器をつくるには、山からとれた広錫で、鉛分のないものをまぜる。鉦〔いま鑼《ら》という〕、鐲《たく》〔いま銅鼓という〕の類はみな紅銅八斤に広錫二斤をまぜる。鐃鈸《にょうばち》は銅と錫をまぜ、さらによく製錬する。

安価な鋳物は紅銅と亜鉛とを均等にまぜる。ひどいばあいには、鉛六銅四の割合である。高価なものは三火黄銅、四火熟銅というが、それらは銅七鉛三の割合である。

安い偽の銀をつくるには、ただ純粋な紅銅だけが混入できるが、亜鉛、砒素、礬石などが少しでもはいっていると永久にまざりあわない。しかし銅を銀に混入すると、白い銀が急に紅色となる。それを竪炉で再錬すると、銀と銅とが分離してたちどころに分かれ、すっかり純粋なものになるのである。

注

*1――赤銅は紅銅とも書かれている。純度の高い自然銅の類である。
*2――炉甘石は天然の炭酸亜鉛で、菱亜鉛鉱のこと。
*3――わが国で白銅といえば、銅とニッケルの合金である。
*4――わが国で青銅といえば、銅と錫の合金である。
*5――『山海経』中山経の条にみえる。
*6――『本草綱目』には形状は薑《しょうが》のようだとある。土石中に生ずるという。
*7――いわゆる棹銅と称するもので、この形をした銅が日本から輸出されたことは、増田綱『鼓銅図録』にみえる。なおこの書は『天工開物』を多く引用する。
*8――『鼓銅図録』によると、天正年間に住友寿済が南蛮人白水から、銅にふくまれる銀を分離する方法(南蛮吹き)を習ったという。住友家が大きくなったのは、この方法によって銅製錬を一手に引き受けたからであった。ここに日本銅から銀を分離する記載がみえるが、当時日本ではまだ南蛮吹きを知らなかったのであろうか。

図14-7　亜鉛を精錬する

付記　亜鉛

亜鉛は古書にはもともとないもので、近ごろになって知られた名称である。この物は炉甘石を製錬してできる。山西の太行山一帯に多く産し、荊州《けい》（湖北省）、衡州（湖南省）はこれに次いでいる。炉甘石一斤ずつを一個の素焼の坩堝につめこみ、泥で包み固め、ゆっくりと乾かし、火によってさけ割れないようにする。そのあとで一段ずつ坩堝と煤炭餅《メイタンビン》を積み重ね、その底に薪を並べ火をつけて赤く焼きあげると、坩堝中の炉甘石はとけて塊となる《図14－7》。冷却しきってから、坩堝をこわしてとり出すと、二割の目減りをしている。これが亜鉛である。この物は銅にまぜないと、火に入れてすぐに煙になって飛び去る。それが鉛に似てしかも性質が猛烈なので、倭鉛《わえん》*1という名がついたのだ。

注

*1――原文では亜鉛をすべて倭鉛とよぶ。激しい性質から倭鉛といったのは、倭寇の害を激しく受けた明末の世相を反映して興味が深い。

鉄

鉄の鉱山はどこにもある。鉄は土の表面に露出していて、深い穴には生じない。平坦で日当りのよい高台に多く産し、けわしい山や高い山には生じない。鉄には土錠鉄《どじょう》、砂鉄などの数種がある。

土錠鉄は土の表面に黒い塊がうっすら浮いていて、形は分銅に似ており、遠くからみて、ちょうど鉄そのものであるが、これをつまむともろい土である《図14－8》。製錬するばあいには、うっすら表面に浮かんでいるものを拾ったり、雨でぬれたあとを利用して、牛を使って土を起こし、深さ数寸の土中にあるものを拾い出すのである。土地をたがやしたあとも、その塊は日ごとに成長し、いくら採ってもつきることがない。西北の甘粛、東南の泉州（福建省）はみなこの錠鉄が豊富な場所である。北京の遵化《じゅんか》と山西の平陽は、みないずれも砂鉄が豊富な場所である。砂鉄は一度表面の土をはぎとるとすぐに現われてくる。それをとってきて洗い炉に入れて製錬する《図14－9》。とかしたあとは錠鉄と変わらない。

鉄は生、熟[*1]に分れる。炉から出したままで火に入れないものは生で、火に入れて製錬すると熟となる。生鉄と熟鉄をまぜあわせ精錬すると鋼となる。

製鉄炉は塩を泥にまぜて、築きあげる。その炉は多く坑山の近くにつくったり、大木で周囲をとり巻いたりする。塩泥をこねあげるのであるが、一月いっぱいかけるべきで、急いでつくってはならぬ。もしそんなことをして塩泥にひびができると、すべてが無駄な骨折りになる。

一個の製鉄炉には、鉄を含んだ土二千余斤を入れる。堅い薪とか、石炭とか、木炭とかを用い、南北それぞれ手に入れやすいものを燃料とする。炉をあおぐ鞴は、必ず四人か六人がいっしょに動かす《図14－10》。土がとけて鉄になったら炉の横の穴から流れ出させる。炉の穴はあらかじめ泥で塞いでおき、朝昼十二時間ごとに、一時に鉄一山をとり出す。出してしまうと、すぐにまた泥で塞ぎ、送風して再びとかすのである。

鋳物用の生鉄は、流れ出たものから棒状や円塊を型でつくり、それを使用する。熟鉄をつくるばあいには、生鉄が流れ出た時に、流れは数尺の間で数寸ほど低くなっており、そこに一つの四角な塘《ふね》を築きあげて、それを低い壁でかこう。鉄が流れて塘の中にはいると、数人が柳の棒をもって垣の上に並び立つ。あらかじめ汚い海浜の泥をさらし乾かし、ついで細かいふるいにかけ、小麦粉のようにしておく。それを一人が手早くまき散らし、多人数が柳の棒で早くかきまわすと、すぐに熟鉄ができあがる。[*2] 柳の棒は一回用いるごとに、二、三寸が焼け折れるから、二度使用すればまたとりかえる。かきまわしてから少し冷却した時に、塘の中で、切りとって四角な塊としたり、とり出して槌で円形に打ってから売ったりする。瀏陽《りゅうよう》（湖南省）の諸精錬所では、このようにして精錬しているかどうかは知らない。

鋼鉄の製錬法は、まず熟鉄を打って指先の幅ほどの薄片とし、長さは一寸半ばかりとする。この鉄片を束ねて強くしめ、生鉄をその上におく〔広南の生鉄は堕子《だし》生鋼とよばれるが、鋼をつくるのに特に具合がよい〕。それからはき古しの草履《ぞうり》でその上をおおい〔泥はねばりついているから、早くは焼けない〕、その底に泥を塗り、竪炉に入れて送風する。火力がまわると、生鉄がまずとけて熟鉄の中にしみこみ、両者がすっかりまざりあう。とり出して打ち鍛え、さらに精錬してさらに打つ。一回ではすまない。俗に団鋼といい、また灌鋼《かんこう》[*3]というのは、これである。日本の刀剣にはよく鍛えた精純なものがあり、軒下におくと室中が輝くという。これは生熟をたがいにあわせて精錬する方法によらない。彼らはわが中国の鋼を下等品とよんでいるそうだ。外国人に

図14-8　土をたがやして錠鉄を拾う

図14-9　砂鉄を洗いとる

生熟煉
此管流出成生鐵
堕子鋼

図14-10　銑鉄・錬鉄の製錬炉

は地溲《ちそう》〔地溲は石油の類で中国には産しない〕で刀剣を焼入れするものがある。その鋼は玉を切ることができるというが、これもまだみたことがない。

鉄には硬くて打てないところがある。それを鉄核[*4]という。しかし香油を塗るとすぐになくなる。日当りの悪い土地に鉄が産するばあい、その土地の南には磁鉄鉱が出る。しかしそのような場所は数ヵ所であって、どこでもそうだというのではない。

注

＊1——生鉄は炉からとり出したもので銑鉄にあたり、熟鉄はそれを精錬した錬鉄にあたる。

＊2——このようにして生鉄中の炭素含有量を少なくして熟鉄とする。

＊3——いわゆる滲炭綱である。ここにいう名称は、宋の沈括の『夢渓筆談』にみえる。

＊4——鉄核は不明。「これに香油を塗るとすぐになくなる」というのは他書にもみえるが、どういうことかわからない。

錫

中国では錫は特に西南の土地に産出し、東北には僅かしか生じない。古書に錫を「賀」と称しているが、広西の臨賀郡が錫を産することが最も盛んなので、この名が出たのである。いま天下の産額の大部分を占めているものは、もっぱら広西の南丹、河池の二州であり、全体の八割にあたっている。衡州、永州はこれに次いでいる。大理、楚雄は、たとえ錫の産出が非常に豊富であっても、道が遠くて運んでこられない。

錫には山錫と水錫[*1]の二種がある。山錫には、また錫瓜、錫砂の二種がある。錫瓜は塊が大きくて小さな瓠のようであり、錫砂は豆粒のようである。みな穴を掘ってあまり深くない所から採取される《図14-11》。時には土中にできた鉱脈がふくれてきて、山土を自然に崩れさせ、自由に人が拾いとるばあいがある。

水錫は衡州、永州では、谷川から産出し、広西では南丹州の川の中から産出する《図14-12》。そのものは黒くて、砕くと二度篩をとおした小麦粉のように細かい。南丹の川から出るものは、住民が一旬の初めに南から洗いとって北に至り、一旬の後にはまた北から洗いとって南に至る。洗いとればとるほど、その砂は日々に成長し、百年たってもつきない。しかし一日働いても、洗いとり製錬したものは一斤にすぎない。燃料の費用を計算すると、もうけは多くない。また南丹の山錫は、山の北側に産出する。その地方では洗い出す水がないので、たくさんの竹をつないで樋をつくり、山の南側から水を引いて土滓を洗い流し、それから炉に入れる。

製錬にはやはり竪炉を用いる。数百斤の錫砂を入れ、木炭も数百斤積み重ねて、鞴で送風してとかす《図14-13》。火力がまわっても砂がすぐにとけないと、鉛を少しばかりまぜて錫を引き出せば、初めてどっと流れ出る。或いはよそで錫を製錬した時の残りの灰をまぜて、錫を引き出すこともある。その炉底には炭の粉末や磁器の粉末を敷きつめて平たい池[*2]をつくり、横に鉄管の小さい溝をおき、とけた時に炉の外の低池に流出させる。そのものは初め流れ出した時は真白であるが、しかし硬すぎて鍛錬するとすぐに裂け割れる。鉛を入れて軟らかくして初めて器具をつくるのに用いられる。

図14-11　山錫

図14-12　南丹州の水錫

図14-13　錫の製錬炉

商人は錫に大量の鉛をまぜている。この鉛をとり去るには、とかして醋に入れ、八、九回焼入れすると、鉛は全部灰になって分離する。錫をとり出すのはこの方法だけである。錬金術の書物には馬歯莧《スベリヒユ》から草錫をとるといっているが、[*3]それはでたらめである。砒素が錫苗であるというのも[*4]でたらめである。

注

*1——産地によって山錫と水錫とに分ける。
*2——この池は炉底にあって溶融した錫が溜まる場所で、いわゆる灰池である。これをさらに鉄管で外の低池に導く。
*3——「朱墨」に馬歯莧から水銀をとる説がみえる。錫と水銀とを混同している。
*4——このことは『本草綱目』砒石の条に李時珍の説としてみえる。李時珍によると錫器には砒が含まれ、これに長く入れておいた酒は人を殺すという。

鉛

鉛を産する鉱山は銅や錫のばあいよりも多い。鉛には三種がある。一つは銀の母岩から出るもので、銀を含んでいる。初め製錬するには銀をまぜたままで塊とし、再錬すると鉛は銀を離れて炉底に沈む。これを銀鉱鉛という。この鉛は雲南に豊富である。一つは銅の母岩から出る。竪炉に入れて製錬すると鉛が先に出て、銅がそのあとから出る。これを銅山鉛という。この鉛は貴州に豊富である。一つは鉛の坑山から単独に出る。鉱夫は岩を掘り油燈をもって鉱脈を探すが、それは銀の鉱石を採る時のように曲折している。とり出して洗い精錬する。それを草節鉛という。この鉛は四川の嘉州、利州などから盛んに産出する。その他では雅州に釣脚鉛を産出する。その形は皂角《サイカチ》の実のようであり、おたまじゃくしのようである。これは谷間の砂の中から出る。広信郡の上饒《じょう》と饒郡の楽平からは、雑銅鉛を産出する。剣州では陰平鉛を産するなど、一々数えあげることができない。銀の鉱石中の鉛は、鉛を製錬して沈澱物をつくり、この沈澱物を精錬するとやはり鉛ができる。草節鉛は単独で竪炉に入れて製錬し、炉の横にとりつけた管を通して細長い土槽中に注入する。これを俗に扁担鉛といい、出山鉛ともいう。このような名をつけるのは、一般の銀炉の中で、度々製錬を経たものと区別するためである。

鉛は値段の安いものであるが、変化はことに不思議である。白粉や黄丹はみなそれの変貌したものであり、銀を純粋なものとしたり、錫を引き出したり柔軟にしたりするのは、みな鉛の力である。

付記　胡粉

胡粉《ごふん》をつくるには、鉛百斤ずつをとかし、削って薄片とし、巻いて筒とする。それを木の甑《こしき》の中に入れ、甑の下と中にそれぞれ酢一瓶をおき、外を塩泥で固め、紙で甑の隙間を目張りする。四両の炭火をおき、七日間暖める。七日間たって開くと、鉛片にはみな霜のような粉が吹いている。それをはき集めて水甕の中に入れる。まだ粉を吹かないものは、甑に入れ、もと通り暖めること七日間ではきとる。鉛がなくなるまでくりかえす。なくならない鉛は、残しておいて黄丹の材料とする。

霜一斤をはき集めるごとに豆粉二両、蛤粉《こうふん》四両を甕の中に入れ、かきまぜて上澄みをとり去る。細かい灰を固めて溝をつくり、数枚の紙で隔て、上澄みをとり去った残りの粉をその上におく。乾きそうになった時、瓦の形に切り、或いは塊にする。乾くのを待ってとり入れて売る。この物は昔は辰州（湖南省）や韶《しょう》州（広東省）でもっぱらつくったので、韶粉〔俗に朝粉に誤まっている〕とよばれたが、今では各省でも、多くこれをつくっている。そのものを絵具に入れると、むやみに減らない。婦人の頰に塗ると本来の顔色が青く変わる。[*1] 胡粉を炭炉に投入すると、もと通りとけて鉛となる。いわゆる「色つくれば皂《くろ》に帰す」というものである。

注

*1——鉛白粉のため顔色が青黒に変わることをいう。

付記　黄丹

焼いて鉛丹[*1]をつくるには、鉛一斤、土状の硫黄十両、硝石一両を用いる。鉛をとかして液状とし、酢を滴下する。わき立った時に一塊の硫黄を入れ、しばらくして硝石を少し入れる。沸きがおさまったところで、再び前のように酢を滴下し、漸次硝石と硫黄を入れて、粉末となるのを待つと丹ができる。胡粉をつくる時に残ったものは、硝石と礬石とで焼いて丹をつくり、酢を用いない。丹を鉛に還元しようとするには、葱の白味の汁を黄丹にかきまぜ、ゆっくりと焼く。金色の汁が出る時に、それを流し出すと、すぐに鉛に還元する。

注

＊1——鉛丹は標題にいう黄丹と同一である。酸化鉛で顔料に使う。

十五　兵器[*1]

私はこう思う。兵器は聖人も廃止できるものではない。舜は五十年も天子の位にあったが、蛮族はなお服従しなかった。してみれば明王聖帝であっても、兵器をなくすことはできない。弓矢の功用は、それによって天下を威圧するものであって、その由来は久しい。ところで老子の説を学ぶ人々は葛天氏の時代を偲ぶが、[*2]その言葉に「兵器は不祥の器」[*3]とある。それは兵器の使用を慎まねばならぬことをいったのである。火薬と火器の秘法は、西と南の国々から始まり、後に中国に伝わってきた。いろいろ変わった火器が生まれて、日々に盛んになり、新しくなっている。現在の中国では、交戦するものが火器を最も重要なこととしているが、それは当然であろう。しかしながら発明者にたとえすぐれた工夫があっても、人力だけでこのような極致に至りえようか。

注

*1——『老子』上巻に「夫佳兵不祥之器」とあり、原文の佳兵は単に兵器の意である。なお王念孫『読書雑志』巻十六には佳は隹の誤りであって、一種の助辞と考えている。佳では解しにくいから、この説に従うべきであろう。

*2——原文には「為老子者、有葛天之思焉」とある。葛天とは『呂氏春秋』古楽篇に葛天氏とあるもので、

三皇時代の諸侯の一人であったと伝えられる。戦争もなかった太平の御世を追慕する意味と思われる。
＊3――上注に述べたように『老子』の文である。

弓矢

弓をつくるには、竹と牛角とを真中の幹《ほこ》の材料とする〔東北の蛮人は竹がないので軟らかい木でつくる〕。桑の枝を両弰《はず》とする。弓をゆるめると竹が内側となって、牛角がその外を守り、弦を張ると牛角が内に向かい、竹が外にくる。竹は一本で牛角は二枚をつぎあわせる。桑の弰はその末端をえぐって弦輪《つるわ》をとめ、弰の根元は真中を切りこんだ竹にはめこむ。弓の片面をみがいて牛角を貼る。

弓をつくるにはまず一片の竹を削り〔竹は秋冬に切るのがよい。春夏には虫食いがある〕、弓の中ほどは少しく細くし、両端はやや広くする。長さ約二尺ばかりにし、片面に膠を塗り、牛角を貼りつけ、他の片面には牛筋と膠とをあてて固める。牛角は真中でかみあわせて接合する〔北方の蛮人には長い牛角がなく、羊角四枚をくっつけて束ねる。広州の弓は黄牛の明角も使い、水牛の角だけではない〕。固めるには筋や膠を使用する。外側は樺の樹皮で固め、それを熐靶《にぎり》という。

樺の木は、山海関の外では遼陽に産し、華北では遵化《じゅんか》に多く生える。西方の辺境では、臨洮《りんとう》府に多く生える。福建、広東、浙江などにはみなある。樹皮で物を守ると手で握っても軟らかい綿のようであるから、弓の靶《にぎり》には必ずそれを用いる。刀や槍の柄でもこれが必要であり、最も薄いものは刀剣の鞘とする。

牛の背には一匹ごとに一本の細長い筋があって、その重さは約三十両である。牛を殺し筋をとってさらし乾かし、また水中に漬け、さいて苧麻《カラムシ》の糸のようにする。北方の蛮人には蚕糸がないので、弓弦はみな牛筋をよりあわせてつくる。中華ではこれで弓の幹《ほこ》を保護したり、棉花を打つ弓の弦をつくるのに使用する。

膠は魚の浮きぶくろや腸でつくる。それを煮つめてつくるのは主として寧国府（安徽省）である。東海の石首魚は、浙江ではそれで干魚をつくるが、その浮きぶくろをとって膠とすると金鉄よりも堅固である。北方の蛮人は海魚の浮きぶくろをとって煮つめる。堅固なことは中華のものとちがわないが、種類や性質は別である。天が生じた以上の数物のうち、その一つを欠いても良弓ができないのは、決して偶然ではない。

弓をつくるには、初めにざっとした形をつくり、室内の梁《はり》の上におく。地面には火気を絶やしてはならない。短いばあいは十日、長いものは二ヵ月で、その水気がすっかりぬける。それからとり下ろしてみがき、何度も筋や膠と漆とを施すと、その弓はたいへんよくなる。弓を売る家で十分な日数をおくことができなければ、後日とけほぐれることになる。

弓弦は、柘《ハリグワ》の葉を食う蚕繭を材料にすると、その糸はいっそう強靭である。弦一本について、二十余本の糸を使って芯をつくり、それから糸を横に巻きつけてきつくしめる。糸を巻きつけるには、三つの部分に等分し、七寸ばかりを隔てて一、二分はあけたままで巻きつけない。だから弦を弓に張らない時には、三つ折りにたたんでしまいこむ。昔は北方の蛮人の弓弦はすべて牛筋を材料としたから、夏の雨や霧にあっても、そのときほぐれを防ぎ、からみあうことはなかった。しかし現在では糸の弦も広く行なわれている。弦に塗るのに黄蠟を使用することがあるが、それを使用しないでも差支えはない。

弓の両弰の弦輪を繋ぐ所は、最も厚い牛皮を切ったり、軟らかい木を碁石のように削ったりして、釘で牛角の端にとめる。それを墊弦《つるもち》という。その役目は琴の軫《しん》と同じである。はじいた弦がもどった時に、その強い力が内に向かうが、これによって防ぎとめられる。そうでないと弓が損傷する。

弓をつくるには、人力の強弱に応じて軽い重いの弓をつくる。上力は百二十斤の弓を引き、これ以上のは虎力であって、めったにみられない。中力はそれから二、三割を減じ、下力は半分である。引きしぼった時にはどれも的にあたるが、ただ戦陣のばあいに、よく胸やよろいの札《さね》を射抜くことができるのは、強い弓を引くものに限る。しかし下力でも楊の葉や虱を射抜くとすれば[*1]、それはわざがすぐれているからである。

弓力を試すには足で弦を踏んで地につけ、杠秤《ちぎ》の鉤《かぎ》を弓の腰にひっかける。弦を張りきった時に、分銅の位置を移動させて、その弓力の程度を知る。初めにつくる時の材料の目方は、上力の強弓のばあいには、牛角と竹片を削り終えた時に、約七両の重さである。筋、膠、漆などと巻きつける糸とは約八銭の重さである。これがその標準で、中力のものでは一、二割を減じ、下力では二、三割を減ずる。

弓をしまっておくばあい、最も梅雨時の湿度をきらう〔梅雨は南方が先で、北方があとである。嶺南は穀雨（新暦四月二十日ごろ）の時期にあたり、江南は小満（新暦五月二十一日ごろ）、江北は六月、河北、山東は七月である。しかし淮州や揚州の梅雨は特にはげしい〕。将士の家では、烘《こう》厨《ちゅう》や烘箱[*2]をおいて、毎日炭火をその下に入れたりする〔春秋の霧雨でもみなそうする。梅雨だけではない〕。兵卒は烘厨をもたないので、竈の煙突の上におく。少しなまけて、手入れをしないと、すぐいたんでほぐれるような目にあう〔近年、南方の諸省に命じて弓をつくり北方に送らせているが、次々と突き返されているのは、火気を離れると弓がすぐこわれることを知らないからである。しかしここで述べたことを説明する人もない〕[*3]。

矢竹《やがら》としては、中国の南方は竹材、北方は萑《し》柳の材、北方の蛮人は樺の材であり、地方によって一定しない。矢柄の長さ二尺、鏃《やじり》の長さ一寸がその標準である。

竹矢をつくるには、竹四本または三本を削り、膠でくっつける。小刀をかけてみがいて円くあわせ、漆糸で両端を巻きつける。それを三不斉箭桿《せんかん》とよぶ。浙江と広東の南には、そのまま矢竹になっていて、割ってあわせる必要のないものがある。柳と樺の矢柄は円く真直な枝をとってつくるのである。ほんの少し削ればできあがる。

竹矢はちゃんと真直な形になっているから、たわめる必要がない。木の矢柄では、乾燥した時に必ず曲がる。そこで削ってつくる時に、長さ数寸の木に一本の溝を刻み、それを箭端といい、その溝に木の矢柄を少しずつしごいて通すと、矢は真直になる《図15-1》。たとえ首尾に軽重があっても、箭端を通すことによって等しくなる。

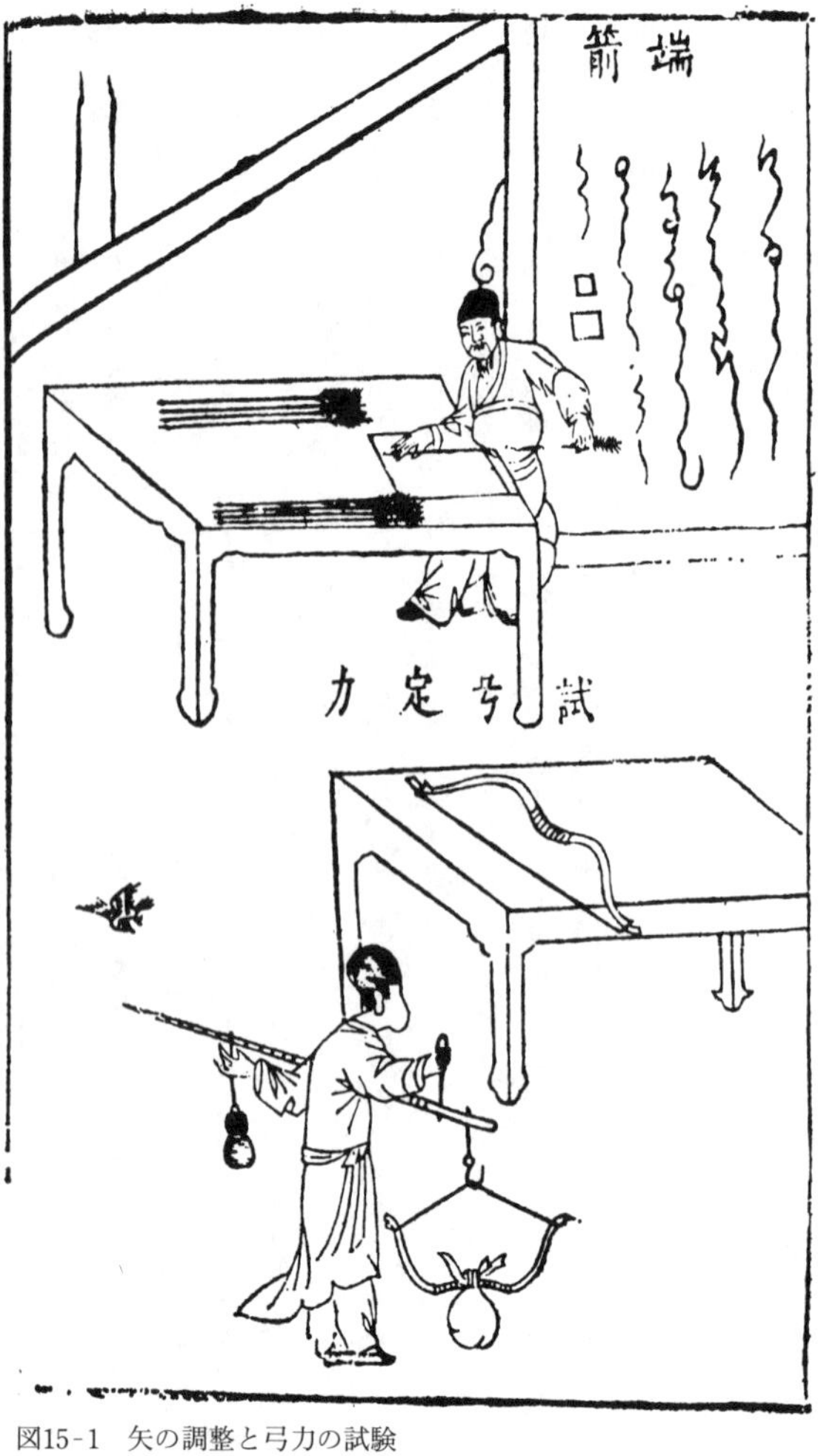

図15-1　矢の調整と弓力の試験

矢の根元に矢筈《やはず》を刻み弦につがえる。先端には鏃《やじり》をつける。鏃は鉄を鍛えてつくる〔「禹貢」の砮《ど》石*4は、特別な地方の物産で一般に使用されない〕。北方の蛮人が使う鏃の形は桃葉槍の尖のようである。広南の黎人《れいじん》の鏃は平たい鉄鏟《さん》*5のようである。中国のは三角錐の形である。鏑矢《かぶらや》は短い木を中空にし錐で穴をあける。矢が飛ぶと風を吸いこんで鳴り渡るのである。これが『荘子』にいう嚆矢《こうし》である。

矢が飛ぶ時の直と斜、速と遅との差があるが、その秘訣は根元の羽根のいかんによる。矢の根元の矢筈に近い所には、羽根を切って真直に三枚を貼る。その長さは二寸くらいにして鼎の足のようにおかれ、膠でくっつける。これを箭羽という〔この膠も梅雨の湿気を忌む。だから手間をいとわぬ将卒は矢を常に火であぶる〕。羽根は鵰《ちょう》*6の肩の羽根を上等とし〔鵰は鷹に似て大きく、尾は長く羽根は短い〕、角鷹がその次であり、鴟鴞《しよう》がさらにその次である。南方で矢をつくるものは鵰を得る望みはないし、鷹や鷂でも得がたい品物である。そこで急用に間にあわせるには、雁の羽根を使用し、はなはだしいばあいには鵝鳥の羽根でもつくる。

鵰の羽根の矢は早く飛んで、鷹や鷂の羽根のものよりも十余歩も遠く飛ぶ。しかも真直に飛んでよく風にたえる。北方の蛮人の矢羽は多くこの材料による。鷹や鷂の羽根も、つくり方が精巧ならば、ほぼこれに匹敵する。鵝鳥や雁などの材料では、射放す時に、思う通りの操作ができないし、風にあって斜めにそれるのが多い。南方の矢が北方の矢に及ばないのは、ここにそのちがいがあるわけである。

注

＊1——『戦国策』に弓の名人養由基が百歩の所から楊の葉を射た話があり、また『列子』湯問篇に紀昌が虱を射貫いたことがみえる。楊はポプラの類。

＊2——いずれも物を入れてあぶる道具であるが、その形は明らかでない。明、茅元儀の『武備志』一〇二に弓廂とするものに相当しよう。

＊3——原文には「亦無人陳説本章者」とある。楊聯陞氏の書評には、本章を上奏文の意とする。

＊4——『書経』禹貢篇の荊州の条にあり、その注釈によると砮は鏃に使う石とある。

＊5——鏟は除草具。

＊6——『国訳本草綱目』にあげた和名によれば、鵰は「おじろわし」である。以下、角鷹は「はげわし」、鴟と鳶は共に「とび」、雁は「ひしくい」、鵞は「がちょう」である。

弩

弩は守営の兵器であって、行陣には不便である。真直な部分を身といい、横になっている部分を翼といい、弦をはじく歯のようなものを機《ひきがね》という。木を切って身をつくるが、長さ約二尺ばかりである。身の先端の所を横に通して、翼を渡している。くりぬいて翼を渡す所は、上面からきっちり一分の間隔にとるが〔少し厚いと弦をはじく時に調子があわない〕、下面からは何分の間隔でもかまわない。身の上面に浅く真直な一本の溝を刻んで矢を入れる。一本の軟らかい木で翼をつくったものを扁担弩《へんたんど》といい、力は最も強い。また一本の木の下に竹片を重ねたものがあり〔その竹は一片ごとに短くなっている〕、それを三撑《さんしょう》弩という。それには五撑、七撑まである。[*1]身の末端は、えぐって弦をひっかける。そのひっかけた傍に機をとりつけ、上にはねて弦をはじく。弦を張るのは、ただ人の力にたよる。一人の力で脚で強弩を踏んで弦を張るものは、『漢書』に蹶張《けっちょう》材官[*2]とよんでいる《図15-2》。弦で矢を放つ時、その早いことは比類がない。

弩の弦は苧麻を材料とする。それに鵝鳥の羽根を巻きつけ、黄蠟を塗る。その弦は、翼につけるとぴんと張り、はずすとゆるむ。だから鵝鳥の羽根は首尾を苧麻の縄の中に入れるべきである。

弩に使う矢の羽根は竹の葉でつくる。矢の根元をさいてその中にはさみ、矢にまといつける。猛獣を射る毒矢は草烏《トリカブト》だけを使い、それをねばねばに煮つめて鏃にしみこませる。血を一筋出しただけで、命がすぐに絶えることは、人も動物も同じである。

強い弓の矢は二百余歩も飛ぶが、弩の矢は最も強いものでも五十歩までである。それ以上はほんの少し越しただけでも、薄絹さえも通すことができない。しかし速く飛ぶ点は弓に十倍し、物に突き通る深さも二倍である。明朝の兵器としてつくる神臂弩《しんぴ》、克敵弩はみな二本、三本の矢を同時に飛ばすものである。また諸葛弩《しょかつ》がある。これは弩の上部に真直な溝を刻み、それに落ちるように十本の矢を装塡しておく。その翼は最もよくしなう木でつくる。別に木製の機を仕掛け、随時に弦をおしあげて一矢を飛ばすと、溝にまた一本の矢が落下し、するとまた機をあげ弦を張って飛ばす。仕掛けは巧いが、その力は非常に弱く、二十余歩の所にとどくにすぎない。これは民間で盗賊を防ぐ道具であり、兵器ではない。猟師が猛獣を射るものを窩弩《か》という。獣の足跡の多い道筋に仕掛け、機から紐を引っ張り、獣が通ると自動的に発射する。一発で得るのは一匹だけである。

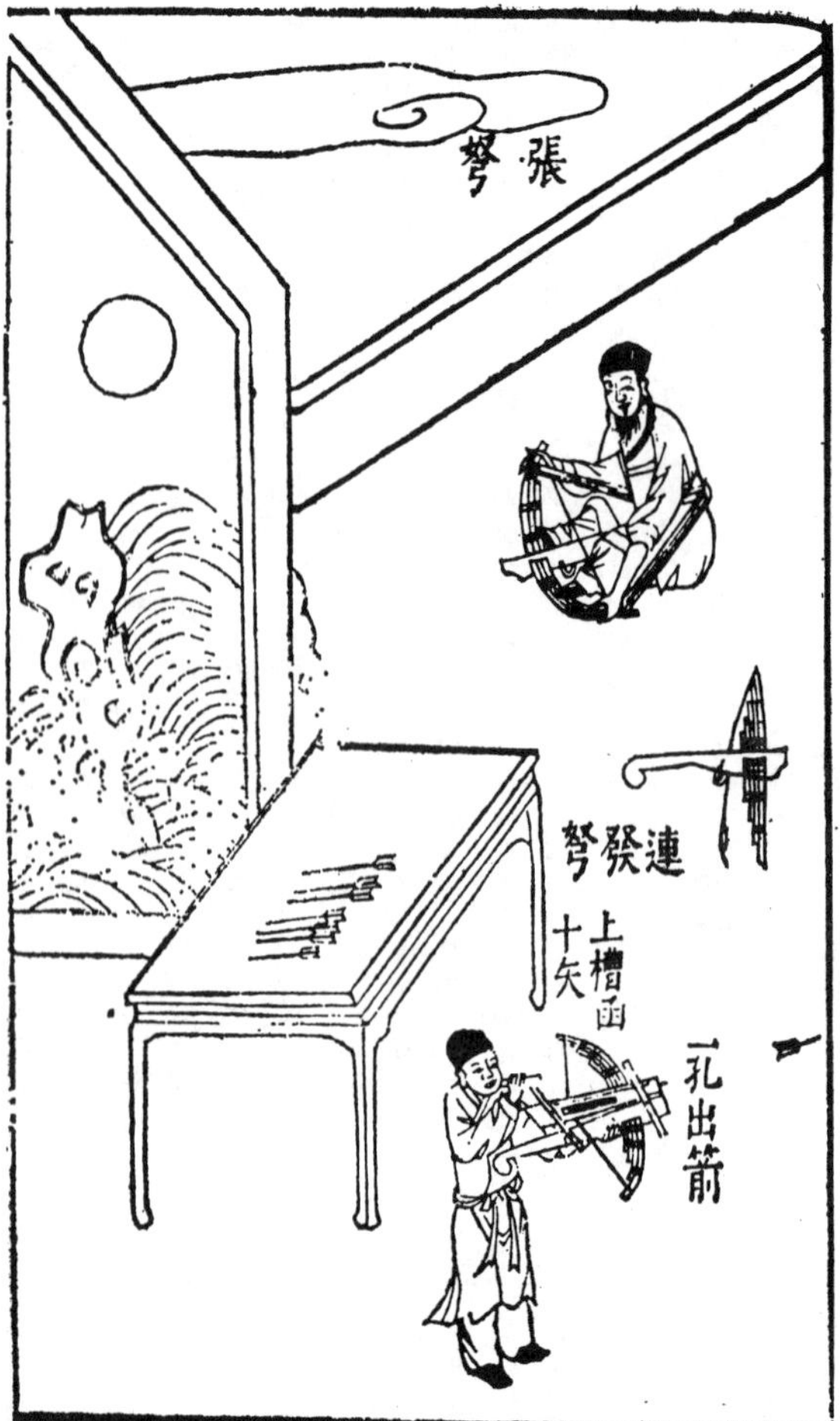

図15-2　弩を張る

注

＊1――木でつくった翼（弓の部分）の下に貼りつけた竹片の数によって五撑、七撑という。撑は支える意。翼はまた弩担ともいう。木だけの翼のものを扁担弩という。

＊2――『漢書』申屠《しんと》嘉《か》伝の句であるが、同書には「以材官蹶張」となっている。材官は力のある武人の意で、蹶張は足で踏んで弦を張る強弩である。

干

干戈《かんか》という名称は最も古く、干《たて》と戈《ほこ》を結びつけて言葉となっている。後世は、短刀を持ってかけまわる兵卒が左右の手で使用した。つまり右手に短刀を持ち、左手に干を持って敵の矢を防ぐのである。昔の車戦では、車の上に干持ちが立っていて、自分だけでなく、仲間が矢を受けるのを防いだ。もしその仲間が両手に長い戈や戟槊《げきさく》を持っていると、干は使用できないからである。干の長さは三尺を越えない。杞柳《きりゅう》を直径一尺の円形に編み、それを先端の下にとりつける。干はその上に五寸出ていて、やはりその先端を鋭くする。下の方には軽い竹棒があって持つことができる。中干とよばれる盾は、歩兵がそれで矢を防ぎ、槊を防ぐものであって、俗に傍牌というのはこれである。

火薬の材料

火薬と火器について、当世、立身出世を夢想している者が、それぞれ大げさにいい立て、書物にして献上したりするが、まだどれもが実験を経ているとは限らない。しかしながらざっとページをさいて、この巻の中に付載する。

火薬は消石、硫黄を主成分とし、草木の灰を補助とする。消石の性質は陰の極端なもので、反対に硫黄の性質は陽の極端なものであり、これら陰陽二つの不思議な物が少しの隙もなくいっしょになっている。それが飛び出し、人がそれにあたると身も心も飛び散ってばらばらになる。

消石の性質は真直に飛ぶのが特徴である。だから直撃する火薬の成分は消石が九で硫黄が一である。硫黄の性質は横にひろがるのが特徴であるから、爆撃する火薬の成分は、消石が七で硫黄が三である。これを助ける灰は、青い楊、枯れた杉、樺の根、竹の葉、蜀葵《しょくき》、毛竹の根、茄子の茎の類であり、焼いてその性質を留めておく。その中で竹の葉が最も乾燥している。

火器で攻めるばあいには毒火、神火、法火、爛火、噴火[*1]などが使われる。毒火は白砒、硇砂《ろしゃ》を主要成分とし、金汁、銀銹、人糞をまぜて製造する。神火は朱砂、雄黄、雌黄を主成分とする。爛火は硼砂、磁器の粉末、牙皂《がそう》、秦椒《しんしゅく》を配合する。飛火は朱砂、石黄、軽粉、草烏《トリカブト》、巴豆《ハズ》を配合する。劫営火《ごうえいか》は桐油、松脂を用いる。以上がその大略である。狼糞烟《のろし》は昼に黒い煙を、夜に赤い火を、風を受けて真直にのぼらせる。江豚灰をまぜるとよく風にさからって燃える。以上、すべて試してみた上で、明瞭になるであろう。

注

＊1――これらはいずれも紙その他に爆発物を包んで投げる、一種の爆弾である。

消石（硝石）

消石は中国、外国ともに産出する。中国ではもっぱら西北地方に産する。東南地方で売るには、役所の鑑札を受けないと、密売として罰せられる。

消石の本質は、塩と同じものからできる。大地の下には潮気がむれて地面に現われるが、水に近くて土の薄いばあいは塩となり、山に近くて土の厚いばあいは消石となる。それは水に入れるとすぐに消《と》けるので、それで消石という。揚子江や淮水より北では、中秋の節を過ぎると家の中で隔日に地面を掃いてその少量をとり、これを製錬する。

消石の産出は次の三ヵ所が最も多い。四川に産するものを川消といい、山西に産するものを俗に塩消といい、山東に産するものを俗に土消という。

消石は地面を削って掃きとった時〔垣の中から吹き出ることもある〕、甕に入れて水に一晩浸しておくと、不純物が水面に浮かぶ。それをすくいとってしまってから釜に入れる。水を注いで煮つめ、消石のとけた水が蒸発すると、残りを容器の中に流しこむ。一晩過ぎると消石が結晶する。上に浮かんだものを芒消《ぼうしょう》という。芒の長いものを馬牙消《ばが》という〔みなそれぞれ土地によって変種が生まれる〕。その下の粗雑なものを朴消《ぼく》という。粗雑なものを去って純粋なものに精製するには、再び水に入れて煮つめる。数個のダイコンの種子を入れていっしょによく煮たて、鉢の中に流しこむ。一夜たって白雪が結晶するのを盆消という。

火薬を製造するのに、馬牙消、盆消はいずれもその効能が同じである。消石から火薬を製造するには、少ないばあいは新しい素焼を用いてあぶり、多いばあいには土釜を用いてあぶる。潮気が乾ききるとすぐにとり、すって粉末にする。

消石をするのに、鉄のランナーを石臼に入れてはいけない。もしそうすると石と鉄がすれあって火が生じ、不測の禍を起こすからである。

消石に配合する一定量の薬は、まず硫黄を入れてすり、木灰はあとから増し入れる。

消石は、あぶってしまったあとで、長くおくと潮気がもどる。だから巨砲に使うには、多く使用時に装塡する。

硫黄

硫黄は消石に配合されて初めて、火薬となって音を出す。硫黄のない北方の蛮地には、消石の産出だけはむやみに多い。だから硫黄の売買については、中国では厳しい禁令がある。

爆発物に火をつけるには、消石と木灰とで導火線をつくり、硫黄は混合しない。硫黄を入れると火が続かない。

硫黄はすって粉末にするのはむつかしい。しかし硫黄一両ごとに消石一銭をまぜていっしょにすると、立ちどころに細かい粉末となる。

火器

西洋砲[*1]は熟銅で鋳造するが、形は円く銅鼓のようである。発射すれば半里の内にある人馬がシヨックで死ぬ〔平地で点火発砲するに、仕掛けがあって、砲手の前方の坑の所で動かないようになる。導火線に点火する人は、むしろ後方に走って深い穴の中にはいりこめば、砲声は高く頭上を通るから命を失わずにすむ〕。

紅夷砲[*2]は鉄で鋳造する。長さは一丈ばかりで、城を守るのに用いる。内部には鉄弾と数斗の火薬をつめてある弾丸は二里の間を飛んでぶっつかり、その鋭鋒にあたったものは、粉々になる。砲に点火して内が焼ける時には、前方と後方へ千斤の力がかかるから、その砲座は垣で支え止めねばならぬ。その垣でも崩れることが普通である。

大将軍　二将軍〔紅夷砲に次ぐものであるが、中国ではこれが巨砲である〕。

仏郎機《フランキ》[*3]〔水戦の時に船首で操作する〕。

三眼銃　百子連珠砲《図15－3・4・5》。

地雷は土中に埋め、竹管に導火線を通す《図15－6》。土をつき破って爆発すると、それ自身も炸裂してしまう。横に飛び出すものは、硫黄の多いものを使う〔導火線には礬油《はんゆ》を用いる。地雷の口は鉢状のものでおおう〕。

混江龍は、皮袋を漆で固め、爆発物をそれで包んで水底に沈める。岸の上から綱を引金にとりつけてある《図15－7》。皮袋の中には火打石と火打金を吊し、綱と引金が動くと、内部が自然に爆発する。敵船が通りかかってこれにぶっつかるとこわれる。しかしこれは結局ばかげたものである。

鳥銃[*4]は長さ約三尺で、その鉄管に火薬を装填する《図15－8》。棒の中にはめこんで手で握り

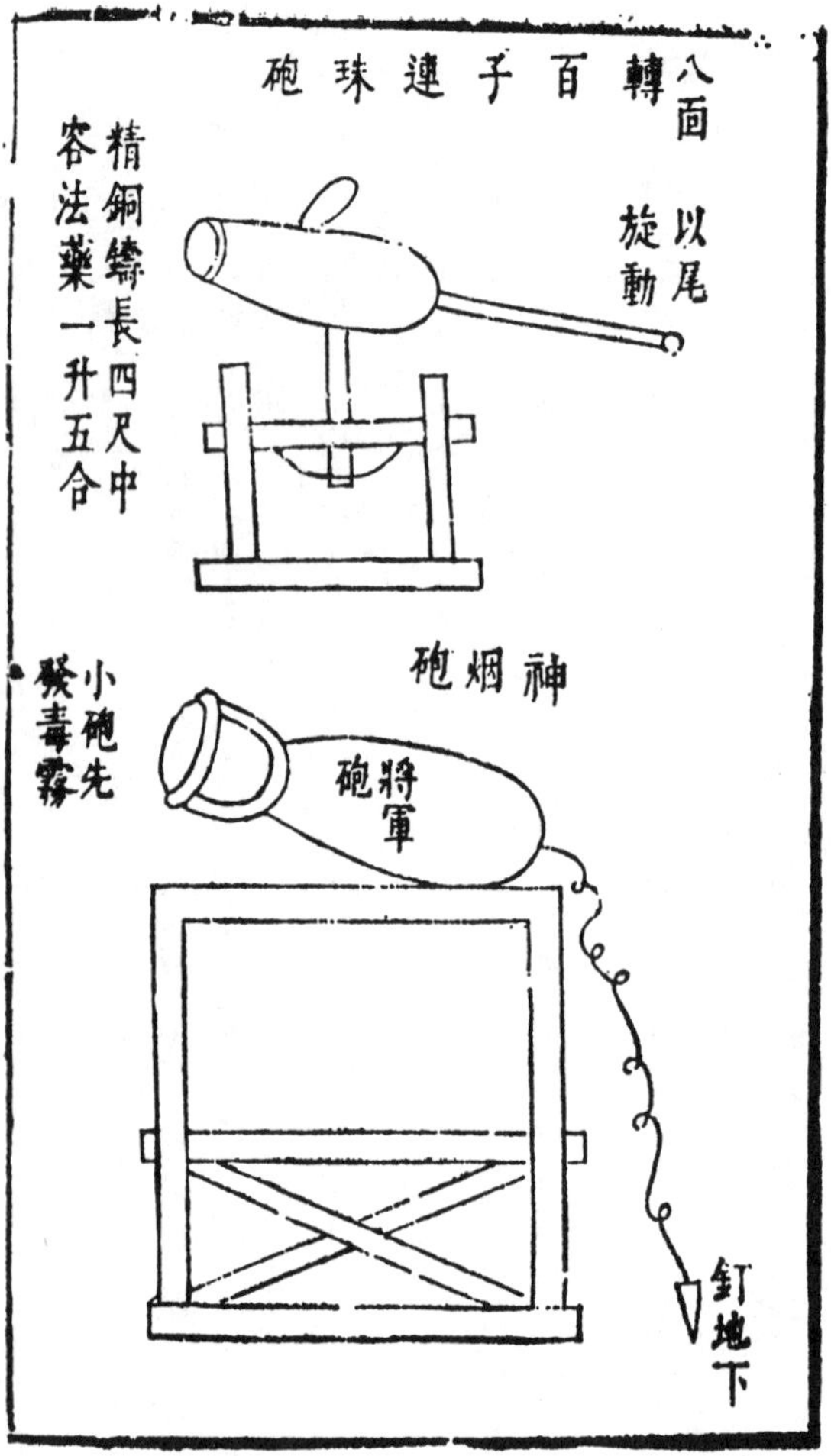

図15-3　百子連珠砲・神烟砲

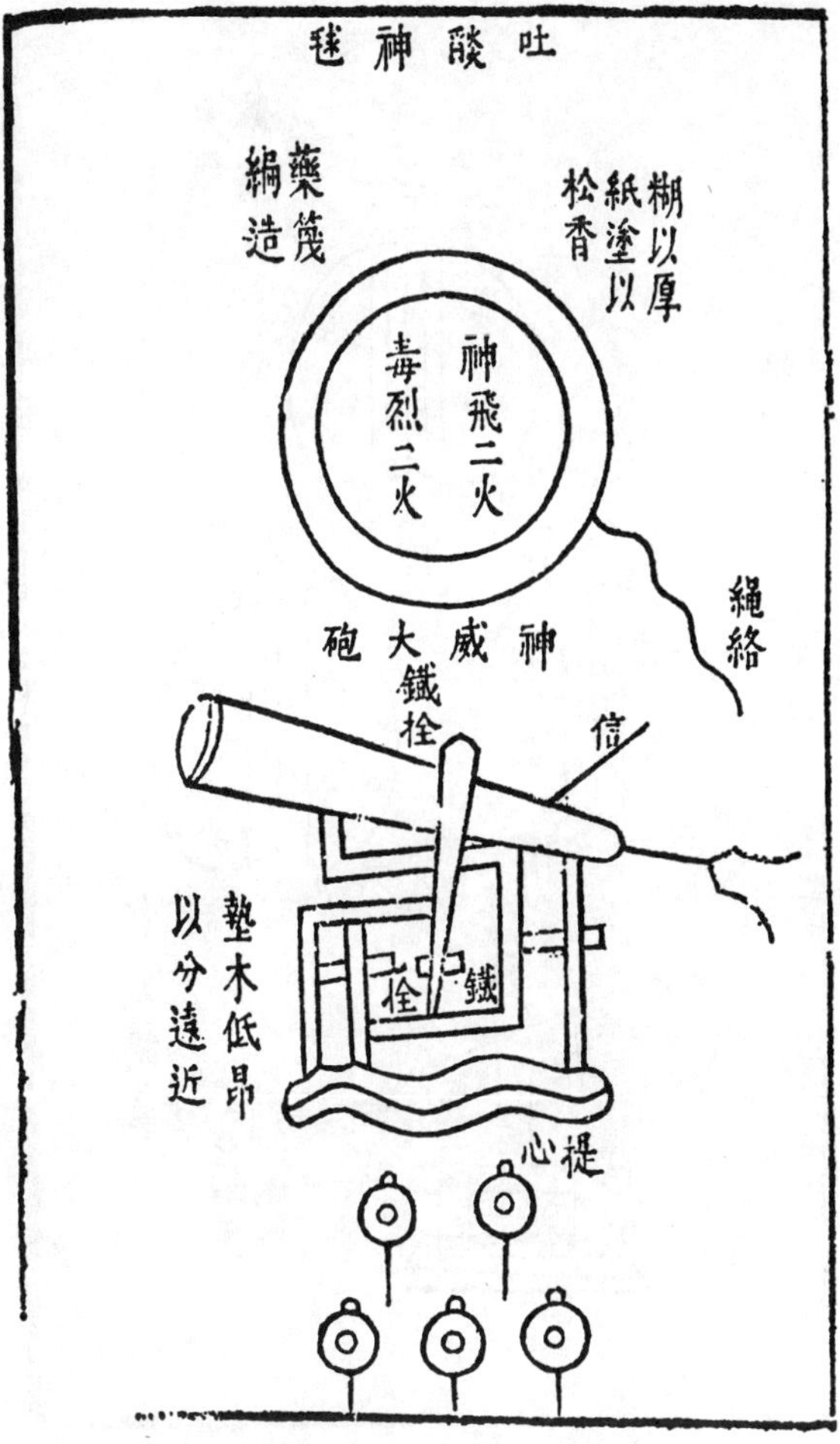

図15-4　吐⿰谷炎神毬と神威大砲

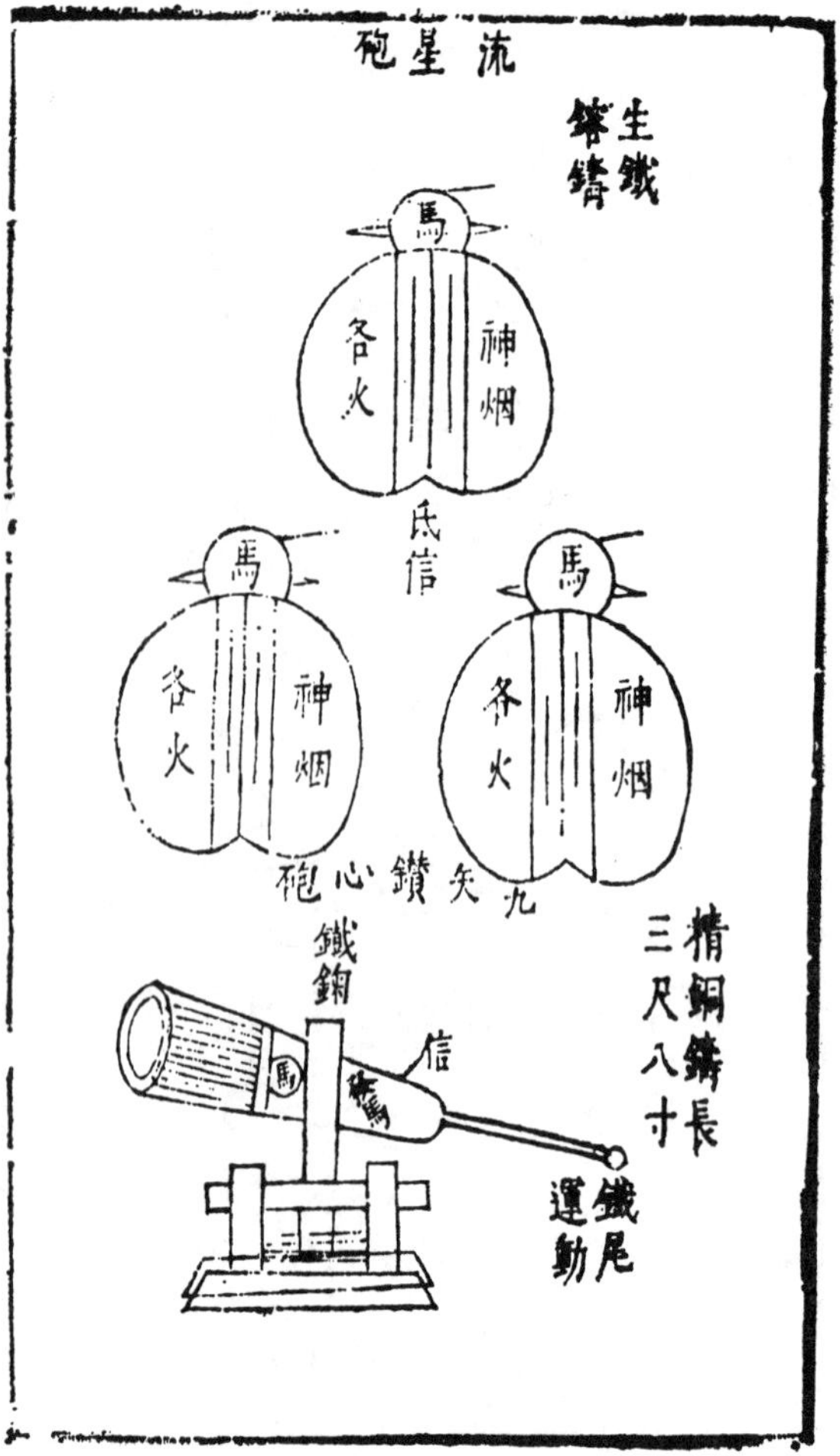

図15-5　流星砲、九矢鑽心砲

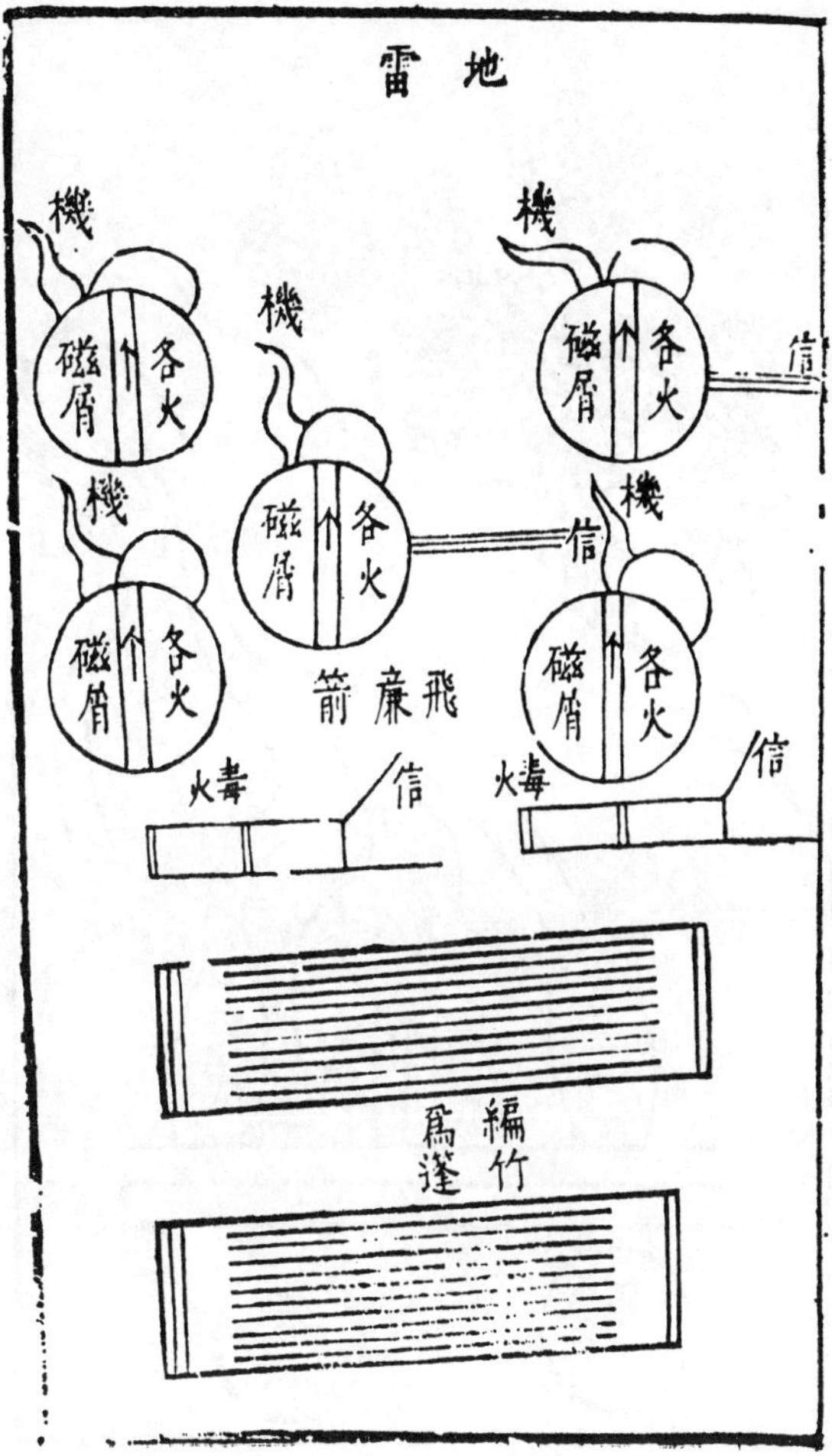

図15-6　地雷

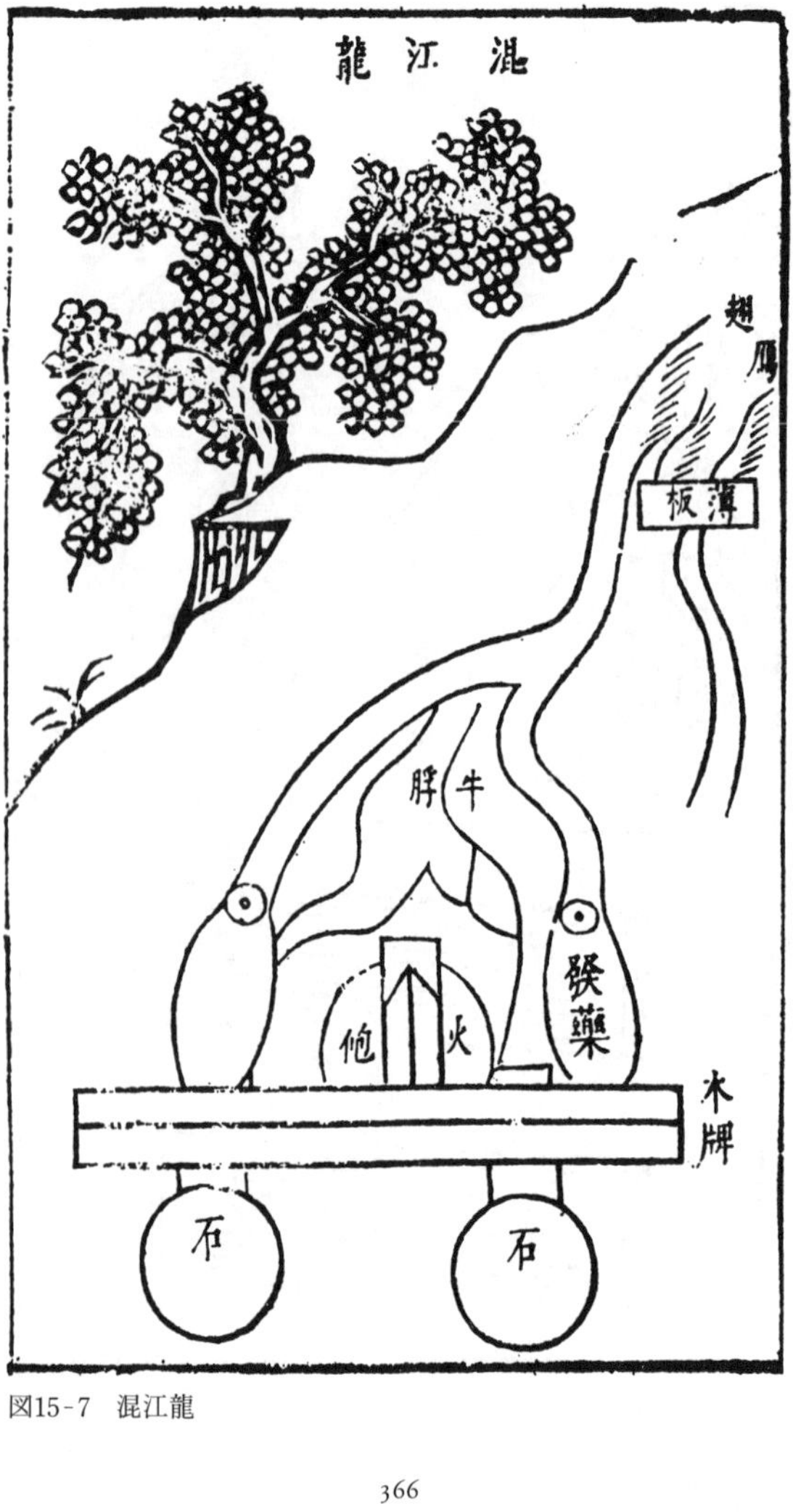

図15-7　混江龍

図15-8　鳥銃（火縄銃）

よいようにする。

鳥銃を鍛えるには、まず大きさが箸ほどの一本の鉄棒を冷たい芯とし、それを真赤になった鉄で包んで鍛える。まず三つの部分をつくり、火に入れて継ぎ目が真赤になった時に力をこめてくっつける。接合してから、太さが箸ほどの四方がとがった鋼錐をその中に通して回転させ、よくみがくと火薬の爆発は具合よくいく。根元に近い所の口径は先端より太いが、そこに火薬を入れるためである。銃一挺ごとにほぼ消石一銭二分と鉛や鉄の弾丸二銭を装塡し、発火させるには導火線を用いない〔嶺南での装置には導火線を用いるものがある〕。銃身の穴から内部に通ずる所に少量の消石を露出しておき、よく叩いた苧麻《カラムシ》に火をつけ、左手に銃を握って敵に対し、右手で鉄の引金を引き、苧麻の火を消石に近づけると発射される。三十歩以内にある鳥は、羽も肉も粉砕し、五十歩くらいでやっと体がまともに残る。百歩となると、銃の威力は及ばない。鳥鎗《ちょうそう》では、弾丸が二百歩以上も飛ぶ。その装置は鳥銃に似ているが、銃身が長くて薬も多く、いずれも鳥銃の二倍である。

万人敵《図15－9》地方の小さな町で城によって敵を防ぐのに、砲力が不備なばあいがある。たとえ火砲があっても、ただあるというだけで、ばかに重くて使いにくいばあい、近ごろの万人敵は適宜に用いることができ、必ずしも使い方が一つに限られていない。つまり消石、硫黄の火力にあてられて、多くの兵と馬が立ちどころに糜爛《びらん》するのである。製法はよく乾かした中空の土の塊を用いる。上に小孔をあけて中に消石、硫黄などの火薬をつめ、毒火や神火をまぜる。適宜に成分を変えたり、分量を増減してよい。火薬をつめて導火線を仕掛けたのちに、外部を木の枠で囲む。或いは木桶をそのまま用い、泥をこねてその内側をつめたりするのも、その理屈は同じことである。土塊を必ず木の枠で囲むのは、投げる前に砕けるのを防ぐためである。敵が城を攻めた時に、導火線に火をつけて城外に投げる。火が噴出して八方にころがる。こちら側にころがってくる時は、城壁が支えになって、味方の兵は傷つかない。向こうの方にころがる時は、敵の人馬はみな安全でない。これは城を守る第一の兵器である。しかし火薬の本性と火器の装置に熟達することも、人の知恵次第であるから、一度考案された火器は十年ももたない。城を守る者はたえず注意しなければならない。

注

＊1――明末には『武備志』、『神器譜』などの軍事技術書が書かれ西洋の火器をとりあげた。しかし、西洋砲の名称はこれらの文献にみえない。

＊2――紅夷はオランダ。前装式の火砲である。

＊3――明末にはポルトガル人、スペイン人等を仏郎機《フランキ》とよんでいた。明代に来朝したポルトガル船にこの仏郎機砲が載せられていた。これは後装形式のものである。

＊4――日本の火縄銃（種子島銃）と同じである。衆知のように日本はポルトガルから知った。中国には日本から伝わったという説（たとえば『武備志』）があるが、これは疑わしく、日本に伝わる以前にポルトガルあたりから伝来していたらしい。

萬人敵
令

図15-9　万人敵

十六　朱墨

私はこう思う。学問は千古にわたって衰えない。著述に没頭して無位無官のままであったという故事[*1]があるが、著述と立身出世を求めることと、どちらが仕事として大きいであろうか。

火は赤いが、[*2]真黒な墨の材料がその中に含まれる。水銀は白いが、真赤な朱がそこから生まれ変わって出る。造化の力による変化は、人知を越えた不可思議である。君臣の上下を象徴する五種の色は、はるかな天から授けられたものであるが、[*3]上奏文に天子が朱印をおして初めて勅令は効力をあらわす。万巻の書をひもとく時、墨で印刷された文字に朱筆を加えることによって、天来の詞章は光を放つのである。このように朱と墨は、書斎のすぐれた宝であって、珠玉などは及びもつかない。画家が万物をうつす時には、顔料本来の色をそのまま用いたり、或いはそれらを配合したりして、すべての色をみな描き出している。これも水や火の力を借りて、[*4]ともどもに五色の変化をあらわすからであって、すぐれた神の力でなければ、これに参与することはできない。

注

*1——原文には「注玄尚白」とある。『漢書』楊雄伝に、楊雄が周囲の人々の出世に平然として『太玄経』

の著述に没頭していたのに対し、時人が『太玄経』を完成しないで白いままであることと、揚雄自身が白衣（無官）であることをひっかけて、「以玄尚白」と嘲ったという。
＊2――原文に離火紅とあるが、離は易の卦名で、火を象徴する。
＊3――『書経』益稷篇にみえる説。
＊4――易の卦名である坎《かん》は水を象徴する。火の力によってできた顔料を水で調合することをいう。

朱

朱砂、水銀、銀朱[*1]はもともと同一物である。名称がちがっているわけは、質の善悪、古いか新しいかによって区別されるのである。辰州と錦州（共に湖南省）〔いまは麻陽という〕と四川西部に産する上等の朱砂は、中に水銀が含まれているにしても、製錬して水銀に変えない。その理由は、光明、箭鏃《せんぞく》、鏡面（朱砂名）は、水銀の三倍も高いからである。だから選び出して朱砂として売る。もし水銀に変えると、かえって安値となる。ただ低品位の朱砂は製錬して水銀に変化させ、さらに水銀から銀朱に変化させる。

朱砂の上等のものは、十余丈の穴を掘って初めて得られる。初めその手掛りになるものをみると、ごろごろした白い石で、これを朱砂牀という。牀に近い朱砂には、鶏卵大のものがある。薬用にはならず、ただすって絵具の材料にしたり、水銀をとり出すだけの低品位の朱砂では、その手掛りは白い石だけではない。すなわち数丈の深さの所で早くも朱砂を囲む外牀に達するが、それは青や黄色の石を交えたり、砂を含んだりしている。土の中でいっぱいになると、その外にある砂石が多くのばあい自然にさける。この種の朱砂は、貴州の思印、銅仁などの地に最も多く、商州（陝西省）や秦州（甘粛省）にも広く産する。

低品位の朱砂を採掘してきた時に、全体が白みがかっているものは、すって朱にしないで、すべて水銀に変える。もしたとえ白味がかっていても、焼いてみて朱色になりそうだったら、採掘してきた時に大きな碾槽《てんそう》（薬研）の中に入れて粉々に搗きつぶし、そのあとで甕に入れ清水を注いで澄ます《図16－1》。三昼夜してから、その上に浮かぶものをしためて別の甕に流しこむ。これを二朱（二番手の朱）という。下に沈澱したものは、日にさらして乾かすと、頭朱（最上等の朱）というものになる。

水銀に変えるには、白味がかった低品位の朱砂を用いたり、甕の中にしためて表面に浮かんだ二朱を用いたりする。これを水でこねて太い紐状とし、三十斤ごとに一つの釜に入れ、水銀に製錬する。その下に燃やす炭も三十斤を用いる。

水銀の製錬に使う器具は、上方を一個の釜で蓋をし、その釜の中央に小さい穴を一つ残しておき、釜の横は塩泥で固める《図16－2》。釜の上に弓なりに曲がった鉄製の蒸溜管をとりつけ、その管は末端まで麻縄をぴっしりと巻きつけ、やはり塩泥で塗り固める。火が燃えた時に、曲がった蒸溜管の一端は釜の中に挿しこんで蒸気を導き〔挿入した所は、一分の隙もない程ぴったり塞ぐ〕、他の一端は、二瓶の水を注いだ中ぐらいの罐に、その曲がった蒸溜管の末端を挿しこむ。すると釜の中の蒸気は罐の中の水へ導かれる。十時間のあいだ焼くと、その中の朱砂の粉末はすべて水銀に変わり、釜いっぱいにひろがる。そのまま一日のあいだ冷却させてからとり出し、か

図16-1　朱をする

図16-2　水銀の製錬

き落とすのである。これはすべてを変化させる最も不思議な仕掛けである〔本草書には地に一つの穴を掘り、鉢を一つおいて水を張るなどと、でたらめなことを書いている〕[*2]。

水銀は再び朱に製錬される。これを銀朱という。その方法は、口のくびれた土製の罐を用いたり、上下に二個の釜を用いたりする。水銀一斤ごとに二斤の石亭脂[*3]〔それは硫黄からつくったもの〕を入れていっしょに磨《す》る。塊がなくなれば炒って青砂頭とし、罐の中に入れ、上を鉄皿で蓋をし、鉄皿の上を一本の鉄の棒でおさえ、それを針金でゆわえ罐の底へ縛る《図16－3》。そして塩泥で口の隙間を塗り固め、下は三本の釘を地面に挿し、その三本足の上に罐をおく。三本の線香が燃えたつあいだ火をたき、役に立たなくなった筆を水に浸して度々鉄皿の上を掃きぬらすと、銀朱が自然に粉末となって罐の上部にくっつく。特にその口にくっついた朱は、色がいっそう鮮明である。冷やしきってから蓋をあけ、こそげとって用いる。罐底に沈澱した石亭脂は、とって再び用いることができる。一斤の水銀を製錬すると十四両の朱と次朱三両五銭を得る。増加した目方は硫黄分によってできたのである。

水銀を製錬して得た朱と、朱砂をすって得た朱とは、その功用もほぼ似ている。しかし皇室や貴族で使う彩色には、辰・錦の二州から産する丹砂をすったものを使用し、水銀からの朱は用いない。

文房具としての朱は、膠で棒状に固める。石硯に使うと色が鮮やかであるが、もし錫硯であれば、立ちどころに黒汁となる。もし漆工が鮮やかに彩色するには、朱砂を桐油にまぜあわせると色が鮮やかとなる。朱砂を漆に入れるとやはり不鮮明になる。

図16-3　水銀から朱をつくる

水銀と朱とは、以上のほかは、別の物からはできない。水銀の海があるとか、草から水銀をとるという話は*4、根拠のないでたらめであって、耳学問をやるものが信ずるだけである。水銀がいったん朱に変わってしまうと、もはや水銀にもどすことができない。いわば造化の妙がすでにつきてしまったのである。

注

*1——朱砂は丹砂或いは辰砂ともいい、天然に赤色の結晶として産する硫化水銀で、これを熱すると水銀が得られる。銀朱は水銀に硫黄をまぜてつくった赤色の硫化第二水銀である。

*2——『本草綱目』水銀の条に胡広の『丹薬秘訣』の文を引用しているが、ここの文と同じである。

*3——『本草綱目』に硫黄をふくむ赤色の鉱石を石亭脂というとみえる。

*4——『本草綱目』水銀の条に宋の蘇頌《そしよう》の説を引き、その中に馬歯莧から草汞《そうこう》（草水銀）を得ることがあり、また陳霆《ちんてい》の『墨談』を引き、払林国に水銀の海があることを述べる。

墨

墨はものを燃やした煙《えん》*1を凝固させてつくる。桐油、清油、豚油の煙でつくるものが一割で、松《しよう》煙《えん》をとってつくるものが九割である。

高価な墨をつくるのは、明朝では、徽《き》州（安徽省）の人が第一である。しかしそこまで油を運んでくる苦労があるので、人をやって荊、襄、辰、沅などの土地に滞在させ、その土地の安価な桐油を用いて油煙をつくってから、もち帰らせることもある。他日この墨で紙に書いた時に、日光が横からさして紅色にみえるばあいには、それは紫草の汁に浸した燈芯を燃やしてできた墨なのである。

油を燃やして煙《えん》をとると、油一斤ごとに上等の油煙一両余を得る《図16－4》。動作の敏捷な者は、一人で二百個の燈明皿をとり扱う。もし皿から煙を削りとるのが遅いと、煙が古びて燃えつき、墨の成分がすっかりなくなる。

その他の普通に用いる墨は、まず松の樹脂を流し去ってから伐木してつくる。松脂が少しでも残っておれば、その煙でつくった墨は、いつまでも滓がとれない欠点をもっている。

松の樹脂を流し去るには、その根元に一つの小孔をあけ、火をともしてゆっくりあぶると、全体の粘液が暖かい方に向かって流れ出てしまう。

松煙を焼いてとるには、松を適当な長さに切り、割竹を曲げて船の雨篷のような円屋をつくり、それを十余丈もつなぎ、その内外と継目とはみな紙と蓆で完全に目張りをする《図16－5》。数節をへだてて小孔から煙を出させる。その下は土の上に煉瓦を積み重ねる。まず、煙を出す通路をつくっておき、数日のあいだ薪を燃やし、冷却すると中にはいって掃きとる。

松煙を焼いてとるには、火を放って煙を通し先頭から末端に渡らせる。末端の一、二節にくっついたものは清煙であり、これは上等な墨の材料とする。中間のものは混煙であり、これは常用の墨の材料とする。先頭に近い一、二節は、ただはきとって煙子《えんし》として売る。本を印刷する店では、さらに煙子を細かくすって用いる。その他に、漆工や左官が黒色の塗料として使用する。

松煙で墨をつくるには、それを水に長くつけておき、浮くか沈むかによって精粗を区別する。

図16-4　油を燃やして清煙を掃きとる

焼取
取流松液
掃取粗烟

図16-5　松煙をつくる

膠をまぜてから打ち叩く度合いの多少で、脆いと堅いの区別ができる。珍しい香料をまぜたり、金粉をつけたり、麝香を入れるばあい、松煙、油煙ともに、これらの増減は勝手である。その他については墨経や墨譜[*2]があるから、博物者は自分で研究せられたい。ここではざっと材料と製法を書いておくにとどめた。

注

*1——煙は墨をつくる「すす」である。

*2——たとえば宋の晁貫之《ちょうかんし》の『墨経』は墨の歴史や製法を述べている。墨譜には宋の李孝美『墨譜』(一名墨苑)のほか類似のものが多く、名墨をあげると共に、製法にも言及している。

付記

胡粉　真白な色。「製錬」の巻に詳しい。

黄丹　紅黄色。「製錬」の巻に詳しい。

澱花　濃い藍色。「染色」の巻に詳しい。

紫粉　縝《しん》紅色。極上品は胡粉と銀朱を等量にまぜる。粗末なものは染物屋の紅花のしぼり滓の汁でつくる。

大青　濃い青色。「珠玉」の巻に詳しい。

銅緑　濃い緑色。黄銅を板に打ちのべ、酢を上に塗り、糠の内に漬けこむ。少しく火の気をあてながら、日ごとに削りとる。

石緑　「珠玉」の巻に詳しい。

代赭《たいしゃ》石[*1]　殷《いん》紅色。至る所の山中にある。代州（山西省）のものが最もよい。

石黄[*2]　中は黄色で外は紫色。石の外側をはぐと、その中は黄色であるから、石中黄子ともいう。

注

*1――赤鉄鉱で赤色の顔料となる。

*2――砒素化合物。

十七　醸造

私はこう思う。裁判沙汰が日々に多いのは、酒が流行して生んだ禍であるが、しかしその根源には何の罪があろうか。天を祀り、祖先を憶い、商頌《しようしよう》、周頌、雅《が》*1などを奏するばあいに、供物として捧げる酒や醴《れい》*2をつくるのは麴《こうじ》や蘖《もやし》*3によっている。聖人が醴酒をつくり、人々がこれを受けついでいるといえるであろう。これこそは五穀の精華が変化したもので、水によって凝り固まり、風にあって変化したものである。医者*4に使用せられるものは、神麴《しんぎく》という名がつけられており、食物を腐敗から守るものは、その色が赤い。君臣*5は昔通りであるが、それに配合するものは日々に新しくなり、長寿を助け、宿痾がいえる。その功績は述べつくすことはできない。炎帝や黄帝のような聖人が創始しなかったならば、後世の知識ではその製法をきわめえなかったであろう。

注

*1——『毛詩』に商頌、周頌、小雅、大雅などの詩篇があり、これらはいずれも儀式に用うる楽歌を集録したものである。
*2——酒は普通の酒、醴は甘酒の類。
*3——酒に用いる「こうじ」が麴で、醴に用いる「もやし」が蘖。現在ビールは「もやし」でつくる。

＊4――原文には岐黄とある。岐伯、黄帝のことで、二人は医神として祭られる。ここは岐黄によって医者を意味している。
＊5――中国の薬物学では、上薬を君、中薬を臣とよんでいる。ここでは酒に混合する薬味を総称していると思われる。

酒母[*1]

酒をかもすには麹種《こうじだね》をもととする。麹がなければ、たとえすぐれた米や黍[*2]でも決して酒とはならない。むかしは麴で酒をつくり、糵で醴をつくったが、後世には醴の味の薄いのを嫌って、次第にその製法がわからなくなり、同時に糵の製法も滅んでしまった。

麴は麦、米、小麦粉など、土地土地でちがった材料でつくり、南と北とでちがっているが、その理屈は変わらない。

麦麴は大麦、小麦のいずれも使うことができる。醸造するばあいに、皮ごと井水でよく洗い、日にあてて乾かす。その時期は真夏がよい。ついで磨りつぶし、麦を洗った水でこねて塊をつくる。楮《カジノキ》の葉で包み、風の通る所にぶら下げるか、稲藁で包んでねかせる。[*3]四十九日たてばそれを使用する。

小麦粉の麴をつくるには、白い小麦粉五斤、大豆五升を蓼の汁でよく煮たて、さらに辣蓼《ヤナギタデ》の粉末五両と杏仁泥[*4]十両をまぜ、踏んで餅状とする。楮の葉で包んでぶら下げたり、稲藁で包んでねかしたりするのは、前の方法と同じである。糯米の粉を使って、生の蓼汁でこねて餅状として麴をつくって使用するばあいも、ねかせ方や日時は全く変わらない。

各種の君臣や薬味を入れるには、少なくて数種、多いばあいには百種もあって、各土地でのさまざまな方法は述べつくすことができない。近ごろ北京では、薏苡《ジュズダマ》の実を君として、麴に入れて薏酒《いしゅ》をつくる。浙江の寧州や紹州では、緑豆《ヤエナリ》を君として豆酒をつくる。この二種の酒は天下の名酒として盛んにもてはやされている〔別に酒経*5に述べられる〕。

酒母をつくる家で、麴の出来上がりが不十分であったり、加減をよくみなかったり、作業者の手が汚れていたりすると、悪い数個の麴種が醸造者の米を何石と腐らせることにもなる。だから必ず信用があり、有名な麴屋を選んでこそ、醸造者は安心できるのである。

河北、山東の黄酒に使う麴種は、多く淮郡でつくり、船車で運んで北方に売られたものである。南方の醸造酒で、かもして紅色となるものがあるが、麴種は淮郡でつくっているものと同じで、すべて火麴と総称される。ただ淮郡で売るものは煉瓦状に固めてあるが、南方では餅状の塊を使う。

麴というものは、蓼を中核とし、米や麦を材料としているが、いつも古い酒の粕をまぜあわせる。この粕を使うことは、いつごろから始まったかは知らないが、これはちょうど礬石を焼くのに、必ず古い礬滓を用いるようなものである。

注
＊1――醸造用の酵母のことである。

＊2——古代には酒の原料として黍が尊ばれたが、現在でも河北、山東の黄酒醸造業者は、原料として粟よりも黍を喜ぶ。
＊3——ここは原文に「或用稲稭罨黄」とある。中国では、日本酒のようにコウジカビやアオカビよりも、むしろクモノスカビやケカビが多くつき、そのために胞子がつくと黄色となる。罨黄とか生黄（下文）とかいう言葉は、この事実から生まれた。麹の製法も日本とちがう。
＊4——杏仁をすりおろした泥状のもの。
＊5——宋代以後、多くの『酒経』が著わされている。

神麴

神麴をつくるのは、薬に入れるためである。医者がこの麴を酒母と区別することは、唐代に始まっている。この麴は酒造用には使えない。神麴をつくるには、もっぱら白い小麦粉だけを使う。[＊1]百斤ごとに青蒿《カワラニンジン》の生汁、馬蓼《ケタデ》、蒼耳《オナモミ》の生汁などを入れ、まぜて餅をつくり、麻の葉とか楮の葉に包んでねかすことは、味噌麴をつくるのと同じ方法である。麴ができあがるのを待って、日にさらして貯蔵する。これ以外の薬味を配合するのは、ただ医者の加減にまかすのみで、たいしてきまった処方はない。

注

＊1——以下は『本草綱目』に引く『葉氏水雲録』の記述とほとんど同じである。

丹麴

丹麴というものは、そのつくり方は近代に始まり、その理屈は「臭腐の神奇」[*1]によるもので、その方法は精気の変化による。普通に魚肉は最も腐り易いものであるが、これを魚肉に薄く塗りつけると、炎暑の中でもその変質することがない。十日たっても、蛆や蠅が近づこうとしない。色と味はもとのままであり、まことに奇薬である。

丹麴をつくるには秈稲《せんとう》[*2]米を使い、それは早稲でも晩稲でもよい。搗いてよく精白し、水に七日間漬ける。[*3]臭いがくさく鼻もちがならなくなると、川の流れ水に漬けてさらす《図17-1》〔必ず山河の流れ水を使う。大江の水を使ってはならない〕。さらしても悪臭が残っているが、甑に入れて飯に蒸しあげると、たちまちによい香に変わり、その香がぷんぷんとする。

この米を蒸して飯とするには、初めの一蒸しは半分のところで止めて十分に蒸さないで、釜から出して冷水をかけ、冷えたら再び蒸して、こんどは十分に蒸しあげる。

それから数石をいっしょに一山に積みあげ、麴種を入れてかきまぜる。

麴種には必ず特別に上等な紅酒の粕を用いる。粕一斗について馬蓼の生汁三升を入れ、明礬水をまぜ、かもすべき飯一石ごとに、種麴二斤を入れ、飯の熱い間に数人で手早くかきまぜる。初め熱かったものが、まぜるに従って冷えると、麴が飯についたかどうかを監視する。しばらくして飯がかすかに暖かくなると、麴種がついたのである。

飯に麴種をまぜてから笊の中にあけ、礬水をさっと通し、それから盛り分けて平たい笊に入れ、棚にのせて風にあてる《図17-2》。風が働くので水と火の必要はない。

図17-1　川で米をさらす

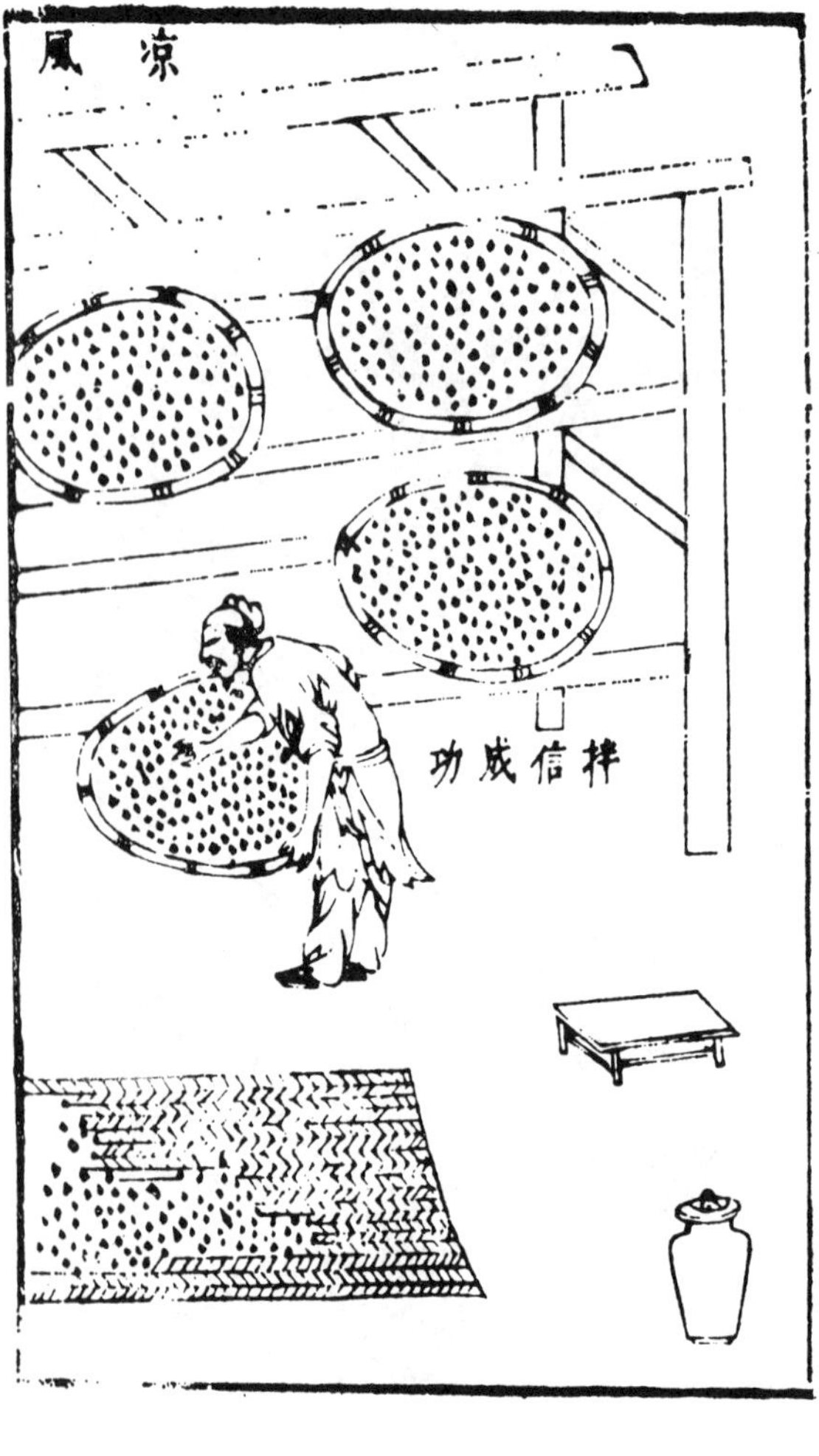
涼風
拌信成功

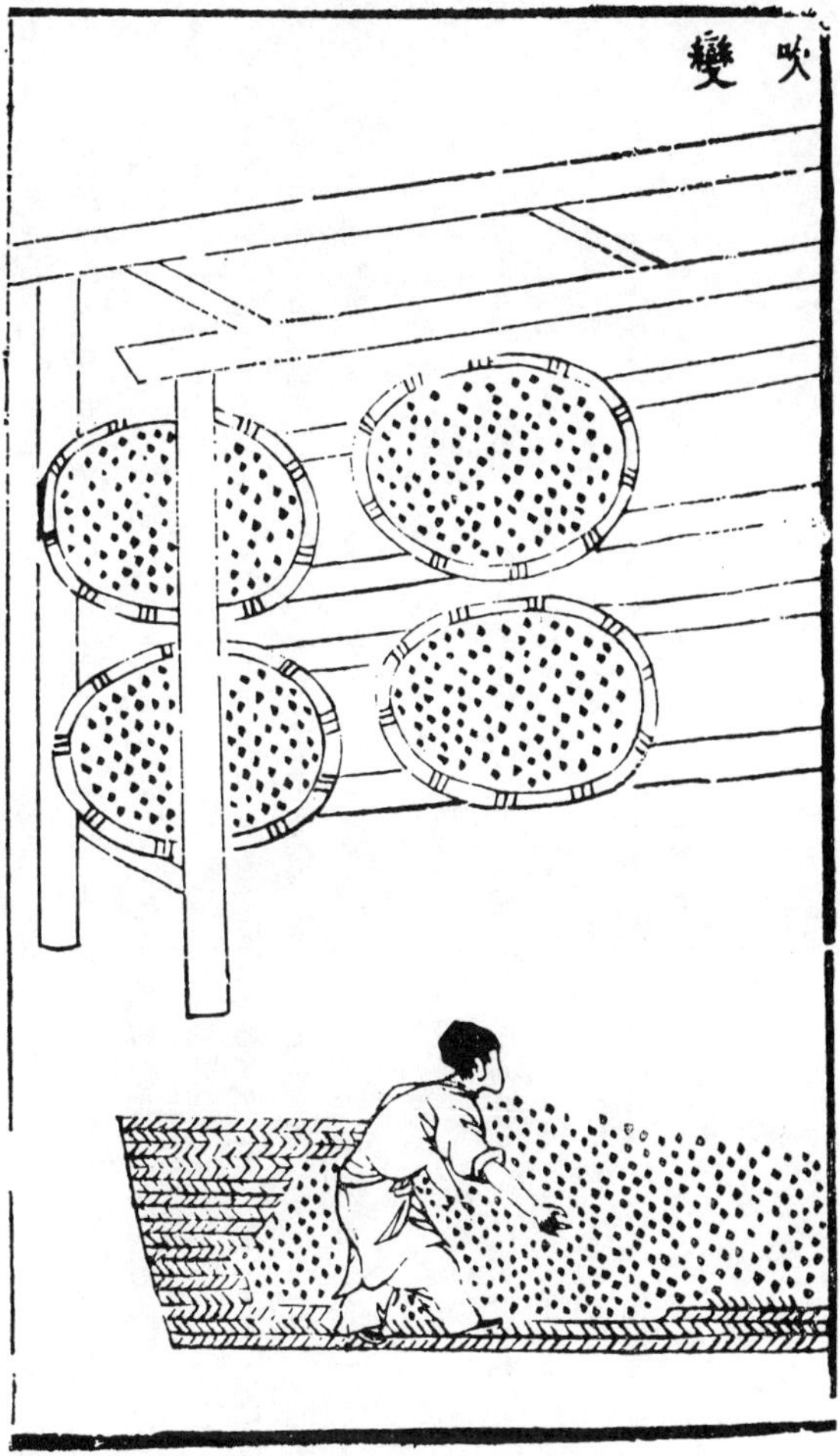

図17-2　涼風を受けて変化する

かもす飯を笊に入れ、笊ごとにほぼ五升を盛る。部屋は高くて大きいものがよい。瓦ごしの暑気のほてりを防ぐからである。部屋は南向きで西を塞ぐ。二時間乾燥させる間に、三回ほどかきまぜる。番をする者は、七日の間は棚の下に寝起きしていても、おちおち眠りもできない。夜中もしばしば起きる。初めには雪白であったのが、一、二日で黒色となり、黒は褐に、褐は代赭に変わり、代赭は紅に変わり、すっかり赤くなってから、またうっすらとした黄色に変わる。このように空気による変化がみられる。これを生黄麴という。この麴は、その値段と労力が、いずれも普通の麴に二倍している。

麴の色が黒から褐へ、褐から赤に転ずる時、いずれも一度水に通すが、赤くなってからはもはや水に通さない。この麴をつくるのに、職人は手を洗い、笊や簀《す》をよく洗い、すべてごく清潔にする。少しの汚れも、すっかり仕事をだめにするものだ。

注

＊1——臭腐の神奇は「蜂蜜」の条にもみえる。ここでは丹麴の製造が、腐敗した飯を使って芳香をもったものにつくりあげられることを指している。

＊2——秈は粘らぬウルチで、いわゆる南京米である。

＊3——この操作は米の澱粉を可溶性澱粉に変えるのである。なお、醸造について古くは『斉民要術』に詳しく、また山崎百治『東亜醱酵化学論攷』がよい参考となる。

十八　珠玉

私はこう思う。玉が埋蔵されて山が美しく、珠が含まれて川が輝くというのは、これは理の当然であろうか。それともまた事実から推量した説であろうか。いったい天地が物を生ずるばあいに、光明と昏濁、滋潤と枯渋の物はたがいに相反するものであり、また貴いものがここにあれば賤しいものはかしこにあるものだ。合浦《がっぽ》と于闐《うてん》との距離は二万里であるが、珠はここ（合浦）に名高く、玉はかしこ（于闐）に盛んである。これらの珠玉は足もないのにやって来て人々のあいだに寵愛され、宮殿の中でまばゆく輝いている。中華の国においてむやみに貴重視され、人々は平身低頭してこれを奉っている。このように山水を美しく輝かすものは人間に集まっているが、天地の精華はただ珠玉だけときまっていない。

真珠

真珠はきまって蚌《ぼう》*1の腹にできる。月の光を受けて孕むのであるが、ひじょうに長い年月がたってやっとすぐれた宝となる。蛇の腹、龍の顎、鮫の皮に真珠があるというのは、でたらめである。中国の真珠は広東の雷州、廉州の入り海*2だけに産する。三代以前には淮州や揚州も南国の地方であったから、いくらか近い所で真珠が得られた。「禹貢」に「淮夷《わいい》の蠙珠《ひんしゅ》」[3]といっているが、恐らく後に貿易の便によって得たもので、必ずしも土地の産物をとり立てたものではなかろう。金の時代は蒲与路《ほよろ》から真珠を採り、元は楊村直沽口《ちょくこ》から採ったとあるが、みなでたらめないい伝えで、そんな場所で真珠が得られたためしはない。[4]また忽古呂江で真珠が得られたといっているが、これは外国の土地であって中国の話ではない。

蚌が真珠を孕むのは、もともと無から有を生ずるのである。水にいる他の小さな生物の類は、他の魚に食われる機会がひじょうに多く、寿命が長くない。ところが蚌は堅甲をよろっているから、乗ぜられる隙がない。たとえ魚の腹中に呑まれても、完全なままで消化されないから、これだけは百年千年の寿を得て、値のつけようもない宝ができる。

蚌が真珠を孕むのは、たとえひじょうに深い水底にいても、一度円い月が中天にかかると、すぐに貝殻を開いて月光を受け、月の精気をとって真珠をつくるのである。中秋の明月は、年老いた蚌でもひじょうに喜ぶ。もし暁まで雲がなければ、月の運行につれてその身体をぐるぐるその方向に動かして、月光を受ける。他の海浜に真珠がないのは、潮汐が激しくて、蚌は身をじっと安めておく場所がないからである。

廉州の入り海は烏《う》泥独攬沙《でいどくらんしょう》から青鸎《おう》まで百八十里ばかりである。雷州の入り海は対楽島から斜めに石城の境界を望むあたり、およそ百五十里である。蜑民《たん》[5]が真珠を採るには、毎年必ず三月に犠牲を殺して海神を祭り、敬神の念をこめる。蜑民は生のまま魚貝を食べるので、水中にはいって水の状態をみることができ、蛟龍の所在を知って犯そうとはしない。

採珠船は、その形は他の船にくらべて幅がひろくて円く、藁蓆をたくさんその上にのせている《図18-1》。渦を巻いている所を通るばあいは、この蓆を投げこむ。すると船は無事である。船中では長い縄を潜水夫の腰につなぎ、潜水夫は籃をたずさえて海中にはいる。

潜水夫は錫製の曲がった管の根元の凹んだ所を口と鼻にあて、その中に呼吸を通す。別になめした皮で耳の後の付根の所を包む。ごく深いものは、四、五百尺の所まで潜水する。蚌を拾って籃の中に入れ、呼吸が苦しくなれば縄を動かすと、上の方から急いで引っ張りあげる。運の悪い者は魚腹に葬られたりする。

潜水夫が水から出ると、たき暖めた毛織物ですぐにその身体をおおってやる。ぐずぐずしていると寒さのためにふるえて死ぬ。むかし宋代の李招討は採珠法を考案した。[*6] 鉄で耩《まぐわ》をつくり、最後の口の所に木柱が立っており、口の両隅に石の錘をつけ、麻縄で袋状の網籠をつくりつける。[*7] それを縄で船の両側につなぎ、風に乗じて帆をあげ網ですくいとる《図18-2》。しかしそれでも溺れる心配がある。いま蜑民は両法を併用している。

真珠が蚌にあるのは、玉が母岩に包まれているようなものである。最初はその値打ちはわからないが、開き割ってみるとわかる。真径が五分から一寸五分のものを大品とする。やや平らで伏せた釜に似ており、一すじの光彩があって、うっすら鍍金したようなものを璫珠《とうしゅ》という。その値は一粒で千金もする。古来、明月夜光の珠といわれたものは、この種類である。日中晴れている時、軒下でみると一筋の光がきらきらとまたたく。夜光というのは実は美称であって、実際に暗夜に光を放つ真珠があるのではない。次は走珠であって、平底の皿におくと、ころころ転がって

没水採

図18-1　潜水して真珠をとるための船

揚帆採珠

図18-2　帆走して真珠をとる

止まらない[*8]。その値はやはり璫珠と匹敵する〔死者の口に一粒含ませると、もはや屍は腐らない。だから帝室では高い値でこれを買う〕。次は滑珠で、光沢はあるが形はまんまるではない。次は螺蚵《らか》珠、官雨珠、税珠、葱符《そうふ》珠の順である。幼珠は粱や粟の粒ほどであり、普通の珠はエンドウの大きさである。いびつで小さい真珠を璣《き》という。夜光から小さな璣に至るまでを人間にたとえていえば、王公から無籍者までにあたっている。

真珠ができるには、一定の限度があるから、激しく採取すると、できるのが追っつかない。数十年ものあいだ採らずにおくと、蚌はおちついてその子孫をふやし、たくさんの真珠を孕む。「珠は従い、珠は還る」[*9]ということばがあるが、実は死神が死のリストをきめるので、決して清廉な官吏に天が感じたのではない〔明の弘治年間には一度の採珠に三万八千両を得た。万暦年間には、一度の採珠にただ三千両を得ただけで、経費を償えなかった〕。

注

＊1――蚌は普通にドブガイにあてているが、これは淡水産である。しかし下文をみると、ここは海産の真珠を述べているようであるから、ドブガイと限定するのは不都合である。二枚貝というほどの意。

＊2――原文には必産雷廉二池とある。下文によると採珠場は相当に波の荒い所で、普通の池ではない。「池」には「入り海」の意があるので、それに従っておいた。

＊3――禹貢は『書経』の篇名。その注釈によると、淮夷は淮水及び夷水であり、蠙は蚌の別名とある。

＊4――金の時代に蒲与路から採珠したことは未詳であるが、元の時代に楊村直沽口、忽呂古江で採珠したことは『元史』食貨志歳課の条にみえている。中国では各地の河川で採珠が行なわれたことは事実

で、著者のように雷・廉二州以外には産しないというのは誤解である。

＊5――蜑は福建、広東の海岸地方に生活し、もっぱら漁業を生業とする異民族である。

＊6――李招討のことは不明であるが、『図書集成』食貨典三二四巻に引く『広東通志』には、明永楽初年に御史呂洪が鉄耙をつくって真珠貝を採り、のちに現在の法を得たとして、本文にいうがごとき方法を述べている。一種の底引網による漁法である。

＊7――原文には「最後木柱扳口」云々とある。現在アメリカの漁具に、網口に木柱が立っていて、それを船上から操作するものがある。耩は水底の貝をかき寄せるためのものである。

＊8――わが国では俗に八方ころがりとよぶものがあり、これは真円に近く最も珍重する。走珠はこのような類であろう。

＊9――『後漢書』循吏伝中、孟嘗の故事によったものである。孟嘗が合浦の大守となり、真珠貝の濫獲を禁じたため、一旦交阯に逃避した真珠が再び合浦にかえったという。下文の清廉な官吏は孟嘗を指す。

宝石

宝石はすべて井戸の中から出る。西蕃地方で最も盛んに産出する。中国ではただ雲南の金歯衛と麗江の二ヵ所だけに産する。

宝石は大小共にみなその外を包む石牀があるのは、ちょうど玉に母岩があるようなものである。金銀はきまって深く土をかぶっており、その土にはぐくまれてつくり出されるが、宝石はそうでなくて、井戸の底から真直ぐ天空に通じ、日月の精気をとってできる。だからできたものは光っている。玉が急流にでき、真珠が水底で孕まれるのと、その理は一つである。

宝石を産する井戸は、きわめて深いものでも水がない。これは天地がそれぞれ物に応じてつくった仕掛けである。しかしその中には霧のような宝気があって、井戸の中に立ちこめており、長くその気を吸うと死んでしまうことが多い。だから宝石を採取するには十数人をまとめて一群とし、井戸にはいる人は利益の半分をとり、井戸の上にいる人は全部で利益の半分をとる。井戸におりる人は長い縄を腰につなぎ、腰に巾着二個をつけ、井戸の底の宝石に近づくと、手当り次第に手早く拾って袋に入れる《図18－3》〔宝井中には蛇や虫ははいらない〕。腰に一個の大きな鈴をつけ、宝気にまかれて動けなくなった時には、急いでその鈴を動かすと、井戸の上の人が縄を引っ張りあげる。そうすると人は無事である。しかしもう気絶していると、白湯だけを与えて毒を消してやる《図18－4》。三日間は食物を与えてはいけない。それから養生して平常通りになる。

袋の中の石は大きいものはお碗ほど、中ほどのものは拳大、小さいのは豆粒ほどである。その中はどんな色か全くわからないので、琢工《たくこう》に渡し、やすりで切り開いてゆくと、それがどんな色であるかがわかる。紅色や黄色の種類に属するものは猫精、靺羯芽《まつかつが》、星漢砂、琥珀、木難、酒黄、喇子《らし》*1である。猫精は黄色で少し紅色を帯びる。琥珀の最も貴重なものは瑿《い》〔音は依。この値は黄金の五倍である〕と名づける。紅色で少し黒色を帯びる。しかし昼にみると黒く、燈火の下ではひじょうに紅い。木難は純黄色で、喇子は純紅である。昔の何というでたらめな学者だったか、松樹のところに茯苓《ぶくりょう》を付記し、また琥珀を付記しているが*2、笑うべきことである。青色や緑色の種類に属するものは瑟《ひっ》瑟珠、珇《そ》母《ぼ》緑、鴉《あ》鶻《こつ》石、空青*3〔内側の空青の部分をとってしまってから、外皮を粉にして曾青とする〕の類である。玫瑰《まいかい》*4という種類は大豆か緑豆の大きさのものになると、

図18-3　宝井

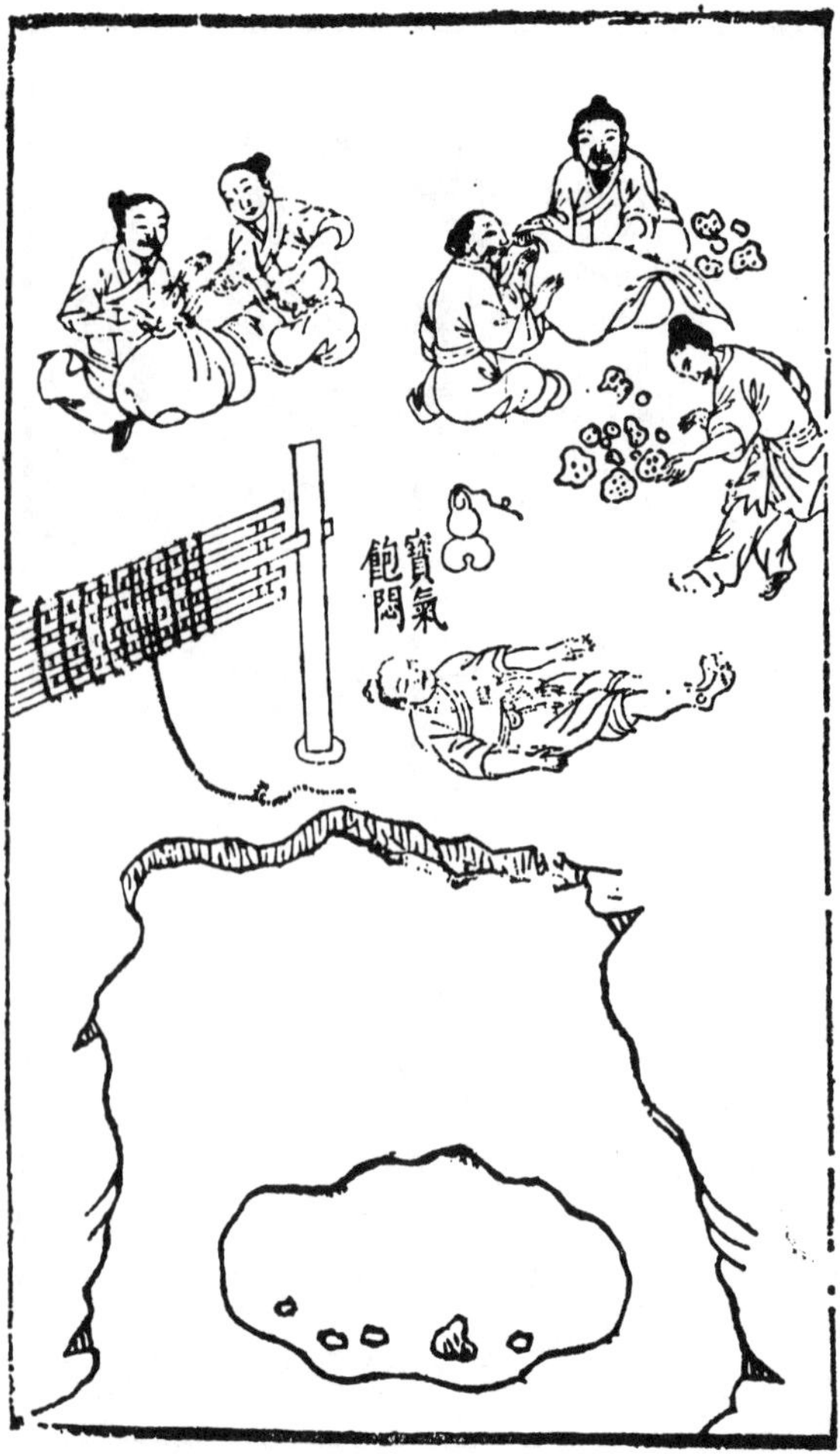

図18-4　宝気にあたる

紅、碧、青、黄など数種の色がみな備わっている。宝石に玫瑰があるのは、真珠に璣があるようなものである。星漢砂[*5]より上等なものに煮海金丹[*6]がある。これらはみな西蕃の産であり、これもたまたま吹き出るものであるが、雲南の井戸にはない。

現在人々が宝石を偽造するばあいに、琥珀だけは模造し易い。模造品の高価なものは硫黄を煮てとかし、下等のものは殷《いん》紅色の汁で牛や羊の明角を煮こむと、紅色の色がはっきりときらめき出てくる。しかし今ではすぐに見分けられる〔琥珀はこすると水分が出るから〕。琥珀が燈芯草を引くというのは、もとより人を惑わす説である。[*7]いったい物は人の気を借りて塵を引きつけるのである。従来、本草家にはでたらめが多いから、こんな説は削除して、版木を無駄にしてはいけない。

注

*1——猫精は俗に Tiger-eye とよばれる宝石、靺鞨芽は紅瑪瑙の類、星漢砂は未詳、琥珀の貴重なものを瑿とよぶ説は古くからみえており、木難は緑柱石、酒黄は黄玉、喇子はルビーの類。

*2——琥珀は針葉樹の樹脂が土中に埋もれて化石となったものであり、すでに中国でも晋の張華の『博物志』に松柏脂が地中にあること千年で茯苓となり、茯苓がさらに琥珀となると述べている。これは一般の本草書に引用されている。著者が古来の説を却けたのは、かえって誤っている。ただし一種のカビである茯苓を生成の途中に考えた在来の説は間違っている。

*3——瑟瑟珠はサファイア、珇琈緑はエメラルド、鴉鶻石は未詳、空青は孔雀石、これの酸化した緑青が曾青である。

*4——玫瑰はもと雲母を指すが、ここは別の宝石であるらしい。

＊5――星漢砂は未詳。
＊6――煮海金丹は未詳。
＊7――琥珀が塵芥を吸引することは、すでに後漢の王充『論衡』に述べられている。著者がこの説を却けたのは、もとより誤っている。

玉

中国に運ばれて珍重される玉は、すべて于闐[＊1]〔漢の時は西国の名であった。後代には別失八里とよばれたり、赤斤蒙古に征服されたりした。きまった名は明らかでない〕の葱嶺《そうれい》に産する。いわゆる藍田というのは、葱嶺の玉を産する土地の別名で、後世にそれを西安の藍田と誤解している。[＊2]その嶺から流れる水の源を阿耨《あじょく》山といい、葱嶺に至って両河に分れ、その一つを白玉河といい、他を緑玉河という《図18－5・6》。五代の後晋の張匡鄴《きょうぎょう》は『西域行程記』を書き、別に烏玉河のことを載せているが、この一条はでたらめである。玉の母岩は深い所には埋蔵されない。川の源が急流となっている所で激しくもまれてできる。しかし玉を採取する者は、玉のできる場所ではとらない。そこは急流で手が下せないからである。夏になって水がいっぱいになると、母岩は急流につれて百里か二、三百里もおし流されるから、そこでこれを川からとるのである。

玉は月精の光を受けてできる。だからその国人が川から玉をとるばあいには、多くは秋の明月の夜に川の様子をみる。玉の母岩がたくさん集まった所は、その月光が二倍も明るい。母岩は水につれて流れるが、やはりごろごろした石や浅い流れの中に入りまじっているから、とり出して見分けて玉の母岩であることを知る。

白玉河は流れて東南に向かい、緑玉河は流れて西北に向かっている。亦力把力《イリバリ》*3という土地に、望野という場所がある。その川には多くの玉が集まっている。そこの風俗では、女が裸で水にくぐってとる。女の陰気で引きよせると、玉が留まって去らないからとり易いといっているが、これは野蛮な人々のばかげた考えかもしれない〔蛮地ではこの物を貴ばない。さらに数百里を流れる。蛮地では道が遠くて商品とならないから、そのまま放っておくのである〕。

玉はただ白と緑の二色だけである。緑のは中国では菜玉*4とよぶ。赤玉や黄玉があるというが、これはいずれも奇石や琅玕《ろうかん》の類で、たとえ値が玉以下でないとしても、玉ではないのである。

玉の母岩の根は岩につながっている。まだ流水のためにおし出されない前は、母岩の中の玉は棉のように軟らかいが、しかしおし出された時は、もう硬くなって、空気にあたるとますます硬くなる。世間で琢磨《たくま》する玉に軟玉があるというが、これも間違いである*5。

玉を包む母岩の外側を玉皮という。それを使って硯の台などをつくる。その値は大したものではない。母岩中の玉には、縦横一尺余りで瑕《きず》のないものがある。昔は帝王がそれを使って印とした。いわゆる「連城の璧《へき》」とよばれるものも、得やすいものではない。縦横が五、六寸で瑕のないものは、手を加えて杯をつくるが、これでも今では大した宝物である。このほか西洋瑣里《さり》*6には変わった玉がある。ふだんは白色で、晴天の下でみると紅色がきらめき出し、曇天には青色となる。これは玉の変化《へんげ》といえよう。宮中の御物にある。朝鮮の西北の太尉山には千年璞《はく》があり、中に羊脂玉を蔵している。葱嶺の美玉とあまり変わってはいない。そのほか記録に載っているもの

白玉河

図18-5　白玉河

緑玉河
亦力把力國

図18-6　緑玉河

があるが、まだ見聞していない。

玉はかの土地の纏頭回《てんとうかい》〔その習俗によると、頭を一年ごとに布で一重ずつ包み、老人になるとひどくふくれてくる。だから纏頭回子という。その国王も髪をみせないようにする。その理由を問うと、髪をみせると凶年になるという。まことにおかしなことである〕が舟で川を遡ったり、駱駝に乗せたりして、荘浪を経て嘉峪《かよく》にはいり、甘州と粛州まで運んでくる。中国商人は、ここで貿易して玉を仕入れ、東して中華にはいり、それが北京に集まる。玉工は母岩の高下を見分け、値をきめてから磨きにかかる〔良玉は都に集まるけれども、細工のうまいのは蘇州が第一である〕。

初めて玉を割《さ》きさる時には、鉄で円盤をつくり、水のはいった鉢に砂を盛り、足で円盤を動かして回転させ、砂を添えて玉を割くと、しまいにさっと切り割ける《図18-7》。中国で玉を割く砂は、順天府の玉田と、真定府の邢台との二つの町に産出する。その砂は河中からとれるのではなく、泉から流出し、小麦粉のようにきれいである。それを使用して玉を磨くと、長くすりへることがない。割いてから別に精巧な細工を施すのである。それには鑌鉄《ひんてつ》*7〔鑌鉄も西蕃の哈密《はみ》衛の礪《れい》石中から出る。これを割ると得られる〕の小刀を使うと、切れ味がすばらしい。

玉器の磨き屑は髪飾り品の製作に用いる。それにも使えないほどの屑は、ひいて篩にかけ灰にまぜて琴に塗る。琴に玉音があるのはこのためである。

ごく細かい細工のために錐が使いにくいばあいは、蟾酥《せんそ》*8を塗りこんでから刻みこむ。このように物質の働きは、ほとんど人知の理解を越えるものがある。

まがいものの石でごまかした玉は、錫と銀とのばあいのように、はっきりと見分け易い。近ご

図18-7　玉をみがく

ろは上等の白磁器を搗き砕いてごく細かくし、白歛《カガミグサ》などの汁でこねあわせて器をつくるが、乾くと玉色が燦然と現われる。これは偽造の最も巧みなものであろう。

珠玉と金銀とでは、そのでき方が相反している。金銀は太陽の精を受け、必ず深土に埋もれてできあがる。珠玉や宝石は月の精を受け、少しの土にもおおわれていない。宝石は井戸にあって上方の青空に通じるが、真珠は深淵にあり、玉は急流にあって、ただ透明な水の色におおわれるだけである。真珠には螺《ら》城がいあり、螺母がその中におり、これを龍神が守護しているから、人はそれを犯そうとしない。ただ人間の用に供される運になったものだけが、螺母におし出されて採取されるのである。玉が初め生成したばあいも、やはり採取することはできない。それを玉神がおし動かして川に入れてから、初めて自由にとれるのである。螺城の神秘さと同じわけである。

注

＊1——于闐は現在新疆省にある和闐《コータン》である。注にある別失八里 Bēshibaliq はトルコ語で五城を意味する。この地の同定については諸説があったが、現在では天山山北に位する済木薩（Jimsa）近傍の地名と確認されている。従って于闐とは全く異なる。

＊2——玉の産地として藍田の名は古いが、西安の藍田には早くから玉の産出がない。よって著者は一説を立て、于闐付近の産玉地を一に藍田とよんだというのである。

＊3——亦力把力 Ilibalik は耶律楚材の『西遊録』に亦列八里とあり、現新疆省の伊犁にあたる。赤斤蒙古は蒙古の部族名で、明代にはこの部族による赤金（斤）衛が甘粛西部におかれた。

＊4——緑色のものは普通に翡翠とよばれるものである。著者はこの類を菜玉といっているが、明の曹昭の

『格古要論』巻中には「菜玉非青非緑、色如菜葉、玉之最低者」としている。なお同書によると、玉色は白、緑のほかに各種があることが述べられている。

＊5――玉には軟玉（Nephrite）、硬玉（Jadeite）の区別がある。著者が軟玉の存在を否定するのは、軟の字に拘泥しての誤りである。

＊6――西洋瑣里のことは、たとえば『皇明象胥録』巻五に詳しいが、現在の地名は未詳である。

＊7――インド産の鋼と思われる。いわゆるウーズ鋼。

＊8――ひき蛙の毒腺分泌物の乾固品。

付記　瑪瑙、水晶、琉璃

瑪瑙は宝石でも玉でもない。中国ではその産地はかなり多い。種類は十余りを数える。多くかんざしや帯留などをつくり、或いは碁石をつくったりする。ひじょうに大きなものは屏風やテーブルをつくる。上等品は寧夏の境外にある羌《きよう》[＊1]地の砂漠中に産する。しかし中国にも広く産出するから、商人も遠くへは行かない。現在京師で売っているのは、多くは大同府蔚《うつ》州の九空山や宣府の四角山に産するものである。それには夾胎《きようたい》瑪瑙、截子《せつし》瑪瑙、錦江瑪瑙があって、同じ種類ではない。神木と府谷には漿水瑪瑙、錦纏瑪瑙を産する。どこでもそれらを売っている。以上がその大略である。これを検査する方法は、木にこすって熱くならないのが真物である。偽物はつくり易いが、真物も値段がもともとあまり高くないから、偽物をつくる技術を売物にしてもはじまらない。

中国で水晶の産額は、瑪瑙よりもやや少ない。現在、南方で使用するのは、多く福建の漳浦の産〔山は銅山という〕である。北方で使用するのは、多くは宣府の黄尖山の産である。中部で使用するのは、多く河南の信陽州〔黒色の物は最もよい〕と湖広の興国州〔潘《は》家山〕の産である。黒色のものは北方に産し、南方には産しない。そのほか、水晶が山穴にもともとありながら、それを知らずに採掘していなかったり、すでに採掘したことがあるが、官の法令で禁じて閉ざしているものはなお多い〔たとえば広信郡で宦官の採掘をおそれて閉ざしているものなど〕。

水晶は深山の穴の中や、激流にある石の裂け目に出る。その水は水晶を通って流れ出し、昼夜やむことがない。洞門を流れ出してから半里ほどでも、なお、その水面は油滴がぶつぶつ出ているようにみえる。水晶がまだ穴を離れない前は、棉のように軟らかいが、風にあたると初めて硬くなる。そこで要領のよい琢工は、山の産出場所でざっとした型をつくり、それをもち帰って手を加える。労力を省くことは十倍であるという。

琉璃石[*2]は中国の水晶[*3]、占城の火斉[*4]と同じ種類であり、同じようにきらきらして透きとおっている。しかし中国には産しないで西域に産する。その色は五色ともみな兼ね備わっている。中国の人はこれを羨望のあまり、人巧をつくしてこれに似せたものをつくった。そこで屋根瓦を焼き、釉をかけて黄緑色としたものを琉璃瓦という。羊の角を煮てとかし、盛油皿や燭台のホヤとしたものを琉璃碗という。消石と黒鉛をまぜてとかし、真珠の屑を入れ銅線を通してあわせて琉璃燈を、また一片一片こねあわせて琉璃瓶袋〔消石を煮つめると、上に馬牙消が析出する〕をつくる。それを各種の染料で自由に染めつける。燈珠をつくるのは淮水以北の山東の人々で、その地に消石を産出するからである。

消石は火にあうとなくなってしまう。もともとその質はなく、これに対して黒鉛は重い質のものである。この両物が火を媒介として結ばれる。消石は黒鉛を引きつけてなくなろうとし、黒鉛は消石を引きとめて地上に残ろうとし、そこで一つの釜の中で仲よくまざりあい、きらきらした状態のものとなる。これは天地の造化が簡単な操作の中に隠顕しているのである。天工の巻末に特にこのことを記しておく次第である。

注

＊1――羌は青海省を中心に住んでいたチベット種の民族。
＊2――ここにいう琉璃石はガラスを指すものと思われる。日本のばあいと同じく、中国でもガラスは早くからつくられながら、発達せずにその伝統が一時絶えた。
＊3――原文には水精とある。水晶と同じである。水晶が水の精気によって生成されるという考えが、この言葉にみられる。
＊4――占城は現在のカンボジア。水晶によって太陽光線を集め、火をとったことから、水晶は火斉ともよばれた。

解説

藪内 清

一 中国の技術書

『天工開物』という書物は、明末の崇禎十年（一六三七）に江西省奉新県の学者宋應星によって書かれた中国の産業技術書である。中国の書物は古来その豊富な点では驚くべきものがあるが、技術書としてみるべきものは非常に少ない。しかもこれらの技術書は、多く特定の部門に限られている。たとえば最古の技術書を代表する『周礼』の考工記は、支配者を中心とした宮室造営、車、楽器、兵器などの製造について書いている。また中国技術書の中で比較的多く書かれているのは農書の類であって、この部門には重要なものがある。たとえば六世紀前半に書かれた後魏賈《か》思勰《しきよう》の『斉民要術』は、特に華北の乾燥地帯における農業技術について詳述しており、これによって現在の華北の農業は当時の耕作方法とくらべて著しい変化がないことを知りうる。また華中、華南における水稲耕作についての著述は、宋元以来にわかに豊富となって、すぐれた著述が行なわれてきた。このようにすぐれた農業技術書が数多く著述されてきたことは、中国社会が農業の基礎の上に成立していたことを端的に示すものである。これらの農書に比較して、他の産業部門についての著述は少なく、量的にも質的にもすぐれたものはほとんど見当たらない。このような中国技術書の中にあって、『天工開物』はきわめて特異なものといえよう。まず第一に、この書は当時における重要産業の各部門を網羅していることである。さらに第二に、個々の産業部門についてその生産過程を非常に忠実に書いていることである。この二つの点からみて『天工開物』は中国技術書を代表するものといえよう。従って我々が中国の技術を知ろうとするばあい、必ず参照しなければならぬ書物となっている。

この書物が著わされた明末には、すでにポルトガルの艦船がマカオを中心に貿易を行ない、これらの船によって渡来したキリスト教宣教師の手によって西洋の科学技術がかなり輸入されていた。しかし『天工開物』には、火器に関する記載を除いて、西洋の科学技術に関する記載はきわめて少なく、その関心はもっぱら中国在来の技術に向けられている。従って古い歴史を通じて発達してきた中国技術の全貌を展望する書物として、これ以上に手頃なものはない。

二 『天工開物』の名称と内容

初めに書名の意味について述べておこう。著者宋應星はこれについて何も言っていない。陶湘本『天工開物』に跋文を書いた丁文江は、その文中に「物は天より生ずるが、工は人において開けるものだ。だから天工というときは、人と天とを兼ねて言っているのだ」と述べており、天と工、開と物とをそれぞれ天と人とに対立させて考えている。これは一応の解釈であるが、すでに三枝博音氏が述べた（昭和十八年刊複製本をみよ）ように、天工は人工に対する自然力を意味し、この自然力を利用する人工が開物であると解するのが、より妥当であると思われる。それは工という言葉が決して人工の意味に限定されないからである。すでに『皐陶謨《こうようぼ》』に「天工人其代之」という句がある。もちろんこのばあいの工は官職の意であり、句の意味は、人君が官職をおいて人民を治めさせるのは、もともと天に代わって仕事を行なわしめるためであるというので、政治そのものが天工であると言っている。また同じ用例は『書経』舜典の中に「惟時亮天功」という句にみえる。工と功とは通用の語であり、この句はやはり天がなすべき仕事を助ける意に理解されている。これらの例では天工は直接には自然力を意味しないようである。しかし実は人間社会と自然界をふくめて、すべての根源となるものが天であるというのは、いわば中国人の根本思想の一つであって、これを政治に適用したばあいに上述のような表現となる。開物の語は『易経』にみえるが、この『易経』において天を象徴する乾卦の文に「大哉乾元、万物資始」とあり、また地を象徴する坤卦の文に「至哉坤元、万物資生」と説いている。すなわち天の力によって万物が始まり、地の助けによって事実上にそれが生ずる。従って最も本源的な自然力は天に備わっていると理解されている。自然の中にみられる微妙さは、まさに天に帰せられなければならない。この微妙さは、まさに天工とよばれることができる。従って元の趙孟頫《ふ》の「贈放煙火者」という詩に花火の美しさをたたえて「人間巧藝奪天工」という句が生まれたのである。人間のすぐれた技巧が天工を奪うということは、同時に自然の微妙さをたたえることである。

宋應星自身も本文中に天工と人工とを並列しており（たとえば「製錬」銀の条）、また天工とシノニームな言葉として天道と言い、造化之功と言っている。実は人工というものが、すぐれた自然力である天工を基礎にして成立するというのが、大まかに言って古い中国人に広く共通した思想であり、同時にまた宋應星の技術観である。どこまでも天工というものが根本にあって、それに順応しながら利用価値をもった物をつくり出すところに人間の技術が存在すると理解された。『天工開物』という書名は、このような思想を端的に表現したものであると思われる。このような技術観は、自然を神の手から解放し、それを一つのメカニズムと考える近代的な機械観とは全く対立する。このような前近代的な技術観と並行して、技術上の発明や発見すらも超人的な知恵によって行なわれたことを、宋應星は確信する。たとえば、二「衣服」の初めに「天の織女が機織りを創め、その技術が人々のあいだに伝わった」とか、四「調製」の初めに「杵や臼をつくった人は、必ずや天が仮に人間の姿をして現われたものにちがいない」と言っていることにより、十分に窺い知られる。このように技術上の創見を超人的な神人に帰することは、すでに中国の古典にしばしばみえる。たとえば杵や臼が神人の手に成ったということも、実は『易経』繫辞伝に黄帝がこれらをつくったとの記述に基づくものであろう。もちろん技術上の創見を神人に帰するという思想は、中国において特有なものではない。三枝氏の労作『技術の哲学』（一九五一年刊、一〇ページ）において、ギリシアのホメロスの作品に技術を授ける多くの神々が指摘されており、このような思想が広く古代社会にあったことが知られる。ただこのような思想が、明末の宋應星の中に強く生きていたことは、当時における中国の技術がなお古い発展段階にとどまっていたこととと表裏するものであろう。なお、『中国科学技術史』（*Science and Civilization in China*）の著者、ケンブリッジ大学の Joseph Needham 博士は、『天工開物』を Exploitation of the Works of Nature と訳しているが、ほぼ妥当な解釈と言えよう。

『天工開物』は中国在来の技術を次の三巻十八部門に分けて記載している。

一、穀類（乃粒）　二、衣服（乃服）　三、染色（彰施）
四、調製（粋精）　五、製塩（作鹹）　六、製糖（甘嗜）
七、製陶（陶埏）　八、鋳造（冶鋳）　九、舟車（舟車）
十、鍛造（錘鍛）　十一、焙焼（燔石）　十二、製油（膏液）
十三、製紙（殺青）　十四、製錬（五金）　十五、兵器（佳兵）
十六、朱墨（丹青）　十七、醸造（麴蘖）　十八、珠玉（珠玉）

宋應星の序文によると、このほかに観象、楽律の二巻を書いたが、刊刻にあたって削ったという。その表題からみて、この二巻は産業技術の外におかれるもので、本書に盛られた十八部門は中国の重要産業をすべて網羅しているといえよう。

宋應星の序文に「五穀を貴び金玉を賤しむ」という立場から本書を順序づけたと言っている。『書経』洪範には「一を食といい、二を貨という」とみえ、衣服その他の財物である「貨」にくらべて食を優位におく思想は、農業国家である中国において古くから行なわれたところである。歴代正史における経済史ともいうべき食貨志の記載が、まず食を述べて貨に及ぶのは、このような農業優位の思想をつらぬいたものとみるべきで、宋應星が穀物を初めに述べ珠玉を終りにおいたのも、実は古くから存在する思想によっている。もちろん中間の順序は、かなり随意に先後がつけられたことであろう。分量的にみても、直接に食品生産に関係したものが、最も多くの分量を占めている。すなわち穀物の耕作と調製を述べた一と四、調味料としての塩、砂糖、さらに油の製造や醸造をふくめると、十八項目の中でその三分の一が食品生産に関するものであり、紙数からみてもほぼ同じ割合を占める。次に庶民の生活とつながりの多い衣服は、染色をふくめて二項目であるが、紙数では七分の一を占める。しかも上巻（一―六）の記述が全く食と衣にあてられていることは、宋應星自身の関心の所在を示すと同時に、中国の産業における比重を明示するように思われる。次に中巻（七―十三）、下巻（十四―十八）の大部分を占めているのは、採鉱をふくめた金属加工部門であって、やや類似する「焙焼」を加えると、紙数にして四分の一を占め、衣食について最も詳しい。このことは兵器製造や明代における貨幣の盛行と関連するものであり、金属の需要が増大しつつあった当時の情勢を反映するものであろう。なお近人向達の『中西交通史』（一九三四）には、明代の他の著述と異なり『天工開物』が詳しく鉱物をとりあげたことにより、この著述が明末渡来の宣教師からの影響を受けたとしているが、あまり妥当な見解とはいえないであろう。しかし兵器について一項目をあて、特に火器をとりあげたのは、ヨーロッパの影響と明末の危機的な政治情勢を反映するものとして注意されよう。残余の部分については、だいたい舟車、製陶、珠玉、製紙、朱墨の順で順次簡略となっている。

三 『天工開物』の特徴

宋應星がこの書を著わした動機は、巻首の序文や各部門の初めの文によって窺い知ることができる。すなわちこの書は、対象を当時の支配階級であったインテリ層におき、これらの階級の人々が日常生活に恩恵を蒙りながらも生活必需品の生産過程を知らず、時には農家の人々を軽蔑する態度に、軽い憤りさえ感じて書いたことが知られる。一般に技術や生産従事者が軽蔑されるのは、古い社会の顕著な特色の一つであって、同時にこのような技術書も一般から珍重されなかった。また序文に「この書は立身出世に少しも関わりがないのである」と述べているのは、役人として出世するものにとって何よりも科挙に合格する必要があった中国において、技術書への軽視はまさに当然なことを示すものである。それはともかくとして、この書物は技術の指導書ではなく、従ってそれぞれの専門家の立場からすれば不満の点が多いと思われるが、しかし非専門的なインテリ層を対象に書いたという意図は、かなり成功をおさめていると考えてよかろう。

本書の内容をその特徴とする点から眺めてみよう。すでに丁文江は陶湘本『天工開物』の跋文において、本書の特徴を五点に分けて列挙し、一通りの紹介を行なっている。丁文江はまず本書がすぐれた中国農工業史であることを述べ、明代の空疎な学問傾向の中にあってひとり技術の各部門にわたる著述を行なったことを第一に賞揚し、この書が他の編纂物と類を異にし、自らの見聞に頼っている創作の精神を第二の長所とし、特に数量的関係を詳しく記載しているのを第三の特徴に数え、第四の特徴として事実に立脚して迷信を排除する態度をあげ、最後に本書が事実に即していて議論が少なく、しかもこの少ない議論の中に近世経済学の本旨と合致する卓見が多いことを指摘している。丁文江の指摘は、もちろんそのままに受けとれない。たとえば最後にあげた第五の特徴にしても、『天工開物』に世が衰えて悪質の鉄銭が流通したというような断片的記載があることから、丁文江は本書の論旨が近世経済学の本旨に合致すると言っているので、少しく仰々しい。また他の諸点についても、すでに丁文江自身が上述の特徴と矛盾する記載を指摘している。いま丁文江に従って本書の欠点を具体的に述べてみよう。まず第一に在来の妄説をそのままに引用している点が指摘される。たとえば嶺南の金は採掘の当初に柔軟であり、また土錠鉄は採取した後に再生する―製錬―とか、真珠貝が龍神の保護を受け、また璞《はく》中の玉は棉のように軟らかい―珠玉―とか、四川の火井は燃えないで塩を煮る―製塩―とか、江南には骨のない雀がいて麦を食い荒らす―穀物―とか言っているが、これらは全く在来の妄説をそのまま信頼したものと言えよう。これとは反対に、信ずべき通説を排撃し、かえって独断に陥った記述のいくらかが指摘される。たとえば琥珀が軽芥を引くことを本草家の妄説であるとし―珠玉―、棉花と紙がすでに先秦時代に存在した―衣服・製紙―と述べ、またインドにおいて貝葉に字を書いたことを否定した―製紙―ことなどは、むしろ宋應星の無知を暴露したものといえよう。このような例は、丁文江の指摘のほかにも、なお幾つかをあげることができる。しかしながらこれらの欠点は、丁文江があげた本書の特徴を否定するほどのものとは思われない。ことに宋應星が誤った独断に陥った点も、好意的に解釈すれば、俗説にとらわれまいとする著者の創作的精神と表裏するものであると言えよう。

本書において著者が排除しようとする迷信について、特に方術書（錬金術書）や本草書（薬物書）の記述が批判の対象となっていることが特に目立っている。たとえば「製錬」銀の条に「錬金術師の書物や本草家の書物には、理屈にあわないでたらめな説があり、まことに煩らわしいことである」ときびしく排斥する。しかし時には本草書に引用されたと同じ妄説を、やはり本書に引用するという矛盾もみられる。明の万暦年間には、李時珍が有名な『本草綱目』を著わしており、その影響を多分に受けたものと考えられる。ところで方術書や本草書を排斥することについて、宋應星以前にその先駆者があった。南宋の初期に書かれた陳旉《ふ》の『農書』序文に、晋の葛洪が『抱朴子』に神仙を説き、陶弘景が本草書に注釈を加えたが、いずれも謬説や荒唐な論が多く後世のそしりを招いていると述べている。さらに孔子が知らないことを述作する態度を戒めていることや、文中子が他人の述作を盗用するのを恥ずべきこととしているのを、また陳旉自身の態度とし、「葛抱朴と陶隠居の述作はとらない」と述べている。葛洪と陶弘景はそれぞれ方術と本草を代表する著述家であり、これらを排撃する『農書』の態度は、『天工開物』の著述態度とよく一致しているといえよう。『農書』が農業の実際に即して書かれていることは、このような方術ないし本草を排斥する態度と表裏する精神と一致するものであると思われる。同時にまた『天工開物』が実証的精神によって書かれていることを示すことにもなろう。中国の近代は宋において顕著となったと言われるが、『農書』にみられる実証的精神はまた近代の所産と言うべきであって、このような精神は脈々として『天工開物』に伝わったと言えるであろう。清末の梁啓超はその『中国近三百年学術史』において明代の学術が空疎な議論に終始していたことを説いた後に、この反動として明末に生まれたものに徐霞客の『徐霞客遊記』と宋應星の本書とをあげた。しかしこうした著述の成立は、決して単なる反動ではない。明代の学問が空疎といわれるのは、主として陽明学によって代表される儒教の分野のことである。近代的な実証的精神とそれに裏付けられた実学への指向は、すでに宋代にさかのぼり、元による異民族支配を通じて、主として江南の庶民層のあいだに流れつづいたのである（筆者編『宋元時代の科学技術史』一九六七年刊、巻頭論文参照)。もちろんこのような実証的精神だけによって、新しい世界が開けるものではない。宋應星自身の記載に多くの矛盾が存在することは、同じ近代と言っても、ヨーロッパと中国の間に多くの差違があることを認めねばならない。そのヨーロッパにおいても、実験科学という言葉を唱えた十二世紀のロージャー・ベーコンから、実際にこのような科学を実現した十七世紀初頭のガリレオ・ガリレイまで、何と長い道草を食ってきたことであろう。

宋應星自身が全体として正しい見聞に従って書こうと努力した事実を、いくらかの例によって裏付けておこう。たとえば「穀類」豆の条に、豆の根は浅いから深くたがやしてはいけないことを注意し「これまでの農夫がまだいっていない点である」とか、「染色」深紅色の条に紅花で染めた絹物を色抜きしたときに生ずる廃汁を緑豆粉に吸いとらせて再び利用することを述べ、この方法は「染物屋は秘訣として教えない」とか、「兵器」弓矢の条に弓は湿気を嫌うものであるから、これを保存するのに絶えず火で乾燥する必要があることを述べ、「しかしここで述べたことを説明する人もない」と言っている。このような細かい注意は、実際に生産の現場に立ちあうことによって得られることで、書物の上だけでは求められない。上述したように、『天工開物』はインテリ層の啓蒙書として書かれたものであるが、同時にいくぶん技術の指導書として役立つことを著者は念願していたのかも知れない。これらの数例からみても、彼がいかに忠実な観察者であったかを立証するに足りるであろう。

四　宋應星とその著書の成立

著者宋應星の伝記は世界書局本『天工開物』に収録された丁文江の「奉新宋長庚先生伝」に最も詳しい。雑誌『科学史研究』第十八号に掲載された吉田光邦氏の補足をまじえて、まず著者について述べよう。

宋應星は字《あざな》を長庚と言い、江西省奉新県の名家に生まれた。彼の曾祖父宋景は明、嘉靖二十五年に都察院左都御史となり、死後は太子少保吏部尚書を贈られた。その子孫から数人の郷試或いは進士合格者が出ている。宋應星自身の生卒年はいずれも明らかでないが、だいたい明の万暦中葉から清の順治初年にかけて生存していたと思われる。万暦四十三年（一六一五）に兄の應昇とともに郷試に合格した。この年は江西省だけで受験者は一万余名にのぼったが、合格者は僅か一〇九名にすぎず、さらに奉新県からは宋氏兄弟だけであったという。兄の應昇は五度北京に赴いて会試を受けたが失敗し、ついに広東の地方官となり、清廉な官吏として知られた。應星自身が会試を受けたかどうかは明らかでないが、崇禎七年（一六三四）に江西省の分宜県教諭となり地方の教育行政に参与した。『天工開物』の序文はこの十年に書かれており、或いは教諭の職にあったころの執筆かと推定される。翌十一年には福建省の汀《てい》州推官となり、十四年には安徽省亳《はく》州の知州（長官）となった。汀州府に在任中はすこぶる名声があり、府民は彼の肖像をつくって祀ったという。亳州の知州となってからは、明末の動乱によって流浪する人々を収容するに努めたが、ついにその十七年に官を辞して故郷に帰り、以後は仕官しなかった。この年、明の崇禎帝は李自成の反乱のために自殺し、事実上、明の王朝は滅亡する。またこの年は清の順治元年にあたる。以上が彼の略歴であるが、著述としては崇禎九年に『畫音歸正』が友人の手で刊行され、さらに翌年、『天工開物』が書かれた。このほか『雑色文原耗』、『巵《し》言十種』などの著述があったというが、彼の著述として現存するのは『天工開物』だけである。(一九七六年に佚著四種の出版をみる。)

彼が郷試に合格してから本書を著わすまでに二十数年を経過している。もちろんこの間に著述への準備が行なわれたと思われる。記述の対象は中国各地に及んでいる。書物から引用した記載も少なくないが、彼自身の足跡はかなり広範囲にわたっていたと思われる。だが、これを立証する資料はない。ところで宋應星が生まれた江西省は、現在もかなり多様な産業が行なわれている点で注目される。農業は全国一般に行なわれているところであるが、しかし江西省には特殊な農産物である藍、茶、ハゼ油、桐油、苧麻、砂糖などかなり生産される。さらに鉱産物として、萍《へい》郷を中心とした石炭は満州を除いて他に匹敵する地域がなく、鉄は各地にわたって相当額を産し、その他の金、銀、銅、錫にめぐまれ、特に錫の産出は著しい。さらに景徳鎮を中心とした製陶業は江西の産業を代表するものであり、全国一の生産を誇っている。このほか製紙業ははなはだ盛んで、民国初年の生産高は全国の五分の一を占めていた。このようにみてくると、江西省には『天工開物』のような書物を生み出す地理的条件はかなり満たされていたと言えよう。近年アメリカの学者ホンメルが現地調査の結果に基づいて、中国の伝統技術を書いたHommel: *China at Work* (1937) にも、最も多くの資料を江西省に求めているのも、伝統的な産業技術の多くがこの地に存在したことを立証する。もちろん養蚕については浙江の嘉興、湖州を特記し、製墨においては安徽をあげるなど、中国各地の産業に言及していることは、本文にみられる通りである。

著者宋應星が生存した時代は、明末のきわめてあわただしい時代であった。本書が刊行された崇禎十年には、すでにその前年に清と国号を改めた満州族が北方より首都北京をねらっており、国内の治安は乱れて物情騒然たる有様であった。しかるに宋應星はこれらのことに一言もふれておらず、かえってその序文に「幸いにも聖明な天子の下、極盛の世に生まれあわせ」たと述べている。このことは彼が北京を遠く離れた江西の一隅に居住したことも一つの原因であろうが、また中国読書人の時局に対する無関心のほどを示すものと言わねばならない。

『天工開物』が書かれた明末の時代は、学術史的にみると、ヨーロッパ科学技術の輸入によって著しい特色を持っている。万暦二十八年に来明した宣教師マテオ・リッチ（漢名利瑪竇《りまとう》）は、明朝の大官である徐光啓らの支持を受けてヨーロッパの科学書を漢訳し、この事業はやがてヨーロッパ天文学のエンサイクロペディア『崇禎暦書』の編纂とその刊行となった。また他の科学技術の面においても大きな影響を与えた。満州に興った清に対抗するため火砲製造に宣教師が動員されたが、また力学的機械を説いた宣教師鄧玉函の『遠西奇器図説』が天啓七年（一六二七）に書かれ、農業水利に必要な書物として『泰西水法』が万暦四十年（一六〇七）に李之藻（一五六二―一六三〇）の手で『天学初函』中に収めて刊刻された。当時の為政者はこのようにしてすぐれたヨーロッパの科学技術を吸収し、衰亡に瀕している明の王朝を救うための努力を行なった。特に西洋文物の輸入に積極的であった徐光啓は、北方に水田を開き、南方より米を回送する経済的不利を除去しようと計画し、天文暦法への深い関心のほかに、農業生産に努力し、崇禎十二年には六十巻より成る『農政全書』を著わし、その一部分として『泰西水法』を収録した。『農政全書』は当時の国家的要求によって書かれ、また西洋の影響を多分にとり入れたものと言える。農業技術書としての『農政全書』は、このような成立動機を持って生まれたのである。しかしほぼ同じころに刊行された『天工開物』は、全くこのような政治的意欲を持たない点で、まさに対蹠的であると言えよう。しかし西洋の影響については、その幾分を認めることができる。すでに述べたように、『天工開物』は主として中国の在来技術を対象とするが、「鋳造」の項において、紅夷、仏郎機《フランキ》砲について述べ、「兵器」の項では火器が西洋に始まったことを説いている。しかし全体として西洋の影響は少なく、また特に西洋の科学技術書の影響を受けて、その反動として中国的技術を特に強調しようとして書かれたものとも思われない。

方術書もしくは本草書が一種の技術的性格を持つものであり、『天工開物』の内容と深い関係があったことは、すでに述べた通りである。この意味で特に注目されるのは李時珍による『本草綱目』の著述が行なわれたことである。この書は二十六年の歳月を経て万暦六年に完成し、その初版は南京において二十四年頃に刊行された。さらに万暦三十一年には江西省において新しい刊刻が行なわれた。その後、崇禎十三年にも版を重ねており、『天工開物』が書かれた当時において広く要求せられた代表的な本草書の一つである。恐らく宋應星もこの書をみたと思われる。しかし『天工開物』には『本草綱目』の名をあげないばかりでなく、この書を特に意識して書いたと思われるところも見当たらない。

和田清博士はその「明代総説」(『東亜史論叢』所収、同書八四ページ)の中で、明末における文運の隆盛を説いて各種の分野における業績を列挙した。特に異色ある著述として、次の科学技術分野の書物を列挙している。すなわち李時珍の『本草綱目』、徐光啓の『農政全書』、『崇禎暦書』、造園建築を説く計成の『園冶』(一名、奪天工)、鉄砲の構造を説いた趙士楨の『神器譜』、それに宋應星の本書である。その活動が多方面にわたっていることから、和田博士は明代の文化を非常に高く評価している。このような多面的なる明代の文化活動、ことに万暦以降の時代にすぐれた科学技術書の編纂が集中していることはいかなる理由によるのであろうか。明代の儒学は陽明学によって代表されるが、この陽明学の末流には空疎な論議に拘泥する学者が多く、そのためにしばしば明代の学問は空疎なものとして排撃される。しかしすでに述べたように、明代の学問の底流には、やはり実学尊重の精神が強く存在していたことを知らねばならない。これを証明する一例を数学の分野に求めよう。中国の数学は宋・元の間に飛躍的な展開をみせるのであるが、それを承けた明代は数学の衰微時代であって、宋・元時代に発達した程度の高い数学を正しく理解することさえできなかった。しかし明代にはソロバンを中心とした庶民数学の流行があり、このような実用数学を解説した程大位の『算法統宗』は当時のベストセラーとなり、万暦年間に初版が発行されてから、多くの版を重ね、また偽版の類も数多く行なわれた。このようなベストセラーの出現は、従来の中国社会にはなかったことであった。すでに明末には啓蒙的な実用科学書や技術書を読みうる人々、さらに読もうとする意欲を持った人々が前代とくらべて格段に増加していたことが想像される。『天工開物』の序文において、特に珍奇な事物に関する記載をしりぞけ、もっぱら日用の事物を対象としたことを述べているのは、実学を尊重する精神とつらなるものであり、同時に当時の社会的要求に答えたものであろう。明代には伝統的な学問への深い理解は衰微したが、その反面に学問の普及と、同時に従来みられなかった学問分野への関心が高まっていたと思われる。こうした関心が明末に具体化されたことは、明末における中国社会が、一つの新しい姿を持ち始めたことを物語っているように思われる。貨幣経済の滲透、海外貿易の発展、産業構造の変革など、中国は大きく変化しつつあった。

五　『天工開物』の刊行とその影響

東京の静嘉堂文庫に所蔵される静嘉堂本『天工開物』及びそれによって翻刻されたと思われる和刻本の序文には、崇禎丁丑（十年、一六三七）に宋應星が書いたとみえている。初版刊行の年次を一応この年と考えておく。

『天工開物』の古い刊本には二種類がある。その一つは東京の静嘉堂に所蔵する本（六分冊）であって、原序に崇禎丁丑の年次がある。これを以下、崇禎本とよぶ。他の一つはもと東京の尊経閣文庫に所蔵されていたもの（三分冊）であるが、現存しない。しかし後者の系統の写本は大阪の杏雨書屋、京都の陽明文庫、東京大学などに現存する。水戸の彰考館にもあったが、今次の戦争で焼失してしまった。杏雨書屋のそれは、静嘉堂本と同じく、江戸時代の有名な蔵書家木村蒹葭堂の旧蔵であり、また陽明文庫本は予楽院近衛家熈時代の写本と思われ、『天工開物』が日本に伝えられて間もなく抄写されたものであろう。当時近衛家と水戸家の学者とのあいだに密接な連絡があったので、陽明文庫本と彰考館本の抄写には何らかの連関があったことであろう。なお、パリの国立図書館及び北京には、ともに上記二種類の刊本が所蔵される。ところで旧尊経閣本には、原序の年次（崇禎丁丑）はないが、新たに書林楊素卿梓の語が加わっている。よってこれを楊素卿本とよぶ。静嘉堂本と比較すると、本文はともかく、挿図の点でいくらかの相違がみられる。その相違は特に四、「調製」の項にみられる。崇禎本と楊素卿本との先後をきめることは容易ではないが、昭和十八年に和刻本を翻刻された三枝博音氏、それに筆者編『天工開物の研究』（昭和二十八年刊）に収録された天野元之助氏の所説に従って、崇禎本を初版とし、楊素卿本はその偽版であり、しかも両者とも明末に刊行されたものと考えておく。

明末に刊行された『天工開物』は、中国ではそれ以後、二、三の書物に引用されたほかは全く見失われてしまったが、反対にわが国に大きな影響を及ぼして、多くの人々によって読まれた。ついに明和八年（一七七一）に大阪の書林菅生堂より訓点と送りがなを施した和刻本が出版された。この菅生堂本に付した都賀庭鐘の序文によると、木村蒹葭堂の所蔵本により、それを備前の江田益英が校訂を加え訓点などを施したのである。蒹葭堂はもちろん、都賀庭鐘も著名であるが、江田益英のことは知られていない。しかし原文をよく読んでおり、かなりな学者であったと思われる。和刻本は文政十三年にも出ているが、さらに昭和十八年に三枝博音氏は菅生堂本を写真印刷によって出版した。菅生堂本は多く九冊（時に三冊）に分けられているが、書物の大きさや挿図の点で静嘉堂本に似ているだけでなく、葉数や行数も一致する。さらに静嘉堂本はいくらか刷りが悪く、ところどころ誤読さえ生じる個所がある。菅生堂本にはこのような誤読によって生じたと思われる誤字がある。この点からみて、現在の静嘉堂本そのものによって菅生堂本が生まれたという三枝氏の想像も肯定されるであろう。

中国では比較的近年になってこの書物の存在と価値が再発見された。民国十五年(一九二六)に日本で地質学を学んで帰国した章鴻釗が菅生堂本を将来したのが、その機縁となった。越えて十八年に陶湘が菅生堂本を用い、尊経閣本をも利用して、初めて『天工開物』の翻刻(喜咏軒叢書収録)を行なったのである。この陶湘本は三分冊であるが、特に注意されるのは全く新しい挿図を採用したことである。『天工開物』は清朝になって編纂された『古今図書集成』の「食貨典・考工典」に多くの部分が引用されたが、そこでは挿図を全く書きかえ、原本の粗朴さに引きかえ、むしろ枝葉の部分で細密となっている。ついでに付記すると、清朝で編纂された『授時通考』には、「穀類」と「衣服」の項について『天工開物』よりの図を採用している。陶湘本では菅生堂本の挿図が粗雑であるとし、もっぱら『古今図書集成』の細密画をとり、いくぶん他の材料によって補った。たとえば「製塩」の条は両淮、四川、河東などの塩法志によって補訂したという。

陶湘本の刊刻につづいて、民国十九年に上海の華通書局から、菅生堂本の訓点、送りがなを除いたものを、九冊本として復刻した。さらに民国二十五年には上海の世界書局から出版されたが、これは一冊の洋装本であり、初めに董文の言葉があり、巻末に著名な地質学者丁文江が「奉新宋長庚先生伝」を書き、さらに陶湘本に載せた丁文江の跋文を再録している。この書には句読点があり、詳細な校訂が施され、非常に便利ではあるが、挿図は陶湘本のままである。戦後、一九五九年に中華人民共和国から崇禎丁丑の初版本が立派な形で三冊本として復刻された。さきの『天工開物の研究』では静嘉堂本の挿図を転載したが、この新たな復刻本によって、より鮮明な挿図をこの訳注本に収載することができた。中国からは他に二、三の小型本が出ている。すなわち上海の商務印書館本（一九三三年初版、一九五四年重印、活字本）、中華叢書委員会本（一九五五年、陶湘本影印）でいずれも一冊の洋装本である。

清朝の時代に、『天工開物』に注意してその文章を引用したのは、『古今図書集成』などのほか、『物理小識』、『植物名物図攷』、『光緒雲南通志』、『格物中法』などである。『天工開物』を初めて高く評価した丁文江は、民国三年に雲南に旅行し、『雲南通志』鉱政篇の引用によって『天工開物』の存在を知った。丁文江がこの書を捜求していたところ、たまたま章鴻釗が菅生堂本を日本からもたらしたのである。しかし現在北京図書館には崇禎本（上記影印本の原本）があり、また近年、楊素卿本が獲得されている。

日本におけるこの書の影響については、三枝博音、吉田光邦両氏が論じている。本国でむしろ冷遇されたこの本が、江戸時代、日本の学者によってきわめて多くの著述に引用され、ついで和刻本の刊行をみたことは上述の通りである。日本へ将来された年次は明確でないが、貝原益軒が元禄七年（一六九四）に著わした『花譜』の参考書目として本書をあげ、さらに宝永五年（一七〇八）にできた『大和本草』にこの書を引用したが、これが日本で本書を引用した最初であろう。大庭脩氏の『唐船持渡書の研究』（昭和四十二年刊）では、正徳二年に『天工開物』が輸入されたことがみえているが、すでにそれ以前に日本で読まれていたのである。その後、数多くの著書に引用されているが、それらの書名は省略する。単に学者が影響を受けただけでなく、江戸時代の技術の実際面にも多くの貢献があったのではないかと想像される。

なお、欧米の学界における反響にふれておこう。ヨーロッパでこの書物を最も早く注目したのはフランスの学者 S. Julien である。彼が一八六九年にパリから出版した *Industries anciennes et modernes de l'empire chinois* には、ごく僅かであるが、『天工開物』からの翻訳がある。すなわち石炭、塩、石灰、硫黄、消石、火薬などに関する条からの引用である。一八八二年に出版された Bretschneider: *Botanicon sinicum* の一九八ページには『天工開物』に言及しているが、これには初版の年次を言わないで、崇禎十年本を第二版としている。何かの思いちがいであろう。その後にも『天工開物』に言及し、またその内容にふれたものはかなり多いようである。楊聯陞氏の指摘によれば、Dard Hunter の製紙術に関する二著や Howard Hansford の玉に関する著述に『天工開物』からの引用がある。こうした欧米学者の関心は、ついに一九六六年にペンシルバニア州立大学の孫守全及び孫任以都夫妻による英語の完訳本となって現われることになった。筆者編『天工開物の研究』中の訳文を参考にしながら、著者独自の見解からかなりよい英訳本ができあがった。一九五九年に出版された崇禎十年版の復刻より挿図をとりながら、『古今図書集成』などの図を補っている。この書物について筆者は雑誌「科学史研究」第八〇号及び *Technology and Culture*（1967）に短い書評を書いた。つづいて雑誌 *Harvard J. of Asiatic Studies*（1967）にマラヤ大学の何丙郁教授が、また *Isis*（1968）にマサチューセッツ工科大学の Sivin 教授が書評を行なった。

昭和二十八年に出版された筆者編『天工開物の研究』は京都大学人文科学研究所の研究報告と

なったものである。この本ができるまでの経過、さらにその反響などについては、すでに「訳者序文」に書いておいた。この本には、訳注のほか、次の諸論文が収録されている。

藪内清　「天工開物について」、「糧船について」、「珠玉考」
大島利一「天工開物の時代」
天野元之助「天工開物と明代の農業」
篠田統　「明代の食生活」
太田英蔵「天工開物の機織技術」
木村康一「中国の製陶技術」、「紙と墨」
吉田光邦「天工開物の製錬・鋳造技術」、「明代の兵器」

この中の「天工開物について」という論文に手を加え、上記の解説を書いたことを付記する。

なお、これらの論文の中国訳が北京と台湾から出版された。

天工開物研究論文集（北京、一九六一）
天工開物之研究（中華叢書委員会、一九五六）

第一六刷への補遺

本書の初版第一刷が一九六九年一月に刊行されてから幸に好評を得て一九八二年九月に第一五刷が刊行された。その間『天工開物』に関する研究書の類が出版されたが、まずともに一九七六年に中国で刊行された口語訳注釈本、

広東人民公社刊『天工開物』

清華大学機械廠工人理論組編『天工開物注釈』上冊

を挙げておこう。後者の下冊は未刊のようである。これまでも本書の訳文や注釈の誤りについて訂正を加えてきたが、第一六刷にあたっても数個所にわたって訂正を施した。熱心な読者からの注意によって訂正したのは二二六ページの注四〔編集部注：平凡社ライブラリー版（以下HLと略記）、二七八ページ、＊4〕であり、村田徳治氏の厚意による。これらは何れも部分的訂正ですましたが、どうしても補遺の形で追加しなければならぬ研究書が刊行された。それは一九八一年に製紙技術史に詳しい潘吉星氏の『明代科学家宋應星』である。同氏は、一九六三年のころ宋應星の故郷を訪れて資料を探訪され、その後も熱心に宋應星に関する資料を捜羅され、その結果をまとめたのがこの書物である。潘氏が発見された資料の中で重要なものは、一つは『新呉雅溪宋氏

宗譜』(以下略して『宋氏宗譜』と呼ぶ)であり、他の一つは應星の兄應昇が刊行した明版『方玉堂全集』である。前者には宋氏の一族である宋士元(一六四七—一七一九)が著わした『長庚公伝』が含まれる。長庚は宋應星の字である。これらによって宋應星を中心とした一族の動静が明らかになっただけでなく、應星自身の履歴も詳細に知られるようになった。さらに同氏は『天工開物』の版本に関する研究をこの書物に収録されている。これは翌一九八二年に『自然科学史研究』第一巻第一号に若干の増補を加えて出版された。もちろん潘氏が参照された資料はこの他にもあるが、詳細は潘氏の著書によって知られたい。なお一九七五年には宋應星の佚著四種(『野議』『論気』『談天』『思憐詩』)が人民出版社から出版された。以下潘氏の著書によって改訂版への補遺を行なうことにしたが、これは主として私の「解説」の記事に対する補遺である。「解説」の組みは従来通りに残しており、以下の記事と相違するところはこの補遺に従って頂きたい。

宋應星の生涯　應星の故郷である江西省奉新県はもともと新呉県と呼ばれ南唐時代に現名に改まった。生れた土地の現在名は県城の東南にある宋埠公社に属する牌楼宋大隊である。牌楼宋大隊もしくは牌楼宋村は現在百余戸、五百余人でその内三分の二が宋姓である。村名の起りは應星の祖先宋景らを顕彰する牌楼「三代尚書第」などが明代に建てられたからである。宋氏の祖先は元代にさかのぼり、はじめ熊姓を名乗ったが、元明の際に奉新県に移った祖先が宋氏を娶り、夫人の姓を襲った。應星の曾祖父宋景(一四七六—一五四七)は科挙に合格し累進して高官となり、卒して吏部尚書を贈られた。この時から宋氏は地方の名望家となった。宋景には五人の男子があったが、第三子承慶が應星の祖父である。彼は廩生として一生を終ったが、一子国霖が生れた翌年に亡くなった。孤児となった国霖は身体が弱かったが、幸に四人の男子を生んだ。長男應昇、次男應鼎、三男應星、四男應晶である。應昇と應星は魏氏を母とし、二男、四男は王氏を母とする異母兄弟であった。そんな関係で應昇と應星は仲がよくしばしば行動を共にした。「解説」には應星の生年は不詳であると書いたが、『方玉堂全集』巻八に載せる應昇の「先母魏孺人行状」に次のような文章がある。

万暦丙子（一五七六）母来帰先君。……至戊寅（一五七八）生不孝昇……　至丁亥（一五八七）生第三弟。

ここで不孝昇は應昇のことであり、第三弟は應星のことである。この記事によって應星が万暦一五年丁亥に生れ、兄應昇より九歳年少であったことが知られる。新資料によって生年が明らかとなったが、歿年については現在なお未詳である。潘氏はその歿年を康熙初年とし、その年齢は八〇歳前後であろうと推定している。なお應昇は順治三年に亡くなった。

宋應昇、應星兄弟の母魏氏が万暦四年に嫁してきた時には、まだ一家は繁栄し一時は二〇人の召使を雇っていたが、應星が生れたころから家運が傾いた。しかし二人の兄弟は伯父和慶などから学問を教えられた。万暦四三年（一六一五）には兄應昇とともに郷試を受け合格して挙人となった。この時に江西省から合格したのは一〇九名で、應星が三番、應昇が六番であった。科挙に合格した年に應昇は北京に赴き翌丙辰年の会試を受けて失敗したが、應昇の残された詩によると應星も同行しており、会試を受けたと考えられる。その後も應昇、應星は四年ごとに行なわれる会試に少なくとも五回も応じており、何れも失敗した。最後の会試は崇禎四年（一六三一）であり、この時、應昇は数え年で五四歳、應星は四五歳であった。会試に合格して進士になることが如何に魅力的であったかを示す一例といえよう。しかし應星のばあい、失敗したとはいえ、会試に赴く途中の見聞が『天工開物』の記述に役立ったことは疑いない。

会試を断念した應星は崇禎七年に職を求めて江西省袁州府に所属する分宜県教諭に就いた。これより同一一年までこの職にあったらしく、この間に『天工開物』を書き上げた。ついで一一年に福建省汀州府の推官となった。推官は正七品の地方司法官であった。應星が就いた最後の職は安徽省亳《はく》州の知州であった。「解説」には丁文江の説に従って就職の年次を崇禎一四年としたが、潘氏はこの説を否定している。潘氏によれば、應星は一三年に汀州を辞去して一時故郷に帰り、亳州の知州となったのは一六年の後半のことであるという。この年以前に李自成が反乱を起し、一六年前半にはその軍隊は亳州を陥れてこの地を占領していた。李自成の軍隊がしばらく囲みを解いたあとを受けてごく短い期間、應星は知州の任に就いたが、翌年四月ごろには辞職したらしい。この年、崇禎一七年三月に李自成は北京を占領したが、四月に清兵は北京を囲みやがてこれを陥れた。三月に崇禎帝は自殺し、明朝の遺臣たちは江南の地に南明王朝を建てた。應星はごく短い期間であったが、この南明王朝に仕え清朝に抵抗したようである。『宋氏宗譜』中の「宋應星行略」によると、亳州知州を辞したあと、滁和兵巡道、南瑞兵巡道に任じている、前者は江蘇省滁県及び和県地方、後者は江西省南瑞の兵権を担当していた。しかし晩年郷里に隠棲したところをみると、反清運動はほとんど目立たなかったのであろう。兄の應昇は崇禎一七年に広州知府の官を辞して郷里に帰り、しばしば行動を共にした應星と相見えたが、翌々年には二首の詩を作り明王朝の滅亡を悲しんで服毒自殺した。享年六九歳であった。明末には宮廷を中心に宦官派と清議派との闘争があり、清議派は江南を中心に東林党や復社を結成して国運を挽回しようとした。清議派に近かった應昇が明朝の滅亡、つづいて異民族による清王朝の成立をみて自らの命を絶ったのである。應星自身の憂国の至情は兄に劣らなかったと思うが、幸に長寿を全うし、二子を生んだが、ともに清王朝に仕えることがなかった。

版本について 『天工開物』の版本についてはその概略を解説三七四〔HL、四三五〕ページに述べたが、潘吉星氏の記述によって補っておこう。同氏によると一九八二年当時までに刊行されたものは一二種、重印一八の多数を数えるという。この記述においていわゆる楊素卿本に対する見解は注目すべきであろう。上述したように『天工開物』の初版は静嘉堂本であり、序文の年次に近い明末に刊行されたことについては全く異論のないところである。これより少し後れて刊行された楊素卿本はやはり明末の刊行と推定したのであるが、これにはやや疑義があった。潘氏は静嘉堂本と楊素卿本とを比較し、次の二点の相違に注目した。すなわち『天工開物』佳兵（弩）及び乃服（龍袍）の条において、静嘉堂本には、

国朝軍器造神臂弩

凡上供龍袍我朝局在蘇杭

とあるのに対し、楊素卿本は「国朝」を「明朝」に、また「我朝」を「大明朝」としている。しかも「国朝」を「明朝」と改めたところは文字が少しく歪斜しており、この点は補刻が行なわれたとする。なお「我朝」を「大明朝」と改めたところは歪斜もなく、一葉全体を改版したらしい。

こうしたことから、楊素卿本は明末に版が作られたが、にわかに明が滅んで清朝の支配となったため、「明朝」あるいは「大明朝」に改刻したというのが、潘氏の説である。なお製紙技術史の専門家である潘氏は、楊素卿本が福建の竹紙に印刷されていることを鑑定し、恐らくは福建の書林で刊行されたものであろうと述べている。しかし清朝で印刷されたものが「大明朝」と称するのはいささか不当であろう。思うに崇禎帝の死によって明が滅んだ後、二年ほどのあいだは福王や唐王によって福建地方はなお明の勢力下にあったから、この間に楊素卿本が刊行されたとみるべきであろう。楊素卿本は明清の間の刊行であり、明版といっても差支えないであろう。ところで潘氏によると、二種類の楊素卿本が中国に現存しており、その両者が何れも日本に旧蔵されていたという興味ある指摘がある。二種類の楊素卿本があるとはいえ、本文は同一で、扉のみに僅かな相違がある。現在北京図書館にある楊素卿本（潘氏に従って楊館本と呼ぶ）の扉は、宋先生著、天工開物の二行は大書され、中間に書林楊素卿梓が小字で印刷されている。これに対し他の一本は現在台湾の歴史語言研究所にあり、潘氏は楊所本と呼んで区別している。この本の扉は上部の欄外に「一見奇能」の四字が印刷され、宋先生著、天工開物の二行が大書されていることは楊館本と同一であるが、中間の書林楊素卿梓の上に「内載耕織造作煉采金宝　一切生財備用秘伝要訣」の二〇字が小字で二行に分けて印刷されている。ところで楊館本には「佐伯文庫」及び「江南黎子鶴家蔵書之印」という二種類の印記がある。佐伯文庫は九州の毛利支藩の文庫名であり、これが中国に渡ったのである。これを旧蔵した黎子鶴は名を世蘅といい、一八九四年に安徽省当涂に生れて京都帝国大学経済学部に学んだ。この本が一九六五年に北京図書館に収蔵された。なお水戸彰考館に旧蔵された写本『天工開物』はこの系統の楊素卿本であったが、今次の戦火で焼失した。

潘氏が楊所本と呼んでいるものは「前田氏尊経閣図書記」の印があり、尊経閣の旧蔵であったことを示している。陶湘が民国一五年から二〇年にわたって刊行した『喜詠軒叢書』に収めた『天工開物』には尊経閣本の序文を転載しているが、当時この本が中国に伝わっていたかは明白でない。しかし一九三八年に刊行された『北京人文科学研究所蔵書簡目』にはこの本が著録されており、当時、すでに北京に渡っている。人文科学研究所は日本政府によって創設されたものである。日本の敗戦とともに中央研究院歴史語言研究所に移され、国民政府とともに台湾に運ばれたのである。中国で出版され一度日本へ渡ったものが、再び中国に帰った古籍はそれほど多くはないであろう。そうした珍しい例である。ところで楊館本と楊所本の出版の先後については明らかでなく、また内扉の体裁を変えた理由も明白でない。

この項を終るに当って『天工開物』の出版を推進した涂伯聚について述べよう（天工開物序参照）。伯聚は涂紹煃の字で、江西新建の人である。應昇、應星と同じく万暦四三年乙卯（一六一五）に郷試を受け第四名で合格した。この時、第三名が應星であったことは上述した。彼は四七年己未の会試に合格し、累進して信陽兵備道、広西左布政使となった。さらに雲南巡撫に推されたが、病気の故を以て辞して郷里に帰った。『友教堂稿』の著がある。紹煃は應昇、應星兄弟と親しく、應昇の第三子は紹煃の娘を娶っていた。なお清軍が江西に侵入した時、紹煃は一家をつれて難を逃れたが、洞庭湖で一家を乗せた船が沈没し、順治二年（一六四五）にすべて亡くなったという。

『天工開物』の影響　『天工開物』が後代に及ぼした影響についてはすでに「解説」に述べたが、潘氏の著書によって補っておこう。

『天工開物』は崇禎一〇年のころ刊行されたが、いち早くこの書を引用したのは方以智の『物理小識』である。この書は崇禎一六年に書かれ、康熙三年（一六六四）に刊行されたが、その巻七、金石部に『天工開物』からの引用がある。これに次ぐ引用は雍正三年に完成した勅撰の『古今図書集成』で、かなり多くの引用がある。ついで乾隆二年（一七三七）に勅撰された『授時通考』であり、農業に関する部分に多くの引用がある。ところが一八世紀後半になって『四庫全書』の編纂が行なわれる過程で、各省から進献した図書の審査が行なわれ、宋應昇が著わした『方玉堂全集』などは反清思想を含むという理由で禁書の列に入れられた。『天工開物』は禁書とならなかったが、排斥を受けたとみえ、『四庫全書』に収められなかった。しかし一九世紀になると、呉其濬のような著名な学者がこの書物に注目するようになった。彼が雲南の地方官であった道光二〇年（一八四〇）のころ著わした『滇南礦廠図略』の中で冶金の部分について『天工開物』を引用した。呉其濬はまたその二八年に『植物名実図考』を出版したが、『天工開物』「乃粒」の条を引用している。少しく下って同治九年（一八四〇）に刊行された劉嶽雲の『格物中法』に『天工開物』からの多くの引用がある。さらに光緒三年（一八七七）に刊行された岑毓英の『雲南通志』には同じく「五金」からの引用がある。清朝における最後の引用は、光緒二五年（一八九九）に刊行された衛杰の『蠶桑萃編』である。中華民国時代にはいって『天工開物』が再発見された過程については「解説」に述べた通りである。

『天工開物』が日本に及ぼした影響については「解説」に述べた以外にも引用があろうかと思うが、まだ検討を行なっていない。ここではヨーロッパにおける影響について述べておこう。パリの Bibliothèque nationale には静嘉堂本と呼んだ明版及び潘氏が清初に刊行されたという楊素卿の二種が収蔵されている。このフランスで S. Julien がはじめて『天工開物』に注目し、特に銀朱の部分を訳出し *Nouveau Journal Asiatique*, vol. V（1630）に発表した。その後も製墨、製錬、製紙、養蠶、染色の部分を訳出したが、これらの論文はまた他のヨーロッパ語に翻訳された。さらに一八六九年に出版された *Industries anciennes et modernes de l'empire Chinois* に多くの部分訳が収録されたことは「解説」に述べた通りである。進化論で有名なダーウィンはジュリアンの訳述を通じて中国の養蠶にふれており、間接的に『天工開物』を参考したといえる。そのほかイギリスの化学者 J. W. Mellor が亜鉛の記述について『天工開物』を引用し、「解説」に述べたようにブレットシュナイダーがその著書にしばしば引用している。また一九六四年にドイツの Th. Thilo が『天工開物』の前四章を訳出し、また一九六七年にこれを基礎に中国の農業経営に関する論文を発表したという。なお『天工開物』全体の英訳は一九六六年にペンシルヴァニア州立大学の孫守全夫妻によって訳出されたことはすでに述べたが、一九八〇年には台湾から李喬平氏その他の手によって全訳が出版された。発行者は中国文化学院出版部となっている。『天工開物』の英訳名として *Exploitation of the work of Nature* となっているが、これはニーダム氏の訳名を襲ったものである。なおこの訳には注釈は全くみられない。

第二二刷への補遺

初版第一刷発行以来二十数年を経過し、なお少しずつ増刷されていることは、中国の技術について日本人の関心が強いことを示すものである。こうした関心は日本だけのことでなく、この間中国を中心に国際的に多くの論文や著述が行われてきたことで知られる。その一端は先きに第一六刷への補遺として書いておいたが、その後に発表された二冊の著書のことを簡単にふれておこう。

第一冊は先きの補遺で述べた潘吉星教授の次の新著である。

天工開物校注及研究、巴蜀書社

一九八六年一〇月の序文があり、一九八九年に四川省成都で出版された。五七一ページにのぼる全体は上篇「天工開物研究」と下篇「天工開物校注」に分れる。上篇は八章に分れているが、始めの七章は先きに出版された『明代科学家宋應星』を収録したものであり、新しく附け加えられたのは第八章「『天工開物』所引文献探原」である。それによると引用された文献は経史子部二四種八二回に及んでおり、中でも『易経』からは一一回、『書経』からは九回、また『本草綱目』からは二〇回の多きに及んでいる。『易』からの引用について一言すると、序文九［HL、二二］

ページの注五に述べたように家食之問堂は『易経』大畜卦からの引用である。潘吉星氏もやはり書斎名とし、家居して日用技術知識を研究する場所と解釈している。なお一、二例を挙げておこう。製錬(五金)の条、二六六ページの下段[HL、三二四ページ]に『山海経』を引いて「銅を産出する山は四百三十七」とあるが、これは「四百六十七」の誤りであることが指摘されている。また三四四ページ下段[HL、四〇八ページ]に張匡鄴の『西域行程記』のことが見えているが、これは宋應星の誤りである。潘氏によると五代後晋の時に高居海(もしくは平居誨)が張匡鄴に随って天福三年(九三八)に于闐に使いし、帰国して『行程記』を著わした。『宋史藝文志』三に平居誨『于闐国行程記』とあるのがそれである。宋の蘇頌の『図経本草』に平居誨の『行程記』として、玉河に関する文章を引いている。著者を張匡鄴に誤ったのは『本草綱目』であり、宋應星がこれより孫引したために起った誤りである。しかし『本草綱目』は技術書として重要な文献であり、宋應星が二〇回にわたって引用したのもやむを得なかったことであろう。

潘氏の書の下篇「天工開物校注」は三五〇ページにわたっており、注目すべき注釈は少なくないが、ここでは到底言及することができない。なお校注のあとに附録一として「有関宋應星及其作品的国内外論著目録」があり、一〇九種類の文献が挙げられている。国際的に『天工開物』への関心が如何に大きいかを知ることができよう。

なお潘氏以前、一九八七年に楊維増氏の、

天工開物新注研究、江西科学技術出版社(南昌)

が出版されたことを挙げておこう。この書物のことは潘氏の目録に欠けている。

平凡社ライブラリー版解説

『天工開物』の今日的意義——これからのものづくり・生活づくりに向けて

植田憲

今日、私たちが当たり前のように享受している生活に必要なものの多くが、いかに先人たちが長い時をかけて見出してきた資源と知恵の成果であるのか、また、それらのいずれもが、元来いかに自然との共生に立脚して成立してきたものであったのか、『天工開物』に接する誰しもがそのことに改めて気が付かされる。

私たちは、今日、これまでのどの時代にも増して物質的・経済的に豊かな生活を謳歌している。しかしながら、それがゆえに、『天工開物』に丁寧に記録された一つ一つの資源と知恵の存在や、その根底にある自然の摂理を看過してしまっているのではなかろうか。また、それゆえに、私たちは、膨大な資源とエネルギーを使用し、かつ多量の廃棄物を排出する生活を続けてしまっているのではなかろうか。さらには、便利さを優先するあまりに、生活づくりへの参画の機会を逸してしまっているのではなかろうか。

もっとも、こうした社会的課題の改善のためにさまざまな努力がなされ始めている。しかしながら、多くの社会事象がブラックボックスと化してしまっているなかで、社会を構成する個々の人びとにとっては、自らの立ち位置を把握することも、対応策を見出すことも決して容易ではない。

中国の明時代の末期において本書を著した宋應星も、同様の危惧を抱いたに違いない。宋應星は、さまざまな地域で、そこに生活する人びとが、それぞれの地域に産出する資源を活用し独自のものづくりを展開している姿をまさに目の当たりにした。そして、おのおのの社会における生活が、当該地域の具体的な資源と自然の摂理、すなわち、宇宙の法則＝「天工」に基づいて構築されてきたものであることを悟ったのである。そうして、それらの一つ一つの具体を『天工開物』にまとめ上梓した。

当時の中国にあっては、すでに西洋から科学・技術に基づいたいくつかの成果が導入され始めていた。しかしながら、宋應星が懸念したのは、外から訪れる脅威というよりもむしろ内から崩れゆく脅威であった。それゆえに、彼は、自らの見聞によって人びとの生活を構成する資源と知恵を把握するのみならず、それらを可能な限り具体的かつ詳細に記録し広く共有しようとしたのである。

そして、宋應星は、一八種類のものづくりを選び、「五穀を貴び金玉を賤しむ」順、すなわち、生活創成に必要なものの序列に従って『天工開物』を著した。当時にあっても、生活創成に必要な基本的な資源や知恵が必ずしも重視されておらず、それを彼がいかに憂いていたかがうかがえる。

『天工開物』に取り上げられたものづくりは次の一八種類である。

穀類（乃粒）　衣服（乃服）　染色（彰施）　調製（粹精）　製塩（作鹹）　製糖（甘嗜）
製陶（陶埏）　鋳造（冶鋳）　舟車（舟車）　鍛造（錘鍛）　焙焼（燔石）　製油（膏液）
製紙（殺青）　製錬（五金）　兵器（佳兵）　朱墨（丹青）　醸造（麴糵）　珠玉（珠玉）

いずれも、現代においても馴染みのあるものばかりであろう。その意味では、現代社会も当時の資源と知恵の上に成立しているのであり、そのことからすると、宋應星が『天工開物』を著した時代と無関係ではない。むしろ、本書に記録されたものづくりの資源と知恵は、今日も変わらず、私たちが知るべき具体なのである。

とりわけ、グローバル化が進展する現代においては、おしなべて単一の生活様式が、まさに人類史上稀にみる速さで世界中に広がりつつある。それは、換言すると、各国・各地域において人びとが育んできたものづくり・生活づくりの知恵が急速に消失しつつあることを意味している。これは、人びとの主体性を失わせるがゆえに、また、この地球上で育まれてきた文化の多様性を失わせるがゆえに、大いに危惧するべきことである。本書は、現代においてこそ、社会を構成する一人一人が知るべきものの成り立ちを伝えるという重要な役割を担っている。

ところで、本書に記録されたものづくりは、材料の観点から見ると、植物材料は稲、黍、粱、粟、稷、麦、豆といった穀類をはじめ、木綿、麻、竹、各種の草花、樹木など一〇〇種類以上、動物材料は蚕、牛や羊などの家畜、魚貝をはじめとして、蟬の抜け殻などを含む四〇種類以上、さらに、鉱物材料は八五種類以上にも上る。その数だけでも膨大であるが、より興味深いのは、副産物の利用、材料の再生利用・再使用も含めて、今日ではもはや資源とはみなされ難いものの活用事例が少なくないことである。たとえば、副産物としては、灰や粕、滓、屑、うわ水などが挙げられるが、灰だけでも、藁灰、竈灰、骨灰、貝灰、蠣灰、茅灰、葉灰、木灰などがそれぞれの特性に応じた活用方法とともに記されている。さらには、野菜などを洗った際に生じる各種のうわ水ですら利用するべき資源とされている。材料の再生利用・再使用に関しては、鉄や銅などの金属の再生利用は言うまでもなく、倒壊した家屋の壁土や使用済みの茶葉までもがその具体的な使用方法と併せて記載されている。その他、水や風、地形の利用、さらには節気・風水までもが考慮されており、いかに資源が有形のもののみならず、無形の知恵と結びついてはじめて価値あるものとなり得るか、また、宋應星がそのことをいかに認識しつつ観察・記録し広く伝えようとしたかをうかがい知ることができる。

そもそも、資源とは、アプリオリに価値を有して存在しているわけではない。人が見定めることによってはじめて資源となり得るのである。また、それらの知識は、いずれも、偶然に知り得たものではないはずである。人びとが、常に周囲に対して目覚めた興味・関心をもって観察するとともに、必要が生じた際にそれらを活用し、その経験を通して得られた知恵を積み重ねることによってはじめて資源となり得たのである。加えて、材料の採取、ものづくり、その成果の生活における使用、自然への還元といった循環のサイクルが巧みに連動しながら適度なバランスが見出される必要がある。それは、まさに、長い時をかけて実践することによってのみ獲得することができる知恵である。その意味では、今日よりも、人の営みと自然との均衡が優れていた往時における資源とその利活用の知恵がふんだんに記録されている本書は、われわれが立ち返るべきものづくり・生活づくりの原点を指し示していると言えよう。

また、宋應星は、本書の序の最後に、「この書は立身出世に少しも関わりがない」とも述べている。これは付け足しや謙遜では決してなく、むしろ、真のものづくりは、具体的な資源と知恵を共有し、それらを活用する実践によってこそ創出され得るという重要なメッセージであろう。考えてもみれば、本来、いくら立身出世していようと、実態を「よく知らない」者に社会運営を託してはならないはずである。宋應星は、具体をよく知る者にこそ未来を託したかったのだとも言える。今日においても、実態を「よく知らない」がゆえに、ただただ打ち捨て去られていく資源や知恵は少なくない。急速な変容の波にさらされている今日だからこそ、宋應星が試みたように、一つ一つのものづくりの資源と知恵を再認識するとともに、それらを共有する努力が必要なのではなかろうか。

今日、シェアの時代を迎え、いよいよ、宋應星が望んだ状況が到来しつつあるようにも思われる。その意味では、宋應星は、現代のわれわれにこそ『天工開物』を託そうとしたのかもしれない。われわれは、まさに彼が本書に記録したように、自身の五感を研ぎ澄まし、周囲のありとあらゆるものに関心を払いつつ観察し自らの立ち位置を把握するとともに、得られた資源と知恵を多くの人びとと共有し活用していきたい。そうして、正しく「天工」の下における持続可能な社会づくりに挑戦していきたいものである。国・地域ごとに多様な発展の方向があってよい。宋應星が共有しようとしたものづくり・生活づくりのあり方を改めて学び、実践へと展開していく時代がまさに訪れている。

『天工開物』は、優れて、私たちのこれからのものづくり・生活づくりに欠かせない視点を提供してくれる、今こそ参照するべき書なのである。

（うえだ あきら／デザイン学）

ろ

炉……201, 203, 208, 246, 252, 253, 266, 270, 272, 273, 308, 310, 313, 322, 324, 328, 332, 338, 339, 344
櫓……222, 228, 230, 234, 236
榔……228
蠟……280, 281
琅玕……409
老子……107, 347
『老子』……108, 347, 348
浪船……231, 234
老足……70
蠟燭……280, 288, 289
労鉄……246
牢盆……145, 151, 297
榔榆……239
炉甘石……253, 260, 324, 328, 329, 331
ろくろ(轆轤)……37, 151, 179, 181, 187, 189
硇砂……358
穭豆……60
驢馬……239
蘆木……108, 110, 111
ローラー(碾石)……95, 105, 111, 131, 137, 139
『論語』……117
『論衡』……408

わ

倭鉛……331
籰(糸巻き)……77
早稲……34, 35, 390
棉……61, 89, 95, 159, 283, 427
棉くり車……159
倭緞……94

羊裘……103
養蚕……431
『葉氏水雲録』……389
楊素卿本……436
腰舵……230
羊頭……248, 251, 252
洋糖……162
羊桃藤……262
羊皮裘……103
窯変……196, 197
颺法……118, 132, 137
楊聯陞……10, 21, 354, 439
緯糸……77, 92, 93, 105
四輪……237, 238

ら

羅……75, 81, 85, 88, 89, 91, 92, 262
鑼……260, 328
『礼記』……108, 250
駱駝……414
羅経盤……231
喇子……404, 407
騾車……237, 239
螺城……416
羅針盤……230, 231
騾馬……238, 239
藍澱……109, 111, 112, 116, 264

り

李時珍……47, 264, 343, 427, 433, 434
李招討……397, 403
立冬……272
利瑪竇……432
硫化水銀……324, 379
『龍江船廠志』……229
龍骨車……37
龍袍……94
龍鳳甕……192
龍鳳器……181
龍鳳缸……179
粱……54, 55, 117, 137
梁啓超……428
糧船……177, 221-223, 227, 229
蓼藍……112, 113
緑豆粉……429
緑礬……112, 272, 273
緑肥……101
『呂氏春秋』……347
鱗……107

る

坩堝……213, 216, 272, 309, 322, 323, 328, 331
琉璃……417-419
琉璃瓦……172, 173, 418
琉璃廠……173
琉璃窯……172, 179

れ

醴……386, 387
蠣黄……264
蠣灰……228, 264, 266
欞紗紙……304
『嶺表録』……308, 311
蠣房……264, 266
列子……220
『列子』……354
煉瓦……168, 172, 177, 179, 187, 302, 313, 380, 388
錬金術……261, 322, 323, 343, 427
蓮紅……108
錬鉄……247, 338

明礬……109, 269, 270
明礬水……390
『明史』……216
眠磚……173, 175, 179

む

麦……24, 46, 47, 52, 53, 117, 167, 278, 283, 387, 388
『夢渓筆談』……338
鞭……238
棟瓦……173
無名異……172, 173, 181, 183, 189, 196

め

明月……396, 408
煤炭餅（メイタンビン）……262, 269, 270, 273, 331
瑪瑙……417
溜眼……80
棉花……95, 100, 280, 281, 349
麵筋……81
棉布……95, 100
綿羊……103-105

も

『毛詩』……115, 386
『孟子』……169
孟嘗……403
毛青布色……111
毛竹……358
毛鉄……246
木炭……246, 266, 313, 332, 339
木鷽……123
餅……389
糯米（もち）……262, 387
木棉……95, 100, 303
木綿……101
蘗……386, 387

や

矢……347, 348, 351, 353-355, 357
緑豆（ヤエナリ）……28, 58-60, 108, 388
山羊……105
焼入れ……247-250, 253, 338, 343
冶金……266
野蚕……64
鏃……351, 353-355, 373
やすり（鎈、鑢）……216, 249-253, 260, 404
柳……238, 333
辣蓼（ヤナギタデ）……387
『大和本草』……438
楊梅（ヤマモモ）……110, 112
槍……349
耶律楚材……416

ゆ

楡……228, 239
釉（うわぐすり）……179, 181, 186, 187, 189, 192, 194, 197, 418
雄黄……358
穬麦（ユウマイ）……46
油煙……379, 380, 384
湯出し口……203, 210
櫟（ユチャ）……280, 281
弓……347-351, 355, 357, 429
弓矢……347, 348
油緑……109

よ

楊……350, 354, 358
鷂……353, 354
羊角……249, 348

兵器……
211, 245, 347, 369, 425, 429, 433
洴澼絖……74
瓶窯……181
紅……380
紅花……
108, 111, 113-115, 310, 384, 429
扁担鉛…… 313, 323, 344

ほ

帆…… 222, 223, 226, 229, 231, 234-236
砲…… 211, 360, 361
鳳……107
蚌……395-397, 402
蓬塩……143
宝気……404
茅元儀……354
宝源局……212
胞羔……103
硼砂…… 309, 358
芒種……294
芒消……359
宝石…… 403, 404, 407, 416
蓬草塩……145
包装紙……302
包頭絹…… 77, 88
包頭糸……75
包頭青色……111
鳳尾草……183
『抱朴子』……428
方墁磚……175
牡蠣……264
母岩…… 270, 273, 275, 312,
324, 328, 343, 403, 408, 409, 414
『墨経』……384
朴消……359
『墨談』……379
木難…… 404, 407
『墨譜』……384
戈……357
母銭……213
帆綱…… 223, 226, 228
帆柱……222, 223, 226, 228, 231, 236
歩兵……237
黄米(ホワンミー)……55
本草家…… 322, 407, 427
『本草綱目』……
47, 55, 142, 157, 167, 264, 270,
272, 329, 343, 379, 427, 433, 434
『本草綱目啓蒙』……323
本草書…… 272, 427, 428, 433

ま

麻……24, 56,
61, 107, 235, 238, 283, 389, 397
玫瑰…… 404, 407
耩…… 397, 403
苦竹……288
末塩……154
靺鞨芽…… 404, 407
松脂…… 181, 213, 358, 380, 407
山……71
豆…… 57-60, 137, 139, 278, 345, 429
蔴……349
麻油……287
円物……187
真綿……61, 73, 74, 100, 115
満篷稍……235

み

箕……137
蜜陀僧……313
蜜蜂…… 155, 165, 166
蜜臘……208

ハゼ……289
ハゼ油……431
機織り……61, 423
黄鼠……278
蜂蜜……166, 394
八櫓船……235
抜絨……105
花綾紬……92, 93
桔槔……37, 151
馬藍……112
針……245, 252, 253
柘(ハリグワ)……349
礬……261, 266, 269, 270, 272, 273, 275
胖襖……100
伴金石……307, 308
晩蚕……64, 68, 93
晩種……63-65
礬水……390
礬石……269, 273, 324, 329, 345, 388
帆走法……226
晩稲……35, 390
万人敵……368
礬油……361

ひ

梭……89, 91, 92, 105
磨……131-133
曳綱……222, 228, 234-236
皮紙……293, 302-304
翡翠……416
砒石……276, 278
砒素……52, 53, 253, 260, 329, 343, 385
砒霜……276, 278
羊……407
羊の角……418
琵琶珠……404, 407
火鉢……203, 211, 212
蓖麻(ヒマ)……280, 282, 287
百穀……24
皮油……280, 281, 288, 289
莧菜(ヒユ)……280, 281
標缸……111, 113
病蚕……69
猫精……404, 407
肥料……27, 28, 52, 53
鑌鉄……414

ふ

鞴……203, 266, 307, 313, 332, 339
風化……262
毛氈(フェルト)……105, 106
武王……141
服馬……244
茯苓……404, 407
棓子……109, 110
麩……133
布青……111
仏頭青……196, 197
『物理小識』……438
葡萄青色……110
船……220, 221
布帆……234
『武備志』……354, 369
芙蓉……293, 294, 304, 305
仏郎機(フランキ)……211, 361, 369
仏郎機砲……369, 433
篩……123, 126, 133, 139, 283
分金炉……276, 313, 322, 323
粉食……46
文中子……428

へ

綜……80, 81, 89, 91-93, 105

豚油……379

な

内使（宦官）……196
輾……237, 244
茄子……358
豆鼓……253
夏服……101
棗……239
鍋……198, 306
鍋炉……203
鉛……313, 322, 323, 328, 339, 343-346, 368
磨耙……28
軟玉……409, 417
柏（ナンキンハゼ）……280, 281, 283, 287, 288
南蛮吹き……329

に

二火銅……212
膠……348-351, 353, 377, 384
二将軍……211, 361
『日知録』……267
日本銅……328, 329
乳羔……103
鐃鈸……328
二輪……237

ぬ

糠……117, 123, 131, 133, 145, 384
布機……105

ね

葱……345

の

『農書』……428
『農政全書』……433, 434
鋸……250
登窯……183
鑿……228, 251, 264
狼糞烟……358

は

灰……47, 52, 102, 108, 143, 145, 181, 211, 213, 297, 310, 323, 339, 343, 345, 358, 414
梅雨……53, 351, 353
貝樹……293
焙焼……112, 247, 261, 310, 425
煤炭……267
灰吹法……323
貝葉……293, 294
馬牙消……359
箔……66, 67, 71, 73
鎛……249
白磁……186, 189, 197
白石……273
白土……186, 187
白銅……247, 253, 260, 324, 329
白礬……269, 270
白礬水……303, 304
白砒……276, 278, 358
『博物志』……407
博物者……60, 219, 384
白麻……228
莫邪……245
播種……46, 47, 52, 53, 55, 57-60, 101
芭蕉……102
巴豆（ハズ）……358
蓮の実……109-111

鉄鍁……68, 194
鉄錨……227
鉄落……246, 247
碾……123, 131, 283, 287, 374
澱……112, 113
靛花……113
澱花……384
天鵝絨……104
「天官書」……62
天工……322, 419, 421-423
靛水……109, 110
天青色……110
天平船……234
天窓……194
転汾……172, 173, 175, 177
天藍……110
天露……62-64

と

稌……25
弩……222, 354, 355
砮……354
砥石……248
陶……183, 186
銅……197-199, 201, 203, 211-213, 216, 266, 307, 308, 311, 324, 328, 329
稲灰……101
導火線……360, 361, 368, 369
道観……172
鄧玉函……432
刀剣……247, 333, 338
銅鼓……260, 328, 360
銅坑……324
陶弘景……167, 428
同功繭……73
桃紅色……108
銅細工……253, 260
筒車……36, 37, 126
豆漿水……111
冬青……280, 281
『陶説』……183
刀磚……175
塘船……234
銅銭……216, 219, 249
銅像……210, 211
『糖霜譜』……157, 159, 163
銅炭……267, 270
桃竹葉……189, 297
陶土……179, 186
陶唐氏……23, 24
盪皮……60
豆腐……267
盪片……58, 60
風車……118, 132, 137
糖蜜……158, 166
桐油……63, 228, 230, 262, 264, 280, 358, 377, 379, 431
豆緑……109
銅緑……384
瓦溜……162, 163
土塩……142, 154
独轅車……239
独蚕繭……73
『読書雑志』……347
土錠鉄……331, 332, 427
『図書集成』(→『古今図書集成』)……403
涂伯聚……20
ドブガイ……402
篷……234
土蜜……167
草烏(トリカブト)……355, 358
土礱……123
屯絹……92

丹砂……324, 377, 379
鍛接……247
鍛造……245, 247, 252, 328
胆礬……270, 272, 273
檀木……187
蜑民……396, 397
『丹薬秘訣』……379
鍛錬……246, 250, 266, 339
炭炉……345

ち

池塩……142, 148
杠秤……350
的杠……80, 81, 88
竹矢……351
竹紙……293, 294, 302
竹簝……75
竹麻……293, 294, 297, 302, 303, 311
地溲……338
帙……302
茶……431
茶褐……109
『中国近三百年学術史』……428
中秋……396
鍮石……324
鋳造……
198-201, 203, 208, 210-213, 216, 219, 245-247, 260, 360, 361, 433
鋳造工……213
貂……102, 104
鵰……353, 354
張華……19, 21, 407
貂裘……102
張匡鄴……408
趙士楨……434
鳥銃……361, 368
朝鐘……201
鳥鎗……368
潮墩……142
趙孟頫……422
苧布……102
苧麻(ちょま)→カラムシ
陳思王……20, 21
陳霆……379

つ

都賀庭鐘……436
舂……123
槌……181, 264, 309, 333
錘(つち)……245
土かき……29, 47
角……407
錘(つむ)……73, 105, 397
紬……71, 81, 85, 89

て

鼎(てい)→かなえ
『帝王世紀』……24
鄭玄……85
程大位……434
丁寧……260
丁文江……421, 426, 427, 430, 437, 438
手斧……248
荻蔗……157
鉄……145, 201, 203, 208, 210, 211, 219, 246-248, 252, 306, 307, 331-333, 338, 361, 368, 414, 431
鉄華……246, 247
鉄核……338
鉄器……208, 272
鉄尺……252
鉄鐘……203
鉄銭……219
鉄炭……246, 266

曹昭……311, 416
桑穰……293, 305
桑穰紙……293, 304
草蕩……142
造糖車……158
草頭緑……109
草白……110
皂礬……111, 267, 270, 272, 273, 275
搶風……226, 229
造物者……61, 107, 142, 155, 322
草棉……95
足色金……309, 311
側磚……173, 175, 179
蔬菜……141
曾青……404, 407
蕎麦(ソバ)……46, 52, 133
楚萍……19
珇琊緑……404, 407
染付け……172
染物屋……108, 114-116, 270, 272, 384, 429
蚕豆(ソラマメ)……59
ソロバン……434
『孫子算経』……311

た

大塩……148
大宛国……56, 57
大関車……75
『太玄経』……372, 373
大紅官緑……109
ダイコン(大根)……279-281, 287, 359
代赭……394
大車……238, 239, 244
大晒塩……143
代赭石……385
大暑……56
大将軍……211, 361
太上老君……199
大豆……28, 57-60, 112, 279, 281, 387
大青……196, 384
『泰西水法』……432, 433
大砲……275
大麻……57, 228, 280, 281
大眠……66, 68, 70
『大明会典』……229
兌運……229
鷹……353
花機……61, 74, 89
鐲……260, 328
琢工……404, 418
竹……71, 77, 80, 85, 88, 123, 143, 145, 150, 151, 223, 228-230, 234, 235, 251, 267, 283, 288, 292-294, 297, 302-304, 309, 339, 348, 351, 354, 357
打圏……196
三和土……208, 264
絡篗……77
撻禾……29
脱穀……123, 131
干……357
蓼……387, 388
経糸……77, 80, 81, 85, 88, 89, 91-95, 105
竪炉……203, 213, 245, 307, 328, 329, 333, 339, 343, 344
大米(ダーミー)……54, 139
蜑……403
檀……239, 282
緞……92
丹鉛……261, 262
丹麹……390, 394
檀香……66

青蒿→カワラニンジン
清膠紗……81
製紙……292, 293, 311, 431, 439
青磁……183, 186, 189
生鉄……208, 210, 249, 332, 333, 338
製鉄炉……332
製陶……168, 431
製糖……155, 156, 158
生銅……211
青銅……324, 329
精白……117, 126, 131, 137
青礬……109, 110, 270, 272
製粉……117, 131
青麻……101
『斉民要術』……394, 420
清明……25, 26, 34, 57, 63, 65
清油……213, 379
『西遊録』……416
西洋砲……211, 360, 369
清流船……235
青料……183, 189
製煉……269, 272, 275
製錬……114, 253, 306-308, 311-313, 322-324, 328, 329, 331-333, 339, 343, 344, 359, 373, 374, 377, 384, 422, 427
石黄……358, 385
石首魚……349
石炭……63, 66, 175, 177, 246, 262, 264, 266, 267, 269, 270, 273, 275, 276, 332, 431, 439
石胆……272
石亭脂……377, 379
石板……118
石墨……267
石蜜……167
石卵……267
石緑……385
『世説』……157
石灰……28, 58, 62, 63, 74, 101, 113, 116, 159, 228, 230, 261, 262, 264, 266, 294, 303, 439
石灰三和土……201
薛濤……305
『説文』……55, 155
『世本』……220
蟬……310
銭……212, 213, 216
磚……173, 175, 177, 179
氈……104, 106
『山海経』……324, 329
戦艦……252
宣紅……192, 196, 197
宣紅器……192
『戦国策』……354
戦車……237, 238
千鐘粟……189
染色……107, 111, 384, 429
潜水夫……397
蟾酥……414
宣宗……212
善泥……173
銑鉄……210, 247, 338
染料……108, 111-113, 116, 304

そ

宋應星……21, 420-425, 427-435
象牙色……110
走羔……103
霜降……272
早蚕……64, 73, 93
『宋史』……55
『荘子』……74, 220, 353
早種……64, 65

小糖……167
稍篷船……235
松木……253
小満……351
松毛水……189
襄陽……211
菘藍……112
蒸溜管……374
徐霞客……428
『徐霞客遊記』……428
『書経』……354, 373, 402, 422, 424
稷……24, 54, 55, 59, 117, 137
織女……61, 62, 91, 279
『植物名物図攷』……438
徐光啓……432
処暑……58
除草……47, 52
織機……88
地雷……361
自来風……266, 270
扯里猻……103
萑柳……351
菘菜(シロクキナ)……279, 281
白砂糖……156, 157, 162, 163
白繭……64
秦……199
模骨……169, 172
神麴……386, 389
『神器譜』……369, 434
沈香……66, 108
浸種……25, 27, 34
真珠……395-397, 402, 403, 416, 427
秦椒……358
『晋書』……246
秦船……236
神農氏……23, 24
信砲……211

す

酢……344, 345, 384
倕……245
蓑衣羊……104
水牛……29
水銀……211, 372-374, 377, 379
水紅……108
推車……239
水錫……212, 339, 343
錐鋤……112
水晶……417-419
水碓……126, 131
水磨……132
翠藍……110
水利……36
鄒和尚……156, 157
搊絨……105
『崇禎暦書』……432, 434
耒……47
杉……228, 234, 235
還魂紙……302
錫……
253, 307, 338, 339, 343, 377, 414
馬歯莧(スベリヒユ)……343, 379
蘇木(スホウ)……109, 110
蘇方木(スホウ)……111
墨……372, 379, 380, 384
礱……123, 131

せ

西安船……234
青衣……107
『西域行程記』……408
井塩……142, 150, 151
製塩……141, 427, 437
星漢砂……404, 407, 408

麝香……108, 384
社種……25, 27
柘葉……67, 68
遮洋運船……230, 231
遮洋船……221, 229
遮洋浅船……230
車輪……237
朱……266, 309, 372-374, 377, 379
珠……395, 397, 402
糯……25
楸……228
絨……105, 106
鍬鋤……249
「周頌」……386
絨氈……104
獣糖……163
臭腐の神奇……166, 390, 394
朱琰……183
『酒経』……388, 389
珠玉……372, 384, 385, 395, 416, 424, 427
菽……24
熟蚕……70
熟漆……310
熟鉄……210, 246, 247, 249-251, 332, 333, 338
熟銅……211, 360
種戸……143
酒黄……404, 407
朱砂……211, 323, 358, 373, 374, 377, 379
朱砂銀……323
朱子……237, 250
『授時通考』……437
薏苡(ジュズダマ)……388
秫……54, 55
出口乾……75, 85
出水乾……75, 85
酒母……387-389
朱墨……324, 343, 372
樹葉塩……142
『周礼』……154, 212, 245, 306, 307, 420
椶櫚毛……172
舜……199
準……251
蠢蚕……69
黍……24, 54, 55, 59, 117, 137, 167, 387, 389
櫧……228
鋤……249
鴟鴞……353, 354
鉦……260, 328
鐘……198, 200, 201, 203, 208, 210, 245
磁窯……186
松煙……379, 380, 384
猩紅……114
蕉紗……102
礁砂……312, 313, 323
抄紙槽……297
松樹……404
小暑……58
『尚書』……62, 107, 141, 142, 167, 200
商頌……386
抄紙簾……297
小豆……59
上清の魂……198
消石、硝石……275, 322, 324, 345, 358-360, 368, 418, 419, 439
墻磚……175, 179
醸造……386
醸造酒……388
上簇……70, 71
小碾……131, 137

採珠船……397
槊……357
柞蚕……65
柞子……282
酒……386-389
酒糟……166
搓索……58
飯豆(ササゲ)……59
砂石塩……142
殺青……293, 294, 311
砂鉄……331, 332
『左伝』……199, 200, 307
砂糖……156-159, 162, 163, 431
糖蔗……156-159, 162
『砂糖製作記』……159
佐藤信淵……116
秧……25, 26, 28, 34
匣鉢……194
鏟……354
散塩……154
酸化鉛……262, 346
盞口……211
山梭……221
蚕座……68
山蚕……65
蚕紙……62, 63
蚕室……65
山錫……339, 343
酸粟……114, 115
驂馬……244
鑽風船……230
『算法統宗』……434
蚕浴……62, 64
蚕卵……304
山榴花……115

し

鴟……354
磁……186
秕……118, 132, 133
塩……141-143, 145, 148, 150, 151, 154, 297, 439
雌黄……358
塩芽……143
四火銅……212
『史記』……62, 199
磁器、瓷器……168, 186, 187, 194, 313, 339, 358, 416
糸匡……73
『詩経』……238, 244
試金石……309
紫鉚……115
始皇帝……293
子産……19, 21, 200
刺繡……253
磁針……231
紙銭……302
『四川塩法志』……151
自然銅……328, 329
紫草……380
磁鉄鉱……338
鴟尾……173
紫粉……115, 384
枲麻……95, 100
脂麻……56, 279, 280
四味……141
搾木……282, 283, 287
紗……81, 85, 88, 89, 91-93
小米(シャオミー)……54, 137, 139
煮海……407, 408
紙薬……297, 303
赭黄色……109

麴……386-390, 394
紅酒……390
公輸般……245
后稷……23, 24
膠水……111
交兌……222
黄帝……199, 386, 387, 423
黄泥……187, 246, 252
鋼鉄……246, 247, 333
黄土……110, 123, 156, 262, 266, 272
豇豆……60
香稲……26
紅銅……212, 253, 260, 322, 328, 329
江豚……358
紅礬……270, 272, 273
絞盤……37, 151
楻板磚……175
工部……177, 179, 212
江鯿……221
蠔房……264, 266
光明塩……142
『皇明象胥録』……417
蝙蝠……166
缸窯……181
『皐陶謨』……422
高粱……55
黄蠟……166, 201, 350, 355
氷砂糖……157, 162, 163
『呉下方言考』……229
『後漢書』……208, 294, 403
五気……141
狐裘……102
五行……36, 141, 167, 261
五金……307
穀雨……29, 351
黒鉛……418, 419
穀樹……293
穀粉……297
穀物……427
『国訳本草綱目』……104, 273, 354
穀類……23, 139, 429, 437
黒楼船……236
五穀……23, 24, 36, 56, 117, 141, 167, 386, 424
孤古絨……105
『古今図書集成』……437-439
甑……283, 288, 344, 390
腰機……89
『湖州府志』……77
胡椒……94
呉須……183, 189, 196
五臓……280
『呉地記』……245
小槌……252
梧桐……288, 289
『鼓銅図録』……329
近衛家凞……435
琥珀……167, 404, 407, 408, 427
五倍子……111
胡粉……344, 345, 384
胡麻……56, 57, 137, 139, 157, 279-282, 287
五味……141, 167
小麦……24, 46, 47, 131, 132
小麦粉……131-133, 387, 389
米……387, 388
呉藍……112
狐狸……35
五嶺……158
混江龍……361

さ

皂角(サイカチ)……145, 344
採鉱……425

231, 236, 307-309, 311-313, 322-324, 328, 329, 343, 344, 358, 414
金黄色……109
銀器……260
銀紅……108
金糸猿……103
銀朱……373, 377, 379, 384
錦繡……92
金汁……358
銀銭……216
金属……306, 307, 425
銀貂……102
金箔……309, 310
銀箔……114, 310
銀苗……312, 323

く

藕褐色……110
空青……404, 407
草取り……29, 47
葛……61, 89, 101
縠子(グーズ)……55
楠……222, 236
樟木……228, 280, 282
氍毹……105
栗……222
車……237-239, 244
黒砂糖……162
くわ……29, 34, 52, 249
桑……348
桑の葉……67

け

磬……203, 208
『経済要録』……116
計成……434
奚仲……220
軽粉……358
鶏卵……163
毛織物……61, 104-107
夏至……60
馬蓼(ケタデ)……389, 390
蹶張材官……355
月白……110
穴蜜……166, 167
蕨藍草……181, 183
毛抜……302
弦……348-350, 354, 355, 357
軒輊……198, 199
蜆灰……266
『元史』……402
玄色……110
鹼水……108, 109, 111
圏足……196
絹布……302
莧藍……109, 110, 112

こ

鋼……247-251, 332, 333, 338
蛤……264, 266, 345
粳……25, 262
紅夷……369, 433
膠飴……167
紅夷砲……211, 361
喉下……154
礦灰……262, 270
紅花餅……108, 111, 114
硬玉……417
合金……309
「考工記」……211, 212, 420
鉱砂……312
孔子……428
『広志』……55
紅紙……269

官東……303
宦官……196, 418
甘蔗……155-157
『漢書』……55, 142, 355, 357, 372
干将……245
寒水石……269
鑑燧の剤……211
汗青……293, 294
菅生堂本……436-438
旱稲……26, 27
頑糖……158, 159, 162
『広東新語』……323
『広東通志』……403
鉋……251
砕器……189, 192
甘味料……155
顔料……346, 372, 373, 385

き

杞……282
麂……102, 103
木桶……118, 131
鞠磚……175
箕子……141
素地……169, 173, 175, 181, 187, 189
木槌……181, 282
狐……102
絹……107, 108, 110, 133, 262
絹糸……61, 92, 133
絹織物……81, 85, 100
杵……117, 137, 262, 423
岐伯……387
黄蘗(キハダ)……109
黄蘗水……109, 110
麂皮……103
きび……55
騎兵……237
黄藺……64, 108, 137
木村兼葭堂……435, 436
客船……222
裘……102-104
牛角……348, 350
牛赶石……137, 139
牛筋……348-350
牛膠水……81
牛脂……280
牛車……239
九鼎……199
牛皮……154, 238, 350
牛油……201, 203
筐……65
钁……47, 53
堯……199
郷飲酒礼……200
轎車……239
薑石……324
享糖……163
響銅……201, 208, 253, 324
杏仁……387, 389
御器廠……194
玉……395, 403, 408, 409, 414, 416, 417, 424, 427, 439
棘藺……68
玉工……414
御者……238
許慎……55
魚袋……273
魚油……230, 262
『儀礼』……85
桐……280, 281, 283, 287
錐……250, 252, 368
杞柳……357
金……307-311, 424
銀……211, 212,

火器……347, 357, 358, 369, 421, 433
花機……85, 88, 89, 100
蠣蠔……264
欄板……230
貉……102
赫黄……94
郭義恭……55
『格古要論』……311, 417
『格物中法』……438
火紙……302
舵……222, 223, 226, 227, 229, 235
画紙……269
賈思勰……420
楮樹(カジノキ)
……293, 303, 310, 387, 389
火杖……228, 235
火井……151
火斉……418, 419
課船……231, 236
花桑……67
牙皂……358
型……163, 198, 203, 208, 210, 211, 251, 288, 333, 418
火墨、火矢……246, 253
刀……248, 349, 357
印器……187
鵝鳥……308, 353, 355
褐……104-106
楽器……245
葛洪……428
褐色杯……189
葛天……347
窩弩……355
瓦当……173
鼎……198-201, 203, 245
金槌……246-248, 253, 260
鉗(かなばし)……245, 246
樺……348, 351, 358
蛾眉豆……60
『花譜』……438
盔頭……187, 189
株分け……101
貨幣……198, 425
火砲……368, 369, 432
花本……89, 91
釜……198, 203, 208, 210, 270, 287, 303, 306, 390
窯……169, 172, 175, 177, 183, 186, 187, 194, 276
火麻……56, 57, 228
蝦蟇炉……313, 322
紙……62, 63, 65, 264, 292-294, 297, 302-305, 309, 310, 344, 345, 358, 427
『紙漉重宝記』……303
甕……179, 181, 183, 359, 374
花綿……74
鴨……308
火薬……275, 278, 347, 357-361, 368, 369, 439
哥窯器……186, 194
碓……123
枷……139
粔……28, 29
雀麦(カラスムギ)……46
苧麻……
89, 101, 294, 349, 355, 368, 431
花楼……85, 88, 89, 94
皮衣……107
瓦……169, 172, 173
青蒿(カワラニンジン)……114, 389
鉗(かん)……213
簡……293, 294
雁……353, 354

ウンダイ(芸薹)アブラナ …… 157, 279-281, 287
『雲南通志』…… 438
雲板 …… 203, 208

え

画燈 …… 103
永楽帝 …… 229
易 …… 169, 373
『易』、『易経』…… 24, 62, 107, 117, 142, 169, 422, 423
蘇麻(エゴマ) …… 279, 281, 282, 287
江田益英 …… 436
エッジ・ランナー …… 287
塩運使 …… 154
塩課 …… 231
塩荒 …… 143
燕(臙)脂 …… 115, 192
槐、槐樹(エンジュ) …… 109, 115, 228, 239
塩商 …… 236
焰消 …… 272
塩井 …… 150, 151, 154
『遠西奇器図説』…… 432
塩船 …… 236
鉛丹 …… 345, 346
炎帝 …… 386
エンドウ(豌豆) …… 59, 402
塩法志 …… 437
塩脈 …… 148, 150
『園冶』…… 434

お

黄牛 …… 29, 348
黄金 …… 306, 307, 404
王灼 …… 157
王充 …… 408
黄丹 …… 262, 344-346, 384
黄銅 …… 253, 260, 324, 328, 384
黄礬 …… 270, 272, 273, 310
黄麻 …… 238
大麦 …… 24, 46, 133
筬 …… 80, 81, 85, 88, 89, 91
白粉 …… 344
蒼耳(オナモミ) …… 389
鬼火 …… 35
斧 …… 247, 248, 306
織耳 …… 81
温泉 …… 273
縕袍 …… 100

か

夏 …… 220
雅 …… 386
鵞 …… 354
櫂 …… 231
磑 …… 131
海塩 …… 142
崖塩 …… 142, 154
槐花 …… 115, 116
蚕 …… 62-71, 73, 75
外航船 …… 221, 230
海鰍 …… 221
回青 …… 196, 197
灰槽小池 …… 275
灰池 …… 322, 323, 343
磑碾 …… 139
貝原益軒 …… 438
崖蜜 …… 166, 167
海洋船 …… 230, 236
顆塩 …… 148
鵝黄色 …… 109
『畫音歸正』…… 431
鏡 …… 211, 373

索引

あ

藍……110-113, 431
亜鉛……212, 213, 216, 253, 260, 324, 328, 329, 331
赤砂糖……156-158
灰汁……74, 93, 108, 109, 113, 297, 302
鴉鶻……404, 407
麻(あさ)→ま
堊土……186
油……279, 282, 283, 287
枯餅……27, 28, 287
亜麻……280, 281
飴……167
綾……75, 81, 85
綾絹……85, 88, 91
筬(あらおさ)→おさ
粟……54, 55, 117, 137, 167

い

毉……404, 407
硫黄……261, 266, 267, 270, 272, 273, 275, 345, 358, 360, 361, 368, 377, 379, 407, 439
鋳型……201, 203, 211, 213
錨……222, 223, 227, 229, 245, 252
錨綱……227, 228, 236
石磨……288
一窩糸……167
看家錨……227
苘……61
苘麻(イチビ)……101
畨芳羊……104
井戸……150, 151, 154, 276, 307, 308, 403, 404, 407, 416
糸くり……75
糸車……75
稲穂……35
稲……24-29, 34-36, 47, 117, 118, 123, 126, 167, 278, 283
稲藁……74, 93, 108, 113, 297, 303, 304, 387
衣服……61, 62, 437
韋編……293, 294
鋳物……208, 324, 329, 333
印架……80
白藊豆(インゲンマメ)……60
陰陽……275, 358

う

禹……198, 199, 200
烏金紙……309, 310
「禹貢」……199, 200, 353, 396, 402
牛……118, 151, 157, 159, 173, 239, 283, 332, 407
臼……117, 126, 131, 137, 186, 198, 288, 297, 360, 423
碓……126, 131, 150
磨……282, 283, 287, 288
雨水……156
烏梅……93, 108, 111
漆……349, 350, 361, 377, 380
粳稲……52, 54

[著者]

宋應星（そう・おうせい）

中国明末の学者・地方長官。字は長庚。1587年、江西省奉新県生まれ。1615年兄の應昇とともに郷試に合格、挙人となる。1634年江西省分宜県教諭、1638年福建省汀州府推官（司法官）、のち安徽省亳《はく》州知州（長官）。著書に『画音帰正』『雑色文原耗』『卮言《しげん》十種』など。

[訳注者]

藪内清（やぶうち・きよし）

1906年神戸市生まれ。京都大学理学部卒。京都大学名誉教授。2000年没。中国科学技術史専攻。主著に『隋唐暦法史の研究』（三省堂）、『天工開物の研究』（恒星社厚生閣）、『中国の天文暦法』（平凡社）、『中国文明の形成』（岩波書店）など、編著に『中国中世科学技術史の研究』（角川書店）、『宋元時代の科学技術史』（京都大学人文科学研究所）など。

平凡社ライブラリー 933

天工開物《てんこうかいぶつ》

発行日…………2022年8月10日　初版第1刷

著者……………宋應星
訳注者…………藪内清
発行者…………下中美都
発行所…………株式会社平凡社
〒101-0051　東京都千代田区神田神保町3-29
電話　(03)3230-6579［編集］
(03)3230-6573［営業］

印刷・製本……中央精版印刷株式会社
ＤＴＰ…………大連拓思科技有限公司＋平凡社制作
装幀……………中垣信夫

ISBN978-4-582-76933-3

平凡社ホームページ https://www.heibonsha.co.jp/

落丁・乱丁本のお取り替えは小社読者サービス係まで
直接お送りください（送料は小社で負担いたします）。

平凡社ライブラリー　既刊より

J・A・コメニウス著／井ノ口淳三訳
世界図絵

世界ではじめて出版された絵本・絵入りの教科書。教授学と汎知学という二大思想をもとに、自然と文化についての基本的な知識を視覚的に、楽しく解説する古典。

解説＝高山宏

中川裕著
改訂版　アイヌの物語世界

アイヌ＝「人間」とカムイ＝「人間にない力を持つものすべて」が織りなすさまざまな物語――『ゴールデンカムイ』の監修者がひもとく、豊かなアイヌの世界観と口承文芸の魅力。

グレゴリー・ガリー著／佐復秀樹訳
宮澤賢治とディープエコロジー
見えないもののリアリズム

この作家が最先端の科学と共有したエネルギーの連鎖など見えないもののリアリズムの思想を確認しディープエコロジーとの連関を描く。

【HLオリジナル版】

白川静著
漢字の世界　1・2
中国文化の原点

漢字はどのようにして生まれたのか？　その本来の意味とは？　古代人の心の世界を映す鏡である、深奥な漢字の世界を語りつくす。『字統』『字通』との併読を推奨。全2巻。

高馬三良訳
山《せん》海《がい》経《きょう》
中国古代の神話世界

中国の原始山岳信仰を伝える最古の地理書。空想を交えた山河と、そこに住むきわめて奇怪な姿の鬼神・怪物を通じて、古代中国人の神話と世界観が語られる。

解説＝水木しげる